LE GUIDE
DE LA SECRÉTAIRE
MÉDICALE

Marie Jeanne Lévesque Pilon

LE GUIDE
DE LA SECRÉTAIRE
MÉDICALE

La terminologie médicale

 guérin MONTRÉAL - TORONTO
4501, rue Drolet
Montréal (Québec) H2T 2G2 Canada
(514) 842-3481

Dépôt légal, 1er trimestre 1985
ISBN-2-7601-1083-4
Bibliothèque nationale du Québec
Bibliothèque nationale du Canada
IMPRIMÉ AU CANADA

Maquette de couverture: Alain Longpré
Illustrations: Sylvie Pelletier

Présentation

L'évolution de la médecine contemporaine fit naître une multiplicité, une diversité des disciplines de la santé qui entraîna la création de techniques nouvelles concernant les soins donnés aux malades, les moyens d'investigation et les traitements.

Cette transformation profonde de la médecine, cette évolution de la pensée de ceux qui s'occupent de la souffrance humaine se traduit par l'apparition de mots nouveaux, exprimant les faits, les idées et les doctrines naissantes.

La secrétaire médicale a donc intérêt à se familiariser avec les termes médicaux, à bien connaître la structure et le fonctionnement de l'organisme humain; afin de mieux comprendre les tâches qui lui sont confiées, d'être en mesure d'agir avec discernement et connaissance de cause.

L'auteur veut présenter dans ce volume le fondement de l'ensemble des connaissances professionnelles nécessaires à l'exercice des tâches de la fonction type d'une secrétaire médicale: réceptionniste médicale, dactylo médicale, dictaphoniste-dactylo médicale, préposée à l'accueil des malades, etc. Cet ouvrage comporte tous les termes indispensables à l'étude de l'anatomie, de la physiologie, de la pathologie, de la chirurgie et à la rédaction des formules médicales.

Le Guide de la secrétaire médicale est donc présenté en deux parties distinctes:

Volume I : Étude de la terminologie médicale
Volume II: Étude du milieu médical

Ce guide est conçu pour répondre aux objectifs du ministère de l'Éducation du Québec; il suit fidèlement les directives du Nouveau Régime Pédagogique et reflète une conception personnaliste de l'oeuvre éducative. Les programmes qui incluent l'étude de la terminologie médicale sont:

Au niveau secondaire:
   Secrétariat médical: Nos 462-522

Au niveau collégial:
   Archives médicales: Nos 411-00
   Auxiliaires infirmières: Nos 141-400

À l'éducation permanente:
   Secrétariat médical: No TMS-458

Ce manuel s'adresse également à toutes les secrétaires oeuvrant dans le secteur de la santé, au Québec; il répond donc aux attentes du ministère des Affaires sociales et de la Régie de l'assurance-maladie du Québec.

Le volume II: **Étude du milieu médical** fournit une explication claire et détaillée de toutes les pièces du dossier médical, de toutes les formules et rapports en usage dans nos hôpitaux.

Il importe de préciser que cet exposé de terminologie médicale n'a pas la prétention de faire avancer la science, c'est tout simplement un travail de recherche pédagogique. Le lecteur trouvera à la fin du manuel la liste de tous les volumes qui ont servi à construire le contenu médical de cet ouvrage.

Ayant fait de la recherche pour enseigner cette matière pendant trois années consécutives, j'ai voulu synthétiser mes préparations de cours dans un volume fait spécialement pour former nos secrétaires médicales. L'apprentissage de la terminologie médicale est facilité par le regroupement des termes techniques correspondant à chaque système du corps humain. D'autre part, l'effort à fournir pour retenir le sens des termes médicaux est allégé par la méthode utilisée soit: la décomposition des mots en préfixes, racines et suffixes. Le langage médical provient des peuples grecs et latins; la connaissance des racines grecques et latines permet donc de comprendre un grand nombre de mots.

Par ailleurs, la répétition des racines, des préfixes et des suffixes; les exercices de compréhension (1er volume) et d'application (2e volume) permettront à l'étudiant(e) de se familiariser avec les termes médicaux et de les utiliser à son gré.

J'espère que ce volume soit un outil précieux pour tous ceux qui oeuvrent dans le domaine de la santé, pour tous ceux qui sont appelés à avoir des contacts fréquents avec les médecins, pour tous ceux qui sont appelés à lire les textes médicaux et qui ont besoin de connaître le vocabulaire médical de base.

Enfin, je souhaite ardemment que ce livre parvienne à tous mes collègues qui enseigneront la terminologie médicale.

Note:

Dans le but de présenter un ouvrage clair, précis et facile à consulter, les explications données sont très concises. Le lecteur pourra s'il le désire se renseigner davantage sur l'être humain en consultant les nombreux ouvrages qui traitent du sujet.

Guide de lecture

À toi qui veux étudier la terminologie médicale

Cet ouvrage vise à t'aider à assimiler le vocabulaire médical dans un climat de détente et de compréhension; en te proposant une méthode simple et rapide qui facilitera ton apprentissage.

Ce texte possède la caractéristique suivante: chaque chapitre est divisé en objectifs à atteindre. Chaque objectif comprend trois parties qui correspondent à l'étude d'un des systèmes du corps humain. La structure et le fonctionnement normal de chacun des systèmes sont étudiés dans la partie anatomie et physiologie; les anomalies et les maladies reliées à chaque système sont vues dans la section pathologie; la partie intitulée chirurgie nous donne la liste des principales interventions chirurgicales pratiquées sur chaque organe du corps humain.

Tous ces petits systèmes, qui constituent le grand système humain, sont étudiés par la terminologie médicale. Chaque mot est étudié à partir de l'étymologie, c'est-à-dire par les préfixes, racines et suffixes. Dans le but de rendre la lecture plus intéressante, les origines grecques et latines sont données dans certains cas.

Afin de profiter au maximum de ce programme je te propose la démarche suivante:

☐ Dans un premier temps, lis les préfixes, racines et suffixes mentionnés.

☐ Dans un deuxième temps, décompose chaque mot en ses racines, préfixes et suffixes, et fais le lien avec la définition du mot. Tu comprendras beaucoup mieux.

☐ Dans un dernier temps, fais l'exercice de compréhension proposé.

Après avoir réalisé ces trois (3) étapes et obtenu la note exigée tu auras atteint ton objectif; tu passeras alors à l'objectif suivant.

Quand tu auras atteint la performance exigée pour tous les objectifs de ce guide, tu comprendras la terminologie médicale, tu écriras les textes médicaux avec joie car tu les comprendras et, tu seras un(e) employé(e) très efficace.

N.B. La plupart des illustrations du manuel sont reproduites en couleurs à la fin du volume.

Préface

Un volume didactique doit avoir pour but de permettre à son lecteur de parcourir un cheminement logique vers l'acquisition du matériel enseigné.

L'auteur de ces lignes vise à fournir à chaque future secrétaire une formation de base dans la connaissance du vocabulaire utilisé en milieu médical et finalement elle s'attarde à l'investigation du milieu médical et de sa technologie.

Tâche impossible que de schématiser, rationaliser et expliquer le lexique médical sans pour autant reproduire un dictionnaire: mission impossible accomplie. Certes on pourra toujours discuter la terminologie, la définir plus précisément, l'interpréter au fil de ses connaissances et de son évolution; jamais on ne rencontrera un consensus. Il importera donc à chaque secrétaire de parfaire cette nouvelle acquisition et de l'appliquer à son milieu de travail.

Grâce à cette recherche unique, Marie Jeanne Pilon a su réunir dans ces deux tomes une information objective et formatrice pour la secrétaire idéale que souhaiterait chaque professionnel de la santé.

Marcel Leclair M.D., L.M.C.C.
Omnipraticien à Ville d'Anjou

Plan général

Annexes:

Chapitre I

Racines, préfixes et suffixes d'usage général

Racines

Acro: Extrémité
Adpno: Glande
Angio: Vaisseau
Arthro: Articulation
Cardio: Coeur
Céphalo: Tête
Cervico: Cou
Cholé: Bile
Colpo: Vagin
Coxo: Hanche
Cubo: Dormir
Cysto: Sac, vessie
Démo: Peuple
Dermo: Peau
Dipso: Soif
Elytro: Vagin
Entéro: Intestin
Fébro: Fièvre
Gastro: Estomac
Gono: Genou
Glyco: Sucre
Hémo: Sang
Hépato: Foie
Hystéro: Utérus
Inguino: Aine
Lipo: Graisse
Médullo: Moelle
Mens: Mois

Métro: Utérus
Myélo: Moelle
Myo: Muscle
Néphro: Rein
Neuro: Nerf
Névro: Nerf
Oculo: Oeil
Ostéo: Os
Oto: Oreille
Ovo: Oeuf
Oxo, oxyo: Oxygène
Patho: Maladie
Phlébo: Veine
Pnée: Respiration
Psycho: Esprit
Pyélo: Bassinet
Pyo: Pus
Pyro: Feu
Rachio, rachido: Colonne
   vertébrale
Rhino: Nez
Salpingo: Trompe utérine
Scléro: Durci
Spondylo: Vertèbre
Sthéno: Force
Stomato: Bouche
Toco: Accouchement
Toxico: Poison
Vaso: Vaisseau

Préfixes

A, an: Absence, manque,
   carence, privation
Ana: Contraire, idée de renou-
   veau, avec
Anté: En avant
Ant(i): Contre, qui s'oppose

Apo: En dehors de
Auto: Soi-même
Brachy: Court et vite
Brady: Lent
Cac(o): Mauvais
Con: Avec

Crypt(o): Caché, dissimulé
Cyan(o): Bleu
Dia: À travers
Dilocho: Allongé, trop long
Dis: Deux fois
Dys: Difficulté
Ec, ex: Au dehors, hors de, en dehors de
En: Dans
Endo: À l'intérieur
Épi: Au-dessus, sur
Eu: Facile, bien, bon
Hémi: Moitié
Hétér(o): Différent
Histo: Tissu
Homo: Pareil, le même, semblable
Hyper: Excès, augmentation, au-dessus
Hypo: Insuffisance, au-dessous
Im, in: Idée de négation (in: dans)
Inter: Entre
Intra: Dans, à l'intérieur
Iso: Semblable
Juxta: Juste à côté
Macro: Grand
Médio: Au milieu, moyen
Méga: Grand, idée de dilatation

Méta: Après, entre-deux, changement vers, pendant
Micro: Petit
Mono: Un seul
Morpho: Forme
Multi: Plusieurs
Néo: Nouveau
Oligo: Peu, petite quantité
Ortho: Droit
Para: À côté de, au voisinage de, opposition, à travers
Per: À travers
Péri: Autour
Phago: Manger
Pneumo: Air
Pollaki: Souvent
Poly: Plusieurs, trop
Post: Après
Prè: Devant, en avant dans le temps, en avant dans l'espace
Primo, primi: Premier
Pro: En avant dans le temps, en avant dans l'espace, au lieu de, à la place de
Sub: Sous
Supra: Au-dessus de
Syn, sym: Avec, ensemble
Tachy: Rapide, vite
Tétra: Quatre
Trans: À travers

Suffixes

Algie: Douleur
Cinésie, Kinésie: Mouvement
Clasie: Action de briser, de casser
Cèle: Hernie
Cyte: Cellule
Dèse: Action de lier
Ectomie: Ablation, résection, exérèse

Émi: État de sang
Esthésie: Sensibilité
Ette: Diminutif (plus petit)
Gène: Qui engendre, qui produit
Ide: Qui ressemble à, qui a la forme
Ite: Inflammation
Logie: Science, étude de

Logue: Spécialiste de

Lyse, Lytique: Dissolution, destruction

Mégalo: Augmentation de volume

Métrie: Mesure

Ole: Diminutif (plus petit)

Ome: Tumeur, tuméfaction

Opsie: Vue

Ose État, phénomène qui se produit

Pareunie: Accouplement

Pathie: Maladie, affection

Pause: Arrêt

Penie: Pauvreté

Pexie: Fixer, attacher

Phène: Qui apparaît, qui semble, apparence

Phile: Qui aime

Plasie: Formation

Plastie: Réparation, restauration

Plégie: Paralysie

Physe: Ce qui est produit

Rèse: Sécrétion

Rragie: Écoulement (de sang)

Rraphie: Suture

Rrhée: Écoulement

Stase: Arrêt

Stomie: Action de créer une bouche, de faire un abouchement

Tomie: Ouverture, incision

Top(o): Lieu

Tripsie: Action de broyer

Trope: Qui a une affinité pour

Ule: Diminutif (plus petit)

Urie: État de l'urine

Exercice de compréhension

Il te suffit seulement de lire attentivement les préfixes, racines et suffixes d'usage général, car à la fin de cette étude, tu les auras parfaitement assimilés par la répétition.

Généralités

Objectif général[1]

Associer les termes de pathologie générale à leur définition correspondante.

Objectifs spécifiques

1.1 Termes généraux relatifs à la maladie.

1.2 Termes généraux de pathologie.

1.3 Anesthésie et chirurgie générale.

    a) anesthésie

    b) chirurgie

---

[1]Tous les objectifs généraux que contient ce volume ont été formulés par GIPEX (Groupe Interministériel de programmes et examens) du ministère de l'Éducation du Québec.

Bistouri

Pince hémostatique

Davier
pour extraction
dentaire.

Miroir frontal permettant
d'éclairer et d'examiner
les cavités.

Matériel de suture
par fil (catgut, soie,
nylon ou métal),

Bronchoscope
pour l'examen des bronches.

Ponction lombaire
L'aiguille, introduite entre
deux vertèbres lombaires,
permet de recueillir, à fin
d'examen, du liquide
céphalo-rachidien.

Stéthoscope
blauriculaire pour
auscultation du
coeur et des poumons.

Quelques instruments médicaux et chirurgicaux d'usage courant,
décrits dans l'Encyclopédie Universelle Illustrée, Les Éditions Mai-
sonneuve, Montréal, Tome 6, page 2191.

Les régions de l'abdomen et les principales incisions

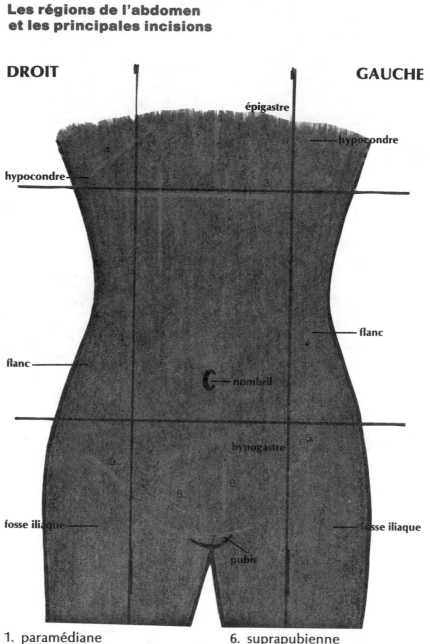

DROIT

GAUCHE

épigastre

hypocondre

hypocondre

flanc

flanc

nombril

hypogastre

fosse iliaque

fosse iliaque

pubis

1. paramédiane
2. cruciale
3. transverse
4. subcostale
5. gridirion iliaque gauche

6. suprapubienne
7. pfannenstiel
8. inférieur du muscle droit
9. Mc Burney

Introduction

Biologie

BIO: Vie
LOGIE: Science, étude de

La biologie est l'étude de la vie, la science des lois communes à tous les êtres vivants.

Anatomie

ANA: À travers
TOMIE: Section

L'anatomie est la science qui a pour objet l'étude complète de la structure du corps humain, de ses organes et de ses tissus.

Physiologie

PHUSIS: Racine grecque = nature
LOGIE: Science, étude de

La physiologie est la science qui a pour objet l'étude du fonctionnement de l'organisme.

Morphologie

MORPHO: Forme
LOGIE: Science, étude de

La morphologie est l'étude des formes du corps.

Pathologie

PATHO: Maladie
LOGIE: Science, étude de

La pathologie est la science qui étudie les maladies.

Nosologie

NOSO: Maladie
LOGIE: Science, étude de

La nosologie est l'étude des caractères distinctifs des maladies et de la classification de celles-ci.

Étiologie

ETIO: Cause
LOGIE: Science, étude de

L'étiologie est l'étude des causes des maladies.

Sémiologie

SEMIO: Signe
LOGIE: Science, étude de

La sémiologie est l'étude des signes des maladies. Nous disons aussi symptomatologie; étude des symptômes des maladies.

Gérontologie

GERONTO: Origine grecque, *gerontos* = vieillard
LOGIE: Science, étude de

La gérontologie est l'étude des phénomènes liés au vieillissement de l'organisme humain.

Thanatologie

THANATO: Mort
LOGIE: Science, étude de

La thanatologie est l'étude de la mort.

Déontologie

DEONTO: Ce qu'il faut faire
LOGIE: Science, étude de

La déontologie médicale est l'ensemble des règles qui régissent les rapports des médecins entre eux ou entre les malades et eux, c'est-à-dire la théorie des devoirs professionnels du médecin.

1.1
Termes généraux relatifs à la maladie

Vie *VITA:* Origine latine = vie

La vie est l'ensemble des forces résistant à la mort; c'est l'ensemble des activités d'un vivant. La mort fait partie de la vie et met une fin à la vie.

Santé *SANITAS:* Origine latine = santé

La santé est l'état de l'être vivant chez lequel le fonctionnement de tous les organes est libre, régulier, facile. Il y a la santé du corps et la santé de l'esprit.

Euphorie *EU:* Facile, bien calme, normal, bon, correct

L'euphorie est une sensation de bien-être.

Maladie *PATHIE:* Suffixe qui désigne la maladie

La maladie est un processus morbide envisagé dans son évolution, depuis sa cause initiale jusqu'à ses dernières conséquences.
    Une maladie est dite aiguë lorsqu'elle survient de manière soudaine; alors qu'une maladie chronique est une maladie à évolution lente.

Affection *AFFICERE:* Affaiblir

Une affection est un processus morbide, une maladie. On ajoute le suffixe pathie après le nom d'un organe pour désigner une maladie. *Ex.:* Le terme cardiopathie désigne les maladies du coeur.

Lésions *LAEDERE:* Blesser

Une lésion est une attente à la texture des organes comme une plaie, une contusion.

Pathogénie

PATHO: Maladie, affection
GENE: Origine, race, génération, qui produit

La pathogénie est le mécanisme par lequel des éléments pathogènes connus ou inconnus provoquent une maladie.

Pathogène

PATHO: Maladie, affection
GENE: Qui engendre, qui produit

Un agent pathogène est un agent qui cause une maladie.

Pathognomonique

PATHO: Maladie
GNOMONIKOS: Racine grecque qui signifie, *qui indique*

Un signe pathognomonique est un signe qui est particulier à une maladie.

Symptôme

SYN: Avec

Un symptôme est une manifestation d'une maladie, le signe d'une maladie. Le terme symptomatique signifie qui concerne les symptômes.

Syndrome

SYN: Avec
DROME: Cours, parcours, flux

Le syndrome est la réunion d'un groupe de symptômes qui se reproduisent en même temps dans un certain nombre de maladies.

Prodrome

PRO: Devant, en avant
DROME: Cours, parcours, flux

Le prodrome est le signe avant-coureur d'une maladie; c'est un état de malaise qui précède une maladie.

Diagnostic

DIA: À travers
GNOSIE: Origine grecque, *gnôsis* = connaissance, conscience, savoir

Le diagnostic est l'établissement de la cause et de la nature d'une maladie.

Pronostic

PRO: Devant, en avant
GNOSIE: Connaître

Le pronostic est l'acte par lequel le médecin prévoit l'évolution d'une maladie et l'issue probable de la maladie.
Lorsque le pronostic est sévère, il y a un certain danger de perdre la vie.

Euthanasie

EU: Facile
THANATO: Mort

L'euthanasie est une mort naturelle ou une mort provoquée par l'emploi de substances calmantes. C'est aussi, provoquer la mort par l'arrêt d'un traitement quelconque.

Prophylaxie

PRO: En avant, qui précède
PHYLAXIE: Origine grecque, *phylaxis* = garde, protection

La prophylaxie est une partie de la thérapeutique qui a pour objet de prévenir le développement des maladies.

Thérapeutique

THERAPEUCIN: Guérir
THÉRAPIE: Traitement

La thérapeutique est la partie de la médecine qui indique les moyens à employer pour guérir les maladies. (Modes de traitement.)

Évolution

EVOLVERE: Mot latin qui signifie dérouler, évoluer

L'évolution d'une maladie englobe les différentes phases d'une maladie. Une maladie évolutive est une maladie qui se modifie.

Guérison

GUÉRISON: Origine germanique = protéger, défendre

La guérison est le recouvrement de la santé, morale ou physique.

Convalescence

CONVALESCERE: Prendre des forces, se rétablir

La convalescence est le rétablissement progressif des forces entre la fin d'une maladie et la guérison complète.

Rechute

RECHUTER: Retomber malade

La rechute est la réapparition des symptômes d'une maladie en voie de guérison.

Récidive

RECIDERE: Retomber

Une récidive est la réapparition d'une maladie, après sa guérison.

Séquelle

SÉQUELLE: Origine latine *sequi* = suivre

Les séquelles sont les suites, les complications qui persistent après la guérison d'une maladie.

Localisation

LOCALISER: Fixer en un lieu déterminé

La localisation est la détermination du foyer d'une maladie ou d'une lésion.

Endémie

EN: Dans
DEMOS: Peuple

Une endémie est une maladie particulière à un peuple, à une population, à une région.

La maladie qui sévit dans une région déterminée est dite endémique.

Épidémie

EPI: Sur
DEMOS: Peuple

Il y a épidémie lorsqu'une maladie atteint un grand nombre d'individus à la fois.

Pandémique

PAN: Tout
DEMOS: Peuple

Le terme pandémique désigne une maladie qui s'étend sur un continent du globe terrestre.

Sporadique

SPORADIQUE: Origine grecque, *speirein* = disperser

Une maladie sporadique n'atteint que quelques individus isolément.

1.2
Termes généraux
de pathologie

Asthénie

A: Manque, absence, diminution, perte
STHENIE: Force

Une asthénie est un manque de force; une sensation de fatigue non motivée par une activité physique et intellectuelle. *Exemple:* une fatigue après une chirurgie.

Anoxie

AN: Manque, diminution, absence, perte
OXIE: Oxygène

Une anoxie est une diminution de la quantité d'oxygène.

Avitaminose

A: Manque, absence
OSE: État, phénomène qui se produit

L'avitaminose est le résultat pathologique d'une carence (manque) en vitamine.

Analgie

AN: Manque, absence, perte
ALGIE: Douleur

Une analgie est une perte de la sensibilité à la douleur.
À noter: L'analgésie est l'abolition de la sensation à la douleur.

Atrophie

A: Manque, absence, perte
TROPHIE: Nourriture

Une atrophie est une diminution de volume d'un organe due à un manque de nourriture.

Hypertrophie

HYPER: Plus, trop, surplus, au-dessus
TROPHIE: Origine grecque = nourriture

L'hypertrophie est l'augmentation du volume d'un organe.
À noter: Hypertrophie est le contraire de atrophie.

Anastomose

ANA: Avec, idée de renouveau
STOME: Origine grecque, stoma = bouche
OSE: État, phénomène qui se produit

Un anastomose est un abouchement, une communication *naturelle* ou *provoquée* entre deux vaisseaux, deux nerfs.

Allergie

ALLOS: Autre
ERGEIN: Agir

L'allergie est une sensibilité spéciale d'un organisme vivant à un agent donné qui fait que l'organisme réagit tout autrement que la majorité de ses semblables au même agent.
    Les manifestations allergiques sont nombreuses. Les principales sont: l'asthme (cf. système respiratoire p. 154), le rhume des foins (cf. système respiratoire p. 152), l'urticaire (cf. dermatologie p. 309).

Anaphylaxie

ANA: Contraire
PHYLAXIE: Origine grecque = protection

L'anaphylaxie est le contraire de la protection.
    L'individu qui est sensible à une substance réagit violemment; il fait de l'allergie. Cet individu n'est pas protégé contre certaines substances.
    Anaphylaxie est donc synonyme d'allergie.

Incompatibilité

IN: Idée de négation, contraire
COMPATIBLE: Qui peut s'accorder, se concilier avec

Ectopie

EC: Dehors
TOPIE, TOPO: Origine grecque, topos = lieu

Une ectopie se produit lorsqu'un organe est situé hors du lieu normal où il se trouve.

Prolapsus

PRO: Devant, en avant

Le prolapsus est l'abaissement anormal d'un organe ou d'une partie de cet organe.

Pyrexie

PYRO: Feu

La pyrexie est le fait d'avoir de la fièvre.

Apyrexie

A: Manque, absence
PYRO: Feu

Un malade apyrétique est un malade qui n'a pas de fièvre.

Pyrogène

PYRO: Feu
GÈNE: Qui engendre, qui produit

Une maladie qui engendre la fièvre, qui donne de la fièvre est un est maladie pyrogène.

Fébricule

FEBRIS: Fièvre
ULE: Diminutif qui signifie petit
SUB: Demi

Le terme fébricule désigne peu de fièvre.
Quand un malade a peu de fièvre, il est sub-fébrile.

Nécrose

NECROSE: Origine grecque, *nekros* = mort

La nécrose est la destruction d'un tissu qui devient un corps étranger, que la nature tend à éliminer de l'organisme soit en totalité, soit en partie, soit par fragments.

Gangrène

GANGRÈNE: Origine grecque, *gaggraina* = pourriture

La gangrène est un processus morbide caractérisé par la mortification des tissus et leur putréfaction.
Gangrène est synonyme de nécrose.

Hernie

CELE, CELO, KELO: Origine grecque, *kêlê* = hernie

La hernie est la sortie totale ou partielle d'un organe (intestin, péritoine), hors de sa cavité naturelle par un point faible.

Il existe plusieurs variétés d'hernie selon la cause et selon la localisation de la hernie.

☐ hernie congénitale: de naissance
☐ hernie de faiblesse: manque de résistance musculaire
☐ hernie de force: à la suite d'un effort
☐ hernie inguinale: hernie qui descend dans le canal inguinal (aine) [1]
☐ hernie crurale: hernie qui se trouve au sommet de la cuisse à l'anneau crural [2]
☐ hernie ombilicale: hernie qui se trouve à l'ombilic (nombril)
☐ hernie incisionnelle: hernie qui est due à une cicatrice postopératoire

Ulcère

ULCERE: Origine latine, *ulcus* = de substance

L'ulcération est la perte de substance de la peau ou des muqueuses.

L'ulcère est une ulcération chronique ayant une tendance marquée à persister longtemps ou indéfiniment.

---

[1] inguinal: adjectif dérivé de aine.
[2] crural: cuisse; l'orifice crural laisse passer les vaisseaux et les nerfs allant de l'abdomen à la cuisse.

1.3
Anesthésie
et chirurgie générale

A) ANESTHÉSIE

Anesthésie

AN: Perte, manque, absence
ESTHESIE: Sensibilité

L'anesthésie est la perte de la sensibilité, c'est le fait de supprimer la faculté de sentir la douleur.

Anesthésie générale

ANESTHÉSIE: Perte de la sensibilité

Une anesthésie générale se produit lorsque les centres nerveux sont imprégnés d'un produit qui amène la perte de toute sensibilité et la disparition de la mobilité (mouvement).

Anesthésie locale

ANESTHÉSIE: Perte de la sensibilité

L'anesthésie locale est la production de l'analgésie par l'infiltration d'un produit dans les tissus dans lesquels on doit pratiquer une incision. (Analgésie: absence de douleur.)

Anesthésie régionale

ANESTHÉSIE: Perte de la sensibilité

L'anesthésie régionale est une partie de l'anesthésie locale dans laquelle, au moyen d'une injection faite à l'intérieur ou autour du tronc nerveux, on anesthésie la région innervée par ce tronc.

Anesthésie tronculaire

ANESTHÉSIE: Perte de la sensibilité
TRONCULAIRE: Adjectif dérivé de tronc

L'anesthésie tronculaire est le blocage d'un tronc nerveux par l'application de solutions analgésiques. (Contre la douleur.)
L'anesthésie tronculaire est une anesthésie locale.

Anesthésie plexulaire

ANESTHÉSIE: Perte de la sensibilité
PLEXULAIRE: Adjectif dérivé de plexus
PLEXUS: Réunion des racines des nerfs rachidiens (cf. p. 234)

L'anesthésie plexulaire est le blocage d'un plexus complet.
Exemple: plexus brachial, au niveau du bras.
L'anesthésie plexulaire est une anesthésie régionale.

Anesthésie intra-rachidienne

ANESTHÉSIE: Perte de la sensibilité
RACHIDIEN: Adjectif dérivé de rachis
RACHIS: Colonne vertébrale
INTRA: Entre

L'anesthésie intra-rachidienne est l'introduction de solutions analgésiques dans le canal rachidien. Il s'agit d'une anesthésie régionale.

Anesthésie épidurale

ANESTHÉSIE: Perte de la sensibilité
ESPACE ÉPIDURAL: Espace qui sépare la dure-mère des parois du rachis (cf. méninges p. 183)

L'anesthésie épidurale est l'introduction d'une solution analgésique dans l'espace épidural.
L'anesthésie épidurale est une anesthésie régionale.

Anesthésie transtrachéale

ANESTHÉSIE: Perte de la sensibilité
TRACHÉAL: Adjectif dérivé de trachée
TRACHÉE: Cf. système respiratoire p. 194

L'anesthésie transtrachéale est l'introduction d'une solution analgésique dans le larynx et la trachée.

B) CHIRURGIE

Exérèse

EX: Dehors
ERESE: Origine grecque, *airesis* = action de prendre, de capturer

Une exérèse est une opération chirurgicale qui consiste à enlever une partie inutile ou nuisible à l'organisme.

Ablation

ABLATION: Origine latine, *ablatio* = action de retrancher, d'enlever

L'ablation est l'action de retrancher une partie malade, plus particulièrement un tissu anormal (tumeur, exostose).
À noter: Les termes exérèse et ablation sont synonymes.

Résection

RÉSECTION: Origine latine, *resecare* = retrancher

Une résection est une opération chirurgicale qui consiste à enlever un organe, une partie d'un organe ou d'un tissu.
Réséquer: verbe qui signifie pratiquer une résection.
Réséquable: adjectif qui concerne la résection.

Cure chirurgicale

CURE: Origine latine, *cura* = soin
CHIRURGICAL: Adjectif dérivé de chirurgie

Une cure chirurgicale est un traitement chirurgical.

Herniorraphie ou Cure de hernie

ORRAPHIE: Suture
CURE: Traitement
HERNIE: Sortie d'un organe hors de sa cavité naturelle

Une herniorraphie ou cure radicale de la hernie est la résection du sac, (l'ablation de la hernie), la consolidation de la paroi des bords du canal, ainsi que les traitements qui suivent.

Kélotomie

KELO: Hernie
TOMIE: Section, incision

La kélotomie est l'opération de la hernie étranglée.

Cyclodiathermie

CYCLO: Cercle
DIA: À travers
THERMIE:: Chaleur

Il s'agit d'ondes courtes qui donnent ou augmentent la chaleur du corps humain.

Auto-greffe

AUTO: Par soi-même
GREFFE: Transplantation de peau ou d'organes d'une région sur une autre

Une greffe dans laquelle le greffon est emprunté au sujet lui-même.

Paracentèse

PARA: À travers
CENTEIN: Origine grecque = piquer

La paracentèse est une opération qui consiste à piquer, pour pratiquer une voie d'évacuation d'une collection liquide hors d'un organe.

La paracentèse est employée pour l'évacuation du pus par le tympan dans les cas d'otite. (Cf. p. 407 et 411.)

Lorsque l'on perfore l'intestin pour évacuer un liquide, on pratique une paracentèse.

Ponction lombaire

PONCTION: Introduction dans une cavité naturelle ou artificielle d'un trocart ou d'une aiguille à ponction pour aspirer, évacuer un liquide
LOMBAIRE: Adjectif dérivé de lombes
LOMBES ou ÉCHINE: Région postérieure de l'abdomen située de part et d'autre de la colonne vertébrale

Une ponction lombaire est l'introduction d'un trocart dans le canal rachidien entre la 4e et 5e vertèbre lombaire, pour évacuer sans aspiration le liquide céphalo-rachidien. (Cf. p. 71.)

Chirurgie curative

CHIRURGIE: Partie de la médecine qui concerne les affections où une intervention opératoire peut être nécessaire
CURA: Soin

La chirurgie curative est la partie de la thérapeutique qui consiste à pratiquer certaines opérations avec la main ou avec des instruments dans le but de guérir.

Chirurgie palliative

PALLIATIVE: Mot dérivé de pallier

On parle de chirurgie palliative quand le chirurgien, ne pouvant rétablir la fonction physiologique dans sa totalité, réalise artificiellement un abouchement ou toute autre intervention. *Exemple:* la création d'un anus artificiel. Il s'agit d'une opération pratiquée dans le but de soulager ou de supprimer les symptômes d'une maladie sans agir sur la maladie elle-même.

Chirurgie plastique

PLASTIE: Origine grecque, *plassein* = façonner, réparer, modeler, restaurer

La chirurgie plastique est une branche de l'art chirurgical qui a pour but la réparation d'une défectuosité ou d'une malformation congénitale ou acquise.

La chirurgie réparatrice proprement dite ou restauratrice se propose de reconstituer les parties manquantes, par absence congénitale ou acquise. *Exemple:* bec de lièvre.

La chirurgie correctrice ou esthétique se propose de rendre leur aspect normal aux altérations non pathologiques. *Exemple:* nez exagérément plat.

Curetage ou curettage

CURAGE: Action de nettoyer

Le curetage est une opération qui consiste à dépouiller, avec le doigt (curage) ou avec un instrument tel qu'une curette, une cavité naturelle (utérus) ou accidentelle (abcès) des produits morbides qu'elle peut contenir et de sa muqueuse malade s'il y a lieu.

Plaie contuse

PLAIE: Origine latine, *plaga* = coup, blessure
CONTUSION: Meurtrissure, consécutive au choc d'un corps dur

Les plaies contuses sont produites par un corps émoussé (marteau) et se caractérisent par une lésion importante des tissus mous, une hémorragie et de la tuméfaction (gonflement des tissus).

Plaie punctiforme

PLAGA: Mot latin = coup, blessure
PONCTUM: Mot latin = point

Les plaies punctiformes ne présentent qu'une petite ouverture de la peau et peuvent être causées par une balle, un poignard ou d'autres agents du même genre.

Plaie lacérée

PLAGA: Mot latin = coup, blessure
LACERARE: Mot latin = déchirer

Une lacération résulte du déchirement des tissus. Les déchirures ont des bords déchiquetés et irréguliers du type de celles qui sont faites par le verre, le fil de fer barbelé, etc.

Plaie incise

PLAIE: Origine latine, *plaga* = coup, blessure

INCISE: Adjectif dérivé de incision

INCISION: Coupure, entaille faite au moyen d'un instrument tranchant

Les plaies incises sont des plaies chirurgicales qui résultent d'une coupure directe faite par un instrument tranchant (couteau, bistouri).

Incision cruciale

INCISION: Origine latine, *incidere* = couper

CRUCIAL: Adjectif dérivé de croix

L'incision cruciale ou incision cruciforme est une incision en forme de croix.

Incision paramédiane

PARA: À côté

MÉDIANE: Milieu

Une incision paramédiane est une incision abdominale verticale, latérale, pratiquée à une certaine distance de la ligne médiane.

Incision de Mc Burney ou Gridirion iliaque droit

FOSSE ILIAQUE: Région de l'abdomen située au-dessous du nombril dans le voisinage de l'os iliaque (cf. p. 74)

INCISION: Section des parties molles à l'aide d'un instrument tranchant

L'incision de Mc Burney donne une ouverture sur le caecum et l'appendice (cf. p. 105). C'est l'incision la plus employée pour l'appendicectomie (cf. p. 126).

Incision de Gridirion iliaque gauche

FOSSE ILIAQUE: Région de l'abdomen située au-dessous du nombril dans le voisinage de l'os iliaque

INCISION: Section des parties molles à l'aide d'un instrument tranchant

L'incision de Gridirion iliaque gauche donne une ouverture sur le colon sigmoïde (cf. p. 105).

Incision subcostale

SUB: En dessous
COSTAL: Adjectif dérivé de côte

Les incisions subcostales ou sous-costales sont des incisions obliques qui donnent un bon jour sur les hypocondres (hypondre: région latérale de l'abdomen située sous les fausses côtes). (Cf. p. 73.)

Incision transverse

TRANS: Par-delà
VERTERE: Tourner
TRANSVERSE: Qui est oblique
TRANSVERSAL: Qui passe en travers, qui se dirige obliquement

Les incisions transversales peuvent être rectilignes (droites) ou curvilignes (courbées). Elles siègent à des niveaux différents de l'abdomen et sont utilisées avec une fréquence variable suivant les écoles chirurgicales.

Incision suprapubienne

SUPRA: Au-dessus de
SUS: Au-dessus de
PUBIENNE: Adjectif dérivé de pubis
PUBIS: Partie de l'os iliaque située en avant et recouvert de poils. (Cf. p. 75.)

Les incisions sus-pubiennes sont pratiquées dans les poils et deviennent peu ou pas visibles après cicatrisation. Elles sont utilisées pour la majorité des interventions gynécologiques.

Incision de Pfannenstiel

SUS-PUBIENNE: Au-dessus du pubis
TRANSVERSALE: Oblique
LAPAROTOMIE: Cf. p. 128

L'incision de Pfannenstiel est une incision pour laparotomie sus-pubienne transversale légèrement concave en haut, longue de 10 à 15 cm, passant à deux travers de doigt au-dessus du bord supérieur de la symphyse pubienne (cf. p. 79). L'aponévrose (enveloppe du muscle) est incisée transversalement et décollée des muscles grands droits (cf. p. 78). Le péritoine (enveloppe qui recouvre les viscères) est incisé verticalement.

Incision de Bar

INCISION: Origine latine, *incidere* = couper

L'incision de Bar est une incision verticale sur la ligne médiane de l'utérus pratiquée dans l'opération césarienne.

Incision de Bergmann

INCIDERE: Couper

L'incision de Bergmann est une incision donnant une voie d'accès sur le rein. Elle part du bord externe de la masse sacro-lombaire au niveau de la 12e côte (cf. p. 73), pour rejoindre l'arcade crurale (haut de la cuisse).

Incision de Kehr

INCIDERE: Couper

L'incision de Kehr est une incision pour l'abord des voies biliaires.
Synonyme: Incision en baïonnette.

Suture

ORRAPHIE: Racine qui désigne une suture

Une suture est la réunion à l'aide de fils des parties divisées, c'est-à-dire des lèvres d'une plaie. Nous disons aussi une ligature. Ligaturer c'est lier avec un fil. Pour coudre le chirurgien utilise des fils et des aiguilles. Les aiguilles à coudre sont droites ou courbés, rondes ou triangulaires à la section. Le calibre de l'aiguille est lié à celui du fil qu'elle supporte.

Ligature résorbable

LIGATURER: Lier
RÉSORBER: Absorber

Les ligatures résorbables sont les ligatures faites avec des fils résorbables, c'est-à-dire qui disparaissent sans causer de problèmes. Les principaux fils résorbables sont le tendon de kangourou et le catgut.

Tendon de kangourou

TENDON: Extrémité des muscles (cf. p. 77)

Les tendons du kangourou, comme le mot l'indique, sont des fils obtenus à partir des tendons prélevés sur les animaux suivants: boeuf, renne, kangourou.

Catgut

KITGUT: Mot arabe = corde de petit violon

Le catgut est le produit de l'utilisation de la sous-muqueuse (cf.

p. 52) de l'intestin grêle du mouton, qui fendue, torsadée, séchée, polie, dégraissée, devient corde et après stérilisation: catgut.

On peut employer le catgut en général de la façon suivante:
0000 et 000: Ophtalmologie, chirurgie cardio-vasculaire, O.R.L.[1]
00:        Toute l'hémostase[2] sous-cutanée et dans les plans. C'est le numéro le plus utilisé.
0:         Hémostase, petites parois, chirurgie générale, O.R.L.
1 et 2:   Parois
3 et 4:   Rares, presque plus utilisés (gynécologie, urologie).

Le catgut chromé est utilisé dans des parois, là où on ne peut pas employer une ligature non résorbable, pour éviter des sérosités ou suppurations post-opératoires et il tiendra plus longtemps que le catgut simple.

Ligature non résorbable

LIGATURER: Lier
RÉSORBER: Absorber

Les ligatures non résorbables sont les ligatures faites avec des fils qui ne disparaissent pas d'eux-mêmes, le chirurgien doit les enlever.

Les fils non résorbables sont: le fil de lin, le fil de nylon ou fil synthétique plastifié (appelé aussi nylon superpolyamidé), le fil de soie naturelle, le fil d'acier, le fil de bronze, le fil d'argent.

[1]O.R.L. = Oto, rhino, laryngologie (cf. p. 406)
[2]Hémostase = arrêt d'une hémorragie (cf. p. 178)

Exercice de compréhension

(50 points)

I - Comment nomme-t-on:

1. Le fait de lier une plaie avec un fil?
2. Le fil obtenu à partir de l'intestin grêle de certains animaux, en particulier du mouton?
3. Une plaie chirurgicale qui résulte d'une coupure faite par un instrument tranchant?
4. La branche de l'art chirurgical qui a pour but la réparation d'une défectuosité ou d'une malformation?
5. Une opération pratiquée dans le but de soulager ou de supprimer les symptômes d'une maladie sans agir sur la maladie elle-même?
6. La partie de la thérapeutique qui consiste à pratiquer certaines opérations dans le but de guérir?
7. L'introduction d'un trocart dans le canal rachidien pour évacuer le liquide céphalo-rachidien?
8. L'opération qui consiste à piquer pour évacuer un liquide hors d'un organe?
9. La méthode qui consiste à utiliser les ondes courtes pour augmenter la chaleur du corps humain?
10. L'opération de la hernie étranglée?
11. L'introduction d'une solution analgésique dans le larynx et la trachée?
12. L'introduction d'une solution analgésique dans l'espace qui sépare la dure-mère des parois du rachis?
13. L'introduction d'une solution analgésique dans le canal rachidien?
14. Le blocage d'un tronc nerveux?
15. La perte de la sensibilité?
16. La perte de substance de la peau ou des muqueuses?
17. L'hernie qui se trouve dans l'aine?
18. L'hernie qui se trouve au sommet de la cuisse?
19. L'hernie qui est due à une cicatrice opératoire?
20. Le fait d'avoir de la fièvre?
21. Un organe situé hors du lieu normal où il se trouve?
22. Une diminution de la quantité d'oxygène?
23. Une maladie qui n'atteint que quelques individus isolément?
24. Le signe avant-coureur d'une maladie?
25. L'acte par lequel le médecin prévoit l'évolution et l'issue probable d'une maladie?

(50 points)

II - Orthographier correctement tous les termes étudiés dans la section généralités.

Après avoir réussi ce test avec une note de 95 %, passe à l'objectif suivant;

As-tu bien retenu la signification des racines suivantes:
bio, sémio, étio, noso, géronto, déonto, thémato, phylaxie, démos, sthénie, esthésie, fébris, centein, pyro, cura, gène, topo?

et de

a, ana, en, eu, dia, ec, algie, para, supra, sus, sym, syn, trans?

Le chapitre renferme quelques difficultés, cependant si tu les maîtrises bien tu partiras sur un bon pied.

Chapitre II

Système cellulaire

Objectif général

Associer à leur définition respective les termes relatifs à la cellule.

A) Pathologie du développement cellulaire

B) Traitement du cancer

Objectifs spécifiques

2.1 Notion d'anatomie et de physiologie

A) Étude de la cellule

B) Étude des tissus

2.2 Pathologie du développement cellulaire

A) Tumeur maligne

B) Tumeur bénigne

C) Maladies du collagène

2.3 Traitement du cancer

La cellule

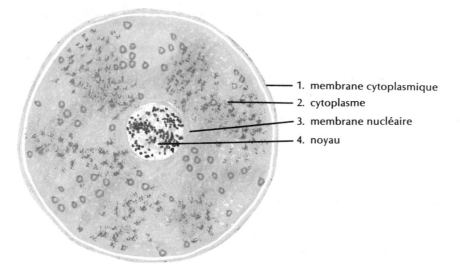

1. membrane cytoplasmique
2. cytoplasme
3. membrane nucléaire
4. noyau

VARIÉTÉS DE CELLULES

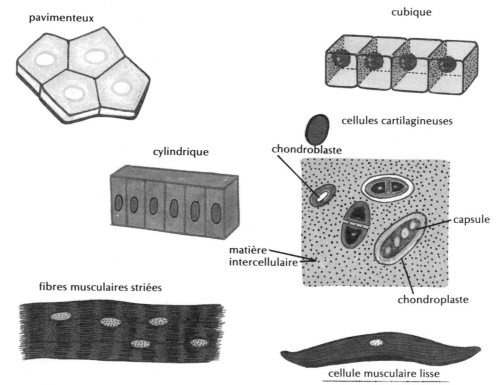

pavimenteux

cubique

cylindrique

cellules cartilagineuses

chondroblaste

capsule

matière intercellulaire

chondroplaste

fibres musculaires striées

cellule musculaire lisse

Introduction

Cytologie   CYTO: Cellule
                              LOGIE: Étude de

La cytologie est une partie de la biologie générale qui étudie la cellule vivante, sa structure, ses propriétés.

Histologie   HISTO: Tissu
                              LOGIE: Étude de

L'histologie est l'étude des tissus dont sont formés les êtres humains.

Cancérologie   CARCINO: Carcer
                              LOGIE: Étude de

La cancérologie ou carcinologie est la partie de la médecine qui étudie les tumeurs malignes.

Oncologie   ONCO, ONCHO: Origine grecque,
                              onkos = grosseur, crochet
                              LOGIE: Étude de

L'oncologie est l'étude du cancer et des traitements appropriés.

Cancérologue   CANCER: Tumeur maligne

Un cancérologue est un médecin spécialisé qui traite les affections cancéreuses.

2.1
Notions d'anatomie et de physiologie

A) ÉTUDE DE LA CELLULE

Cellule

CYTO, CYTE: Origine grecque, *kytos* = cellule

La cellule est l'unité de matière vivante, c'est la plus petite partie du corps humain. La cellule est microscopique. La cellule est bien vivante, elle respire, se nourrit, se reproduit; certaines se déplacent. La cellule est sensible et réagit à la chaleur, à la lumière, au choc, aux acides. L'homme est un être multicellulaire, constitué de milliers de cellules.

Cellule somatique

SOMATO: Origine latine, *soma* = corps

Les cellules somatiques sont les cellules régulières du corps.

Cellule sexuelle

SEXUEL: Adjectif dérivé de sexe

Les cellules sexuelles sont les cellules destinées à la reproduction.

Protoplasme

PROTO, PROTA: Origine grecque, *protos* = premier

Le protoplasme est une substance transparente ayant la composition chimique du blanc d'oeuf; il coagule à la chaleur et aux acides. Le protoplasme est la substance même de la cellule.

Cytoplasme

CYTO: Cellule

Le cytoplasme est le corps de la cellule, il est constitué de protoplasme.

Noyau

NOYAU: Mot d'origine latine, *nux* = fruit à écale et à amande

Le noyau est situé au milieu du protoplasme. Le noyau est l'élément fondamental de la structure cellulaire, il préside à son développement et particulièrement à sa multiplication.

Chromatine

CHROMATO: Origine grecque, chrôma = couleur

La chromatine est un réseau de filaments situés dans le noyau qui se transforment en chromosomes. Les chromosomes sont de petits bâtonnets qui comportent des gênes, lesquels déterminent les caractères héréditaires (couleur des yeux, etc.), sans oublier les maladies héréditaires.

Mitose

MITOS: Origine grecque = fil, trame

La mitose est un mode de division indirecte de la cellule qui se fait par étapes, en suivant un ordre rigoureux.

Interstice

INTER: Entre

En science, un interstice est un très petit intervalle entre les molécules d'un corps.
Interstitiel est l'adjectif dérivé de interstice. Les cellules baignent dans un liquide appelé liquide interstitiel.

Milieu intérieur

INTÉRIEUR: En dedans

Le milieu intérieur se compose de trois parties:
☐ ce qui circule dans les vaisseaux sanguins et lymphatiques; le sang et la lymphe (cf. p. 170 et 173),
☐ ce qui est dans les interstices entre les cellules humaines; espaces intercellulaires,
☐ ce qui est à l'intérieur des cellules; espaces intra-cellulaires.

Osmose

OSMOS: Origine grecque = impulsion

Des échanges d'eau se produisent entre la cellule et le milieu dans lequel elle baigne. La cellule peut ainsi se gonfler, se contracter, la pression est appelée osmose.

Homéostasie

HOMEO: Semblable
STASIE: Arrêt

L'homéostasie est l'équilibre intérieur.

B) ÉTUDE DES TISSUS

Tissu

HISTO: Tissu

Un tissu est un ensemble de cellules groupées, c'est-à-dire accolées les unes aux autres. Il y a plusieurs formes de cellules donc plusieurs variétés de tissus; osseux, cartilagineux, musculaire, conjonctif, épithélial, nerveux, liquide.

Épithélium

EPI: Au-dessus
THELIUM: Qui recouvre

L'épithélium est le tissu de revêtement. Les tissus épithéliaux forment la peau et revêtent les cavités communiquant avec l'extérieur telles que la bouche, l'estomac, la vessie.

Endothélium

ENDO: Intérieur
THELIUM: Qui recouvre

L'endothélium est une couche de cellules plates qui tapissent l'intérieur des vaisseaux.

Mésothélium

MESO: Milieu
THELIUM: Qui recouvre

Le mésothélium est une couche de cellules plates qui constituent les grandes cavités séreuses telles: la plèvre, le péritoine, le péricarde.

Tissu conjonctif

Les tissus conjonctifs sont faits de fibres entrecroisées. Les tissus conjonctifs sont des tissus de remplissage intercalés entre les organes et qui comblent les vides laissés entre ceux-ci. Le mésenchyme ou tissu mésenchymateux est une forme jeune du tissu conjonctif.

Adipeux

ADIPO: Origine grecque, *adeps, adipis* = graisse

Nous appelons tissu adipeux les réserves de graisse dans les fibres.

Muqueuse

MUCOSUS: Origine latine = mucosite

MUCOSITE: Excrétion filante ou fluide visqueuse qui laisse une croûte en séchant

La muqueuse est une membrane assez épaisse et rouge, formée de cellules conjonctives et épithéliales. Les muqueuses tapissent tout le tube digestif, les fosses nasales, les bronches, etc.

Les muqueuses sont lubrifiées par des sécrétions liquides, huileuses, qu'elles élaborent elles-mêmes ou que d'autres organes déversent sur leur surface. Les sécrétions portent le nom de mucus.

Les muqueuses portent parfois des cils vibratiles (fosses nasales, bronches) ou des papilles absorbantes (intestins).

Les muqueuses jouent un rôle de protection, de sécrétion, d'absorption.

Mucus

MUCO: Du latin *mucus* = morve, visqueux, muqueux

Le mucus est une substance filante et visqueuse sécrétée par les cellules à mucus des bronches, des glandes salivaires et des glandes digestives. Le mucus protège les muqueuses.

Collagène

COLLAGÈNE: Substance capable de fournir de la colle par cuisson

Le tissu conjonctif contient des fibres collagènes qui, par cuisson, se transforment en gélatine, en colle.

On désigne, à la suite des travaux du chercheur Selye, sous le nom de «maladies du collagène» ou collagénose, une liste d'infections du tissu conjonctif.

Séreuse

SÉRUM: Origine latine = petit lait

Une séreuse est une fine membrane qui recouvre certains organes dont elle facilite ies mouvements.

Une séreuse est constituée de deux feuillets. La plèvre (enveloppe du poumon), le péricarde (enveloppe du coeur), le péritoine (recouvre les viscères) sont des séreuses. Entre les feuillets des séreuses nous trouvons un liquide.

Parenchyme

PARA: À côté de
EGKHUMA: Effusion

Le parenchyme est un tissu formé de cellules différenciées et doué d'une fonction physiologique spécifique. *Ex.:* le parenchyme pulmonaire.

2.2
Pathologie du développement cellulaire

A) TUMEUR MALIGNE

Carcinologie

CARCINO: Origine grecque *karkinos, carcos* = crabe, cancer

La carcinologie est l'étude du cancer. Le cancer est une tumeur maligne. Le terme cancérologie est synonyme de carcinologie.

Néoplasie

NEO: Nouveau
PLASIE: Origine grecque, *plassein* = façonner, former

Une néoplasie est une formation de cellules nouvelles se substituant aux cellules normales d'un tissu. Ce qui est anormal.

Le terme néoplasie s'emploie plus souvent pour désigner des productions morbides et en particulier des tumeurs. Nous utilisons souvent le terme néoformation, qui a le même sens que néoplasie.

Tumeur

TUMERE: Enfler

Une tumeur est une néoplasie, c'est-à-dire une augmentation de volume due à une multiplication de cellules nouvelles; une croissance excessive du tissu. Les tumeurs peuvent être bénignes ou malignes.

Une tumeur maligne est un cancer. Les tumeurs malignes envahissent les tissus voisins et donnent des localisations des cellules nouvelles, des affections à distance, appelées: *métastases* ou nouvelles tumeurs.

Une tumeur bénigne est une excroissance inattendue d'un tissu. Une tumeur bénigne est surtout gênante par son ampleur. Toutefois, il ne faut pas la sous-estimer et il est fortement conseillé de consulter le médecin.

Sarcome

SARCO: Origine grecque, *sarx* = chair ou qui concerne le muscle
OME: Tumeur

Les sarcomes sont des tumeurs malignes d'origine conjonctive. Les sarcomes sont des cancers. Les sarcomes entraînent la mort du sujet atteint, à plus ou moins brève échéance.

Épithélioma

EPITHELIUM: Tissu de revêtement
OME: Tumeur

L'épithélioma est une tumeur maligne de l'épithélium. Nous connaissons deux variétés d'épithélioma: épithélioma malpighien, épithélioma cylindrique.
À noter: Le terme *carcinome* est synonyme de *épithélioma*. Les carcinomes, les épithéliomas sont des cancers.

Léiomyosarcome ou Myosarcome

LEI(O): Lisse
MYO: Muscle
SARCOME: Tumeur maligne du tissu conjonctif

Le léiomyosarcome est une tumeur maligne des muscles lisses ou striés (cf. p. 48 et 49).

Mésothéliome

MESO, MESEN: Origine grecque, *mesos* = au milieu
MESOTHELIUM: Cf. p. 52
OME: Tumeur

Une mésothéliome est une tumeur bénigne ou maligne dérivée des cellules tapissant les séreuses: plèvre, péricarde, péritoine.
L'endothéliome pleural ou pleurome est le cancer de la plèvre (rare).

Cancérigène

CARCINO: Cancer
GENE: Qui produit, qui engendre

Un agent cancérigène est un corps qui provoque le cancer.

B) TUMEUR BÉNIGNE

Hyperplasie

HYPER: En excès
PLASIE: Façonner, former

L'hyperplasie est une formation de cellules en excès. Mais, rien ne dit que ces cellules sont anormales.

55

Tuméfaction

SE TUMÉFIER: Augmenter de volume

Une tuméfaction est une augmentation de volume due à un *gonflement* des tissus.

Fibrome

FIBRA: Origine latine = fibre, fil, brin
OME: Tumeur

Un fibrome est une tumeur bénigne provenant de la prolifération des fibres du tissus conjonctif. *Exemple:* les fibromes de l'utérus provenant des fibres du tissu conjonctif de l'utérus.

Fibro-kystique

FIBRO: Fibre
KYSTO: Origine grecque, *kystis* = kyste

Le fibro-kystique est une tumeur fibreuse contenant des kystes, telles que les tumeurs kystiques de la mâchoire et du sein.
Un kyste est une production pathologique formée par une cavité contenant une substance liquide, molle, rarement solide.

Adénome

ADENO: Glande, ganglion
OME: Tumeur, tuméfaction

Un adénome est une tumeur bénigne provenant de la prolifération du tissu glandulaire. (Voir le système lymphatique p. 174.)

Lipome

LIPOS: Origine grecque = graisse
OME: Tumeur, tuméfaction

Un lipome est une tumeur bénigne provenant de la prolifération du tissu adipeux, graisseux.
À noter: On se souvient que adipo signifie graisse.

Polype

POLYPUS: Origine latine, *poly* = nombreux

Les polypes sont des tumeurs bénignes des épithéliums, observés au niveau des muqueuses des cavités naturelles: polypes du nez, du rectum, de l'urètre, du col utérin...
La *polypose* est une affection caractérisée par la formation simultanée ou successive de plusieurs polypes dans un même organe.

Léiomyome ou   *LEIO, LIO:* Lisse
Liomyome   *MYO:* Muscle
                      OME: Tumeur

Une liomyome est une tumeur bénigne formée de tissu musculaire lisse. Cette tumeur se développe surtout au niveau de l'utérus.

C) MALADIES DU COLLAGÈNE

Lupus érythémateux   *LUPUS:* Mot latin qui signifie loup
                            (cf. p. 379)
                            ERYTHEME: Éruption de taches
                            rouges sur la peau (cf. p. 377)

Le lupus érythémateux est une affection caractérisée par l'apparition de taches rouges, squameuses (cf. p. 378) à tendance atrophique (diminution de volume) et cicatricielle (qui laisse une cicatrice).
   Le lupus érythémateux est une maladie du collagène (cf. p. 53), s'observe chez les deux sexes, surtout chez la femme, entre 30 et 50 ans, et dans toutes les races. La lumière solaire, les rayons ultra-violets, le froid y prédisposent ou peuvent provoquer une poussée.

Polysérite   *POLY:* Plusieurs
                    SÉREUSE: Enveloppe
                    ITE: Inflammation

Une polysérite est l'inflammation de plusieurs séreuses.

Polymyosite   *POLY:* Plusieurs
                     MYO: Muscle
                     ITE: Inflammation

Une polymyosite est une affection caractérisée par une atrophie (diminution de volume) musculaire douloureuse avec dégénérescence des fibres striées.

Dermatomyosite   *DERMATO:* Peau
                        MYO: Muscle
                        ITE: Inflammation

La dermatomyosite est une affection de cause inconnue, caractérisée par un érythème accompagné d'oedème débutant à la face, puis gagnant le cou et les mains; par de l'affaiblissement, de l'atrophie et des douleurs frappant les tissus musculaires du tronc et des membres.

Périatérite ou Artérite noueuse

PERI: Autour
ARTER(O): Artère
ITE: Inflammation

L'artérite ou périartérite noueuse est une maladie caractérisée par la formation de nodosités réparties sur les tissus des artères. Cette affection peut se répandre et toucher plusieurs organes. Les nodosités sont des corps durs plus ou moins arrondis.

Sclérodermie

SCLERO: Dur
DERMATO: Peau

La sclérodermie est l'épaississement et l'induration de la peau et du tissu cellulaire sous-cutané et parfois des tissus profonds. Cette maladie présente différentes variétés: sclérodermie en plaques, sclérodermie en gouttes, sclérodermie en bandes. La sclérodermie généralisée débute généralement au moins par des troubles circulatoires du type de la maladie de Raynaud.

À noter: Induration est un mot d'origine latine; indurare = durcir. L'induration est donc le durcissement des tissus.

2.3
Traitement du cancer

Guérison

GUÉRIR: Mot qui provient de la langue germanique et qui signifie défendre, protéger

En théorie, guérir le cancer c'est le détruire. Dans les faits, c'est une entreprise difficile. D'abord, parce qu'une cellule naît d'une autre et lorsqu'on a tué la cellule cancéreuse, on n'est pas sûr que la cellule qui l'a donnée n'en donnera pas une nouvelle. Ensuite, parce qu'en détruisant les cellules cancéreuses, il faut éviter autant que possible de léser les cellules saines. Enfin la multiplication des métastases, parfois à distance (assez éloignée), multiplie les problèmes à résoudre de façon quasi insurmontable.

Cependant, si le cancer est détecté et traité au début de la maladie, les chances de guérison ou du moins de survie sont appréciables.

Radiothérapie

RADIO: Rayon
THÉRAPIE: Traitement

La radiothérapie ou radiations ionisantes est une technique qui consiste à détruire les cellules malignes de l'organe ou de la région qui les contient.

Les premières radiations utilisées étaient des rayonnements de 100 à 200 kilovolts. Puis le radium et surtout le cobalt radioactif ont permis d'utiliser des radiations d'énergie de l'ordre d'un million d'électrons-volts. Plus tard encore, les physiciens ont découvert de nouveaux moyens d'accélérer les électrons. Aujourd'hui, un bétatron «sort» des rayons X de plus de 30 millions d'électrons-volts qui permet aussi des irradiations où la source de rayons effectue des rotations autour du malade, (cyclothérapie) permettant de concentrer en profondeur des doses importantes de radiation.

Ces radiations dirigées vers la cellule cancéreuse aboutissent à sa mort par la rupture des processus de la vie cellulaire.

Chimiothérapie

CHIMIOTHÉRAPIE: Substance chimique utilisée pour guérir les affections. Les cytotoxiques sont les substances utilisées car elles empoisonnent les cellules

L'ambition des traitements chimiques est de découvrir des drogues agissant uniquement sur les cellules tumorales sans toucher aux cellules saines. Le but de cette technique consiste surtout à empêcher la division et par ce fait la prolifération des cellules tumorales. Les cytotoxiques sont les substances très toxiques utilisées pour les cellules. Leur administration provoque des destructions cellulaires, mais il faut trouver la dose qui détruit les cellules cancéreuses tout en respectant les cellules saines.

Hormonothérapie

HORMONE: Substance sécrétée par les glandes endocrines. Voir p. 270
THÉRAPIE: Traitement

L'hormonothérapie est l'emploi à des fins thérapeutiques, des diverses hormones naturelles ou de synthèse (fabriquées en laboratoire).

Parmi les médications chimiques, les hormones occupent une place importante pour le traitement du cancer.

Chirurgie

KHEIROS: Racine grecque = main
ERGON: Racine grecque = ouvrage

En cancérologie la chirurgie peut être utilisée à plusieurs titres. Elle peut être, naturellement, curatrice. Elle peut aussi être employée à titre préventif pour l'extirpation de lésions susceptibles d'évoluer vers des cancers avec une probabilité plus ou moins grande. Elle peut l'être en tant que palliatif, lorsque la guérison n'est pas envisageable, mais qu'une intervention permet de rétablir un maximum de confort physiologique, de diminuer la douleur et d'adoucir l'évolution finale.

La chirurgie radicale a pour but d'enlever la tumeur entière, en perturbant le moins possible la fonction de l'organe.

Médicaments divers

ANTI: Contre
BIO: Vie

Certains médicaments offrent des promesses thérapeutiques dans les cas de cancer:
☐ Les antibiotiques comme l'actinomycine D, la mithramycine, la bléomycine;
☐ Les alcaloïdes des plantes comme la pervenche (plante herbacée à fleurs) donne la vincristine (administrée aux enfants atteints de leucémie), la vinblastine (employée dans la maladie de Hodghin).

Exercice de compréhension

(50 points)

I - Comment nomme-t-on:

1. L'induration, le durcissement des tissus?
2. L'inflammation de plusieurs séreuses?
3. Une tumeur bénigne formée de tissu musculaire lisse?
4. Une affection caractérisée par la formation simultanée de plusieurs polypes?
5. Une tumeur bénigne provenant de la prolifération du tissu glandulaire?
6. Une production pathologique formée par une cavité contenant une substance liquide, molle, rarement solide?
7. Une augmentation de volume due à un gonflement des tissus?
8. Une formation de cellules en excès, qui ne sont pas nécessairement anormales?
9. Le cancer de la plèvre?
10. Une tumeur maligne des muscles lisses et striés?
11. Une tumeur maligne de l'épithélium?
12. Une tumeur maligne d'origine conjonctive?
13. Une formation de cellules nouvelles se substituant aux cellules normales d'un tissu?
14. L'étude du cancer?
15. Une fine membrane composée de deux feuillets qui recouvre certains organes et en facilite le mouvement?
16. Un tissu formé de cellules différenciées et doué d'une fonction physiologique spécifique?
17. Les réserves de graisse dans les fibres?
18. Les tissus faits de fibres entrecroisées?
19. Une couche de cellules plates qui tapissent l'intérieur des vaisseaux?
20. Une couche de cellules plates qui constituent les grandes cavités des séreuses?
21. Les cellules de revêtement qui forment la peau?
22. L'équilibre intérieur?
23. Les échanges d'eau se produisant entre la cellule et le milieu dans lequel elle baigne?
24. Un ensemble de cellules accolées les unes aux autres?
25. Les cellules régulières du corps?

(50 points)

II - Orthographier correctement les mots étudiés concernant le système cellulaire.

Si tu as réussi ce test avec une note de 95 %, tu peux passer à l'objectif suivant.

As-tu bien retenu la signification des racines suivantes:
cyte, histo, soma, homéo, stasie, thélium, plasie, fibra, adipo, lipo, scléro
et de
inter, endo, méso, para, néo, ome, hyper, léo, lio?

Continue à bien travailler!...

Appareil locomoteur

Objectif général

Associer à leur définition respective les termes relatifs à l'ossature.

A) Maladie des os

B) Chirurgie des os

Objectifs spécifiques

2.1.1 Anatomie et physiologie

    A) Étude du squelette et des muscles

    B) Étude des articulations et des mouvements

2.2.1 Pathologie du système locomoteur

    A) Affections de l'os et de la moelle épinière

    B) Affections du muscle et de l'articulation

2.3   Orthopédie

    A) Maladie traumatiques

    B) Malformations congénitales et acquises

    C) Maladies infectieuses

2.4   Chirurgie

    A) Chirurgie de l'os

    B) Chirurgie de l'articulation

Le squelette

1. os frontal
2. les pariétaux
3. les maxillaires
4. occipital
5. clavicule
6. humérus
7. radius
8. cubitus
9. fémur
10. rotule
11. tibia
12. tarse
13. phalanges
14. métatarse
15. péroné
16. os iliaque
17. pubis
18. métacarpe
19. vertèbres lombaires
20. sternum
21. côtes
22. sphénoïde
23. ethmoïde
24. nasal
25. vomer

Structure d'une articulation mobile

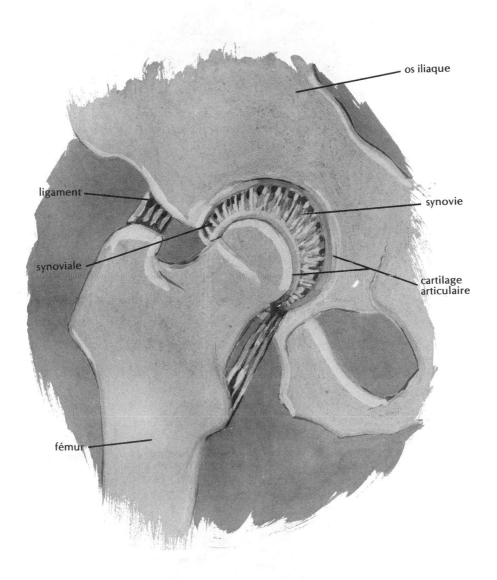

os iliaque

ligament

synovie

synoviale

cartilage articulaire

fémur

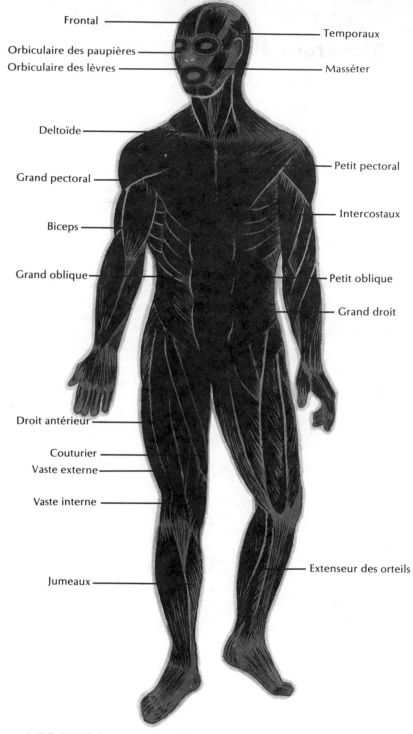

Frontal

Temporaux

Orbiculaire des paupières

Orbiculaire des lèvres

Masséter

Deltoïde

Petit pectoral

Grand pectoral

Intercostaux

Biceps

Grand oblique

Petit oblique

Grand droit

Droit antérieur

Couturier

Vaste externe

Vaste interne

Extenseur des orteils

Jumeaux

LES MUSCLES SQUELETTIQUES (face antérieure)

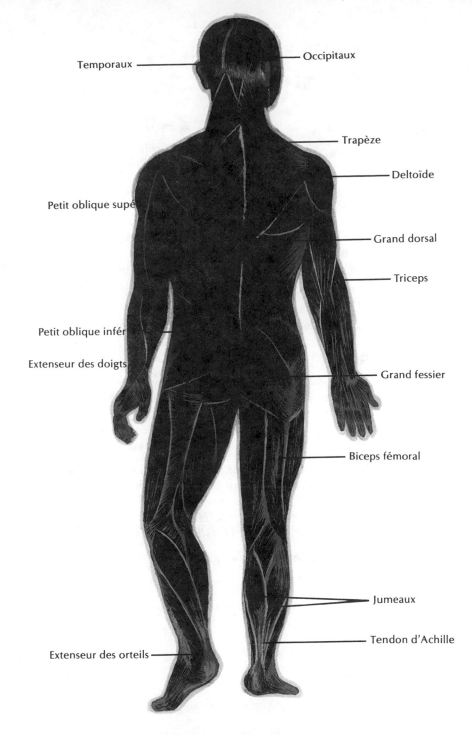

Temporaux

Occipitaux

Trapèze

Deltoïde

Petit oblique supé

Grand dorsal

Triceps

Petit oblique infér

Extenseur des doigts

Grand fessier

Biceps fémoral

Jumeaux

Tendon d'Achille

Extenseur des orteils

LES MUSCLES SQUELETTIQUES (face postérieure)

Introduction

Orthopédie

ORTHO: Préfixe tiré du grec, *orhos* = droit
PAIDOS: Origine grecque = enfant

Le préfixe ortho donne une idée de rectitude de justesse. Autrefois, l'orthopédie se définissait comme étant l'art de prévenir et de corriger chez les enfants les difformités du corps.

Aujourd'hui, l'orthopédie est une branche de la chirurgie qui traite des maladies, difformités, anomalies du système locomoteur, c'est-à-dire des os, des muscles et des articulations.

Orthopédiste

ORTHO: Droit

L'orthopédiste est un chirurgien spécialisé en orthopédie.

Ostéologie

OSTE(O): Os
LOGIE: Étude de

L'ostéologie est la partie de l'anatomie qui traite des os.

Myologie

MYO: Muscle
LOGIE: Étude de

La myologie est la science qui a pour objet l'étude des muscles du corps humain, de leur structure et de leur fonctionnement.

Arthrologie

ARTHRO: Articulation
LOGIE: Étude de

L'arthrologie est l'étude des articulations.

2.1.1
Notion d'anatomie et de physiologie

A) ÉTUDE DU SQUELETTE ET DES MUSCLES

Squelette

SKELETOS: Origine grecque = desséché, momie

Le squelette est l'ensemble des parties dures qui forment la charpente du corps humain. (208 os)

Frontal

FRONS, FRONTIS: Origine latine = front
FRONTAL: Adjectif dérivé de front

Le frontal est l'os du front.

Occipital

OCCIPUT: Partie inférieure et arrière du crâne
OCCIPITAL: Adjectif dérivé de occiput

L'occipital est l'os situé derrière la tête, comportant une cavité (petit trou).

Pariétal

PARIES: Origine latine = paroi

Le pariétal est l'os situé à la partie latérale du crâne; les deux (2) pariétaux sont donc les 2 os plats situés au-dessus du crâne. Chez l'adulte, les deux pariétaux sont soudés; chez le nourrisson, les deux pariétaux sont unis par une membrane cartilagineuse appelée fontanelle.

Temporal

TEMPUS: Origine latine = tempe
TEMPE: Région latérale de la tête comprise entre l'oeil, le front, l'oreille, la joue
TEMPORAL: Adjectif dérivé de tempe

Les deux (2) temporaux sont les 2 os qui constituent les tempes.

Ethmoïde

ETHMOS: Origine grecque = crible
EÏDOS: Origine grecque = aspect

L'os ethmoïde est situé à la naissance du nez formant ainsi une partie des fosses nasales. L'os ethmoïde est constitué de 4 parties; une lame osseuse verticale et médiane, une lame horizontale appelée lame criblée à cause des nombreux orifices dont elle est perforée et deux masses latérales appendues aux extrémités latérales de la lame horizontale.

Sphénoïde

SPHAERE: Origine latine = sphère
EÏDOS: Origine grecque = aspect

Le sphénoïde est situé en dedans du crâne et assure la jonction de tous les os du crâne.

Nasal

NASAL: Adjectif dérivé de nez

Les 2 nasaux sont des lames osseuses qui constituent l'armature du nez.

Vomer

VOMER: Mot latin; tu prononces (vomèr)

Le vomer est l'os de la partie postérieure du nez.

Malaire

MALA: Origine latine = mâchoire, joue

Les deux malaires forment la saillie des joues (pommettes).

Maxillaire

MAXILLAIRE: Mâchoire

Les maxillaires sont les os qui portent les dents. Le maxillaire inférieur est mobile et permet d'ouvrir la bouche; il s'articule aux temporaux. Le maxillaire supérieur est immobile, il est formé de deux os soudés entre eux au centre.

Hyoïde

HUOEIDES: Origine grecque = rude
EÏDOS: Aspect
IDE: Qui a la forme de

L'os hyoïde est un os cartilagineux en forme de fer à cheval. Il constitue l'os du cou.

Sinus

SINUS: Mot latin qui signifie *pli*

Les sinus sont des cavités percées dans les os pour les aérer, les alléger. Nous comptons 8 à 10 sinus ethmoïdaux, 2 sinus sphénoïdaux, 2 sinus frontaux, 2 sinus dans le maxillaire supérieur.

Rachis

RAKHIS: Origine grecque = épine dorsale

Le rachis est la colonne vertébrale. La colonne vertébrale est formée de 33 petits os superposés appelés vertèbres. Les vertèbres sont séparées par des petits coussinets élastiques appelés disques intervertébraux. Dans les disques nous trouvons des bourrelets gélatineux appelés *ménisques*.

Vertèbre cervicale

CERVIC(O): Signifie cour

Les vertèbres cervicales sont les vertèbres du cou. Elles sont au nombre de 7.

Atlas

ATLAS: Géant fabuleux qui portait la terre sur ses épaules (légende)

L'atlas est la 1re vertèbre cervicale. Elle supporte la tête.

Axis

AXO: Origine grecque, *axon* = axe

L'axis est la 2e vertèbre cervicale. De concert avec l'atlas, elle permet la mobilité de la tête.

Vertèbre dorsale

DORSAL: Adjectif dérivé de dos

Les vertèbres dorsales sont les vertèbres du dos. Elles sont au nombre de 12.

Vertèbre lombaire

LOMBES: Origine latine, *lumbus* = rein

Les vertèbres lombaires sont situées au bas du dos. Elles sont au nombre de 5.

Vertèbres sacrées

SACRUM: Mot latin = consacré

Les 5 vertèbres sacrées sont soudées entre elles et forment le sacrum.
N.B.: Les anciens avaient coutume d'offrir aux dieux cette partie des victimes immolées en sacrifice.

Vertèbre coccygienne *KOKKUX:* Origine grecque = pièce osseuse

Les 4 vertèbres coccygiennes sont soudées en un seul os appelé:: coccyx.

Apophyse *APO:* Signifie lors de
PHYSE: Croissance

L'apophyse est l'excroissance *naturelle* de la surface d'un os.

Apophyse articulaire APOPHYSE: Excroissance naturelle de la surface d'un os
ARTICULAIRE: Adjectif dérivé de l'articulation

Chaque vertèbre comporte des apophyses articulaires supérieures et inférieures.

Apophyse épineuse APOPHYSE: Excroissance naturelle de la surface d'un os
ÉPINEUSE: Adjectif dérivé de épine

Chaque vertèbre comporte une apophyse épineuse située à l'arrière et dirigée vers le bas (épine).

Apophyse transverse APOPHYSE: Excroissance naturelle de la surface d'un os
TRANSVERSE: Origine latine, *trans* = par-delà et *vertere* = tourner
Transverser signifie donc oblique

Chaque vertèbre comporte des apophyses transverses, obliques qui servent de support aux muscles.

Canal rachidien RACHIDIEN: Adjectif provenant de rachis

Le canal rachidien est un canal formé par les vertèbres. Il contient la moelle épinière.

Trou de conjugaison CONJUGAISON: Action d'unir

Le trou de conjugaison est un trou situé entre le corps de la vertèbre et les apophyses articulaires, il livre passage aux nerfs rachidiens.

Thoracique   THORAX: Poitrine
                                       THORACIQUE: Adjectif dérivé de
                                          thorax

La cage thoracique comporte le sternum et les côtes.

Sternum   *STERNUM:* Mot latin
                                       STERNON: Origine grecque

Le sternum est l'os unique et plat situé en avant de la cage
thoracique sur lequel s'articulent les côtes.

Côte   *COSTA:* Origine latine = côte

Les côtes sont des os longs en forme d'arc, reliés au sternum en
avant; et à la colonne vertébrale en arrière. L'homme a 12 paires
de côtes. Le sternum et les côtes forment la cage thoracique.

Cartilage costal   COSTAL: Adjectif dérivé du nom
                                          côte
                                       CARTILAGE: Tissu blanc élastique

Le cartilage costal attache les côtes au sternum.

Hypocondre   *HYPO:* Au-dessous
                                       CONDRE: Cartilage

Les hypocondres sont les deux régions de l'abdomen situées
sous les fausses côtes. L'hypocondre droit et l'hypocondre
gauche sont constitués de cartilage (tissu blanc, élastique).

Omoplate   *OMOS:* Origine grecque = épaule

L'omoplate est un os plat situé derrière la partie supérieure du
thorax.

Clavicule   *CLAVICULA:* Origine latine =
                                          petite clef

La clavicule est un os en forme de S situé à la partie haute de la
face antérieure du sternum. La clavicule est reliée au sternum et
à l'omoplate.
    L'omoplate et la clavicule constituent l'épaule.

Humérus   *HUMERUS:* Origine latine = épaule

L'humérus est l'os qui forme le squelette du bras; il s'étend de l'épaule au coude.

Cubitus

CUBITUS: Origine latine = coude

Le cubitus est l'os le plus interne de l'avant-bras, dont l'extrémité supérieure forme le coude.

Radius

RADIUS: Origine latine = baguette

Le radius est le 2e os de l'avant-bras. Le radius tourne autour du cubitus pour réaliser la pronation.

Carpe

KARPOS: Origine grecque = poignet

Le carpe est le poignet qui comporte deux rangées de 4 petits os.

Métacarpe

META: Entre-deux, vers
CARPE: Poignet

Le métacarpe est l'ensemble des cinq os qui constituent la paume de la main. On dira 1er métacarpien, 2e métacarpien, etc.

Phalange

PHALANGEX: Origine grecque = bâton

Les phalanges sont les os des doigts de la main. Nous utilisons le même terme pour désigner les os des orteils.

Iliaque

ILIAKOS: Origine grecque = ilion
ILION: Ancien nom de la ville de Troie

Les deux os iliaques forment la hanche. Nous utilisons aussi la dénomination ceinture pelvienne pour désigner la hanche. (Pelvienne: adjectif dérivé de pelvis.)

Ilion

ILION: Ancien nom de la ville de Troie

L'ilion est la partie supérieure de l'os iliaque.

Ischion

ISCHE: Origine grecque, *ischein* = arrêter

L'ischion est la partie inférieure de l'os iliaque.

Bassin   *PELVIS:* Mot latin = bassin

Le bassin est formé de quatre (4) os: le sacrum, le coccyx, les deux (2) os iliaques. Nous utilisons très souvent l'expression: *région pelvienne.*

Pubis   *PUBES:* Origine latine = poil follet

Le pubis est la partie située en avant de l'os iliaque.

Sciatique   *ISKHION:* Origine grecque = hanche

L'os iliaque porte sur son bord postérieur une pointe appelée épine sciatique.

Fémur   *FÉMUR:* Origine latine = cuisse

Le fémur est l'os le plus gros de la charpente humaine. C'est l'os de la cuisse.

Rotule   *ROTULA:* Mot d'origine latine

La rotule est l'os du genou.

Tibia   Mot latin qui signifie *flûte*

Le tibia est l'os le plus à l'intérieur de la jambe.

Péroné   *PÉRONÉ:* Origine grecque = cheville

Le péroné est l'os le plus à l'extérieur de la jambe.

Malléole   *MALLEOLUS:* Marteau
                                    OLE: Petit

Les malléoles sont des apophyses (cf. p. 72) qui ressemblent à de petits marteaux; elles sont situées à la partie inférieure du tibia et du péroné. Les malléoles constituent la cheville du pied.

Tarse   *TARSOS:* Origine grecque = rangée des doigts du pied

La tarse est le nom que porte le squelette de l'arrière-pied. Il est formé de sept os.

Métatarse

META: Entre-deux, verso
TARSE: Rangée des doigts du pied

Le métatarse est l'ensemble des cinq os qui forment l'avant-pied. Nous disons 1er métatarsien, 2e métatarsien, etc.

Osséine

OSSA: Origine latine = os

Substance gélatineuse de l'os. Chez le nourrisson, l'osséine n'est pas durcie.

Ostéocyte

OSTEO: Os
CYTE: Cellule

Les ostéocytes sont les cellules osseuses.

Périoste

PERI: Signifie = autour
OSTE(O): Os

Le périoste est la membrane qui entoure l'os et contrôle son développement en épaisseur.

Épiphyse

EPI: Signifie = sur
PHYSE: Qui se produit

L'épiphyse est l'extrémité d'un os long. Les épiphyses de l'os sont donc ses deux extrémités qui contiennent de la moelle rouge appelée tissu spongieux.

Diaphyse

DIA: Signifie = au travers
PHYSE: Qui se produit

La diaphyse est la partie moyenne de l'os située entre les 2 épiphyses. La diaphyse est le corps de l'os.

Médullaire

MYEL(O): Grec *muelos* = moelle
MEDULL(O): Latin *medulla* = moelle

Les racines myél(o) et médull(o) signifient aussi bien la moelle osseuse que la moelle épinière. Donc qui concerne la moelle des os et la moelle épinière se dit médullaire.

Myéloïde

MYEL(O): Signifie moelle
IDE: Signifie = qui concerne

Qui concerne la moelle osseuse se dit myéloïde.

Cartilage

CARTILAGO: Origine latine = cartilage

Tissu blanc, élastique, qui se retrouve aux extrémités des os et favorise le jeu de l'articulation.

Ossification

FACERE: Faire

Nous retrouvons dans ce mot la racine *es*, ainsi que *facere* qui vient du latin et signifie: FAIRE.

L'ossification est la formation et le développement de l'os.

Ostéogénèse

OSTE(O): Os
GENE: Qui engendre

L'ostéogénèse est l'ossification.

Myofibrille

MYO: Muscle
FIBRILLE: Petite fibre

Les myofibrilles sont des cellules allongées constituant des fibres groupées en faisceaux et appelées fibres musculaires. Ces fibres musculaires forment le tissu musculaire, c'est-à-dire les muscles.

Le rôle des muscles dans l'organisme est de mouvoir les os.

Tendon

TENDON: Nom commun dérivé de tendre

Les tendons sont les extrémités des muscles. Les tendons sont fixés sur les os reliant les muscles aux os.

Le tendon d'Achille est un tendon épais situé à la partie postéro-inférieure de la jambe.

Aponévrose

APO: À partir de

L'aponévrose est une gaine fibreuse qui isole chaque muscle de son voisin. L'aponévrose est l'enveloppe du muscle et de l'os.

Muscle squelettique

SQUELETTIQUE: Adjectif dérivé de squelette

Les muscles squelettiques sont les muscles fixés sur le squelette. Nous les appelons aussi muscles striés car ils sont formés de fibres striées.

Muscle viscéral

VISCÉRAL: Adjectif dérivé de viscère

Les muscles viscéraux se rencontrent dans les viscères creux du tube digestif, les voies biliaires, les voies urinaires, les voies respiratoires, l'appareil génital mâle et femelle, les vaisseaux sanguins.

Nous les appelons également muscles lisses car ils sont formés de fibres lisses.

Principaux muscles

MYO: Racine qui désigne les muscles

- ☐ *Muscles de la tête:* Orbiculaire de la tête, orbiculaire des lèvres.
- ☐ *Muscles du thorax:* Grand pectoral, grand oblique.
- ☐ *Muscles de l'abdomen:* Diaphragme (sépare le thorax de l'abdomen), grand droit.
- ☐ *Muscles des membres supérieurs:* Biceps, triceps.
- ☐ *Muscles des membres inférieurs:* Fessier, couturier, jumeau.

B) ÉTUDE DES ARTICULATIONS ET DES MOUVEMENTS

Articulation

ARTICULER: Être joint par un mode d'articulation

On appelle articulation ou jointure l'union des os les uns avec les autres.

Ligament

LIGAMENT: Lien

Les ligaments sont des faisceaux fibreux qui renforcent les articulations.

Synovie

SYN: Ensemble, rassemblé, avec

La synovie ou membrane synoviale est une membrane située dans la cavité de l'os, qui sécrète un liquide appelé: liquide synovial.

Le liquide synovial est une substrance huileuse qui lubrifie le cartilage articulaire, qui facilite le glissement des os les uns sur les autres.

Bourse séreuse

SÉREUSE: Membrane constituée de deux feuillets qui recouvre certains organes.

Les bourses séreuses sont des poches de forme et de dimensions diverses, contenant un liquide visqueux, situées dans le tissu conjonctif de l'os.

Ce liquide visqueux est destiné soit à jouer un rôle de protection, soit à faciliter le glissement des tissus.

Note bien que bourse séreuse et synovie sont des synonymes. (Bourse séreuse est le nom donné par les anciens médecins.)

Diarthrose

DI: Deux
ARTHRO: Articulation
OSE: État, phénomène qui se produit

Une diarthrose est une articulation très mobile réalisée par 2 surfaces articulaires.
Exemple: articulation de la hanche, des bras, etc.

Amphiarthrose

AMPHI: Demi-cercle
ARTHRO: Articulation
OSE: Phénomène qui se produit, état

L'amphiarthrose est une articulation semi-mobile.
Exemple: articulation de la colonne vertébrale.

Synarthrose

SYN: Avec, ensemble
ARTHRO: Articulation
OSE: État, phénomène qui se produit.

La synarthrose est une articulation dans laquelle les os sont en contact mais ne jouent pas l'un sur l'autre.
Exemple: articulation des os du bassin, des os du crâne.

Symphyse

SYN: Avec, ensemble
PHYSE: Qui se produit

La symphyse est une synarthrose, les extrémités osseuses en contact sont unies par des fibres très courtes qui ne permettent que des déplacements très limités.
Exemple: la symphyse pubienne.

La symphyse pubienne est l'union du pubis de l'os iliaque droit avec celui de l'os iliaque gauche.

Pronation

PRO: En avant

La pronation est la rotation interne de l'avant-bras de dehors en dedans. La paume de la main se place en dessous.

Supination

SUS: Au-dessus

La supination est la rotation externe de l'avant-bras de l'intérieur vers l'extérieur. La paume de la main se place en dessus.

Circumduction

CIRCUM: Origine latine = autour

La circumduction est la rotation de l'avant-bras dans toutes les directions; de gauche à droite, de l'avant vers l'arrière.

Flexion

FLECTERE: Origine latine = faire, plier, ployer

La flexion est l'action de plier le membre.

Extension

EXTENSIO: Origine latine = étendre

L'extension est l'action d'étendre le membre.

Adduction

AD: Vers, en dedans
ADDUCTIO: Origine latine = action d'amener

L'adduction est le mouvement qui rapproche un membre du corps.

Abduction

AB: Hors de, en dehors
ADDUCTIO: Action d'amener

L'abduction est le mouvement par lequel un membre est écarté du corps.

2.1.1
Pathologie du système locomoteur

A) AFFECTIONS DE L'OS ET DE LA MOELLE ÉPINIÈRE

Ostéopathie

OSTE(O): Os
PATHIE: Maladie, affection

L'ostéopathie désigne les affections, les maladies du tissu osseux.

Exostose

EX: En dehors
OSTE(O): Os
OSE: État, phénomène qui se produit

Une exostose est une excroissance anormale d'un os. Nous disons également une saillie anormale sur un os.

Ostéomalacie

OSTE(O): Os
MALACIE: Ramollissement

L'ostéomalacie est une décalcification, c'est-à-dire une diminution de la quantité de calcium contenu dans les os.

Ostéoporose

OSTE(O): Os
PORE: Très petit interstice (espace entre les molécules des corps)
OSE: État, phénomène qui se produit

L'ostéoporose est une déminéralisation squelettique. C'est une décalcification dans laquelle l'osséine de la trame protéique est altérée, le calcium et le phosphore ne pouvant plus se fixer.

Périostite

PERIOSTE: Membrane qui entoure l'os
ITE: Inflammation

La périostite est l'inflammation du périoste.

Ostéophyte

OSTE(O): Os
PHYTE: Qui est produit

L'ostéophyte est une production osseuse exubérante développée aux dépens du périoste dans le voisinage d'une articulation malade.

Ostéome

OSTE(O): Os
OME: Tumeur

L'ostéome est une tumeur bénigne osseuse.

Gonalgie

GONO: Genou
ALGIE: Douleur

La gonalgie est une douleur au genou.

Cervicalgie

CERVICO: Cou
ALGIE: Douleur

Une cervicalgie est une douleur au niveau du cou.

Sinusite

SINUS: Cavité percée dans l'os pour l'aérer, l'alléger
ITE: Inflammation

La sinusite est l'inflammation des sinus.

Ethmoïdite

ETHMOÏDE: Os situé à la naissance du nez
ITE: Inflammation

L'ethmoïdite est l'inflammation de l'os ethmoïde. En pratique du sinus ethmoïdal.

Sphénoïdite

SPHÉNOÏDE: Os situé en dedans du crâne
ITE: Inflammation

Une sphénoïdite est une inflammation de l'os sphénoïde.

Myélite

MYELO: Moelle
ITE: Inflammation

La myélite est l'inflammation de la moelle épinière.

Poliomyélite

POLIO: Gris

MYELO: Moelle
ITE: Inflammation

La poliomyélite est l'inflammation de la substance grise de la moelle épinière. Une partie seulement de la substance grise est atteinte.

Ostéomyélite

OSTE(O): Os
MYELO: Moelle
ITE: Inflammation

L'ostéomyélite est l'inflammation de la moelle osseuse des os.

B) AFFECTIONS DU MUSCLE ET DE L'ARTICULATION

Myopathie

MYO: Muscle
PATHIE: Maladie, affection

Myopathie est le nom générique des affections du muscle.

Myalgie

MYO: Muscle
ALGIE: Douleur

Le terme myalgie désigne une douleur musculaire.

Myosite

MYO: Muscle
ITE: Inflammation

Une myosite est une inflammation du tissu musculaire.

Myome

MYO: Muscle
OME: Tumeur, tuméfaction

Un myome est une tumeur bénigne provenant de la prolifération des cellules du tissu musculaire.

Amyotrophie

A: Manque, perte de...
MYO: Muscle
TROPHIE: Nutrition, nourriture

L'atrophie est la perte de volume d'un corps ou d'un organe par défaut de nutrition.
L'amyotrophie est une atrophie musculaire.

Dystrophie musculaire

DYS: Difficulté

TROPHIE: Nourriture

DYSTROPHIE: Trouble de la nutrition d'un tissu aboutissant à une modification de sa forme et de sa fonction

Les dystrophies musculaires progressives sont des maladies héréditaires et familiales sans cause connue.

Les myopathies primitives débutent dans l'enfance ou l'adolescence, touchent les deux sexes avec prédominance masculine. Elles se caractérisent par une atrophie musculaire et des atteintes musculaires surtout au tronc et aux racines des membres.

Les dystrophies musculaires endocriniennes sont les plus fréquentes. Au cours de l'hypothyroïdie ou myxoedème (cf. système endocrinien, p. 275), il existe une hypertrophie musculaire.

Au cours de l'hyperthyroïdie, il y a une amyotrophie symétrique des ceintures (épaule et bassin) associée parfois à des signes de myasthénie.

Myasthénie

MYO: Muscle

A: Manque, diminution

STENIE: Force

L'asthénie est un manque de force sans raison apparente.

La myasthénie est une maladie dans laquelle un muscle ne peut pas se contracter. Le fait qu'un muscle ne puisse plus se contracter revient à dire qu'il a perdu ses forces. Une myasthénie est donc une asthénie musculaire.

Parésie

ESIE: Faiblesse

La parésie est une diminution de la force musculaire, c'est-à-dire l'affaiblissement de la contractilité.

Stokes (Loi de)

La loi de Chopart Stokes nous dit:

Quand une muqueuse ou une séreuse est inflammée, les muscles sous-jacents sont paralysés.

Ténalgie

TENO: Tendon

TENDON: Partie du muscle qui est attachée à l'os

ALGIE: Douleur

Une ténalgie est une douleur au niveau des tendons.

Bursite

BOURSE SÉREUSE: Bourse entre le tendon et l'os qui favorise le glissement
ITE: Inflammation

Une bursite est l'inflammation d'une bourse séreuse.

Nous utilisons aussi le terme hygroma pour désigner toutes les variétés d'inflammation des bourses séreuses (hygroma = humide).

Synovite

SYNOVIE: Membrane située dans la cavité de l'os qui sécrète un liquide lubrifiant
ITE: Inflammation

La synovite est l'inflammation aiguë ou chronique, sèche ou avec épanchement, des membranes synoviales et particulièrement des membranes synoviales qui entourent les tendons de certains muscles.

Arthralgie

ARTHRO: Articulation
ALGIE: Douleur

L'arthralgie est une douleur au niveau de l'articulation.

2.3
Notions orthopédiques

A) MALADIES TRAUMATIQUES

Fracture

La fracture est une rupture brusque et violente des os et des cartilages.

Il y a plusieurs variétés de fractures. La fracture peut être complète, transversale, oblique, incomplète (fêlure), comminutive (avec fragments), diaphysaire, épiphysaire.

La fracture peut être fermée; ce qui signifie sans lésion à la peau. Elle peut être ouverte; avec lésion des muscles, des aponévroses, de la peau. Elle peut être compliquée; avec lésion d'organes, de vaisseaux, de nerfs.

Cal

CALUS: Callosité, épaississement

Le cal est une néoformation osseuse qui soude les 2 parties d'un os fracturé. (Néo: nouveau.)

Pseudarthrose

PSEUDO: Origine grecque, *pseudos,* mensonge, donné l'idée de fausseté
ARTHRO: Articulation
OSE: État

La pseudarthrose est une articulation accidentelle due au défaut de consolidation d'un os fracturé.

Entorse

L'entorse est une blessure infligée par suite d'une torsion aux ligaments qui entourent une articulation. (Synonyme de foulure.)

Exarthrose

EX: Hors de
ARTHRO: Articulation
OSE: État, phénomène qui se produit

L'exarthrose est le déplacement de deux surfaces articulaires.

Luxation

LUXATION: Origine latine, *luxarer* = déboîter

La luxation est le déplacement de deux surfaces articulaires. La luxation peut être congénitale, pathologique (maladies des tissus musculaires), ou traumatique.

À noter: Exarthrose et luxation sont synonymes.

Hernie discale

DISCAL: Adjectif dérivé de dis

Une hernie discale est le déplacement d'un ménisque contenu dans le disque intervertébral. La cause est ordinairement une hyperextension brusque du rachis lors d'un mouvement de flexion. (Le plus souvent entre la 4e et la 5e vertèbre lombaire.)

B) MALFORMATIONS CONGÉNITALES ET ACQUISES

Congénital

CON: Signifie avec
GEN(O), GENIT(O): Engendrer

Congénital signifie donc avec la naissance.

Pied bot

Le pied bot est une déformation du pied l'empêchant de prendre contact avec le sol par ses points d'appuis normaux.

Nous comptons plusieurs variétés de pieds bots.
Equin: le pied repose sur la pointe.
Talus: le pied repose sur le talon.
Valgus: le pied repose sur son bord intérieur.
Varus: le pied repose sur son bord extérieur.

Torticolis

TORTUM: Tordu
CALLUM: Cou

Le torticolis congénital est la torsion du cou avec inclinaison de la tête (cou croche).

Spina-bifida

SPINA: Épine
BIFIDA: Fendu

On distingue deux variétés de spina-bifida; selon que l'on se rapporte au développement de l'individu où à une malformation congénitale.

Le spina-bifida est un défaut de *développement* par lequel quelques vertèbres ne se ferment pas en anneau, d'où le nom de: épine fendue.

Le spina-bifida *congénital*, est une malformation de l'arc vertébral favorisant une hernie des méninges et de la moelle épinière, laquelle forme une tumeur molle contenant du liquide.

Coxalgie

COXO: Hanche
ALGIE: Douleur

La coxalgie est l'inflammation de l'articulation de la hanche due au bacille de Koch. (Tuberculose de la hanche.)

Mal de Pott

Le mal de Pott est une arthrite de la colonne vertébrale causée par le bacille de Koch. Le bacille de Koch est le microbe de la tuberculose.

Tibia vara

TIBIA: Os de la jambe
VARA: En dedans

Tibia vara désigne une déformation diaphysaire (diaphyse, cf. p. 76) qui consiste en une incurvation de la jambe en lame de sabre (jambe croche).

Coxa vara

COXA: Hanche
VARA: En dedans

Coxa vara désigne une déformation épiphysaire (épiphyse, cf. p. 76) qui consiste en une inflexion exagérée de la tête du fémur donnant une hanche évasée.

Genu valgum

GENU: Signifie genou
VALGUM: Signifie en dedans

Il s'agit d'une déformation dans laquelle les genoux sont infléchis en dedans.

Genu varum

GENU: Signifie genou
VARUM: Signifie en dehors

Il s'agit d'une déformation dans laquelle les genoux sont infléchis en dehors.

Cyphose

CYPH(O): Courbe
OSE: État

La cyphose est une déviation de la colonne vertébrale se traduisant par une courbure de la colonne vers l'arrière (bossu).

Scoliose

SCOLIOS: Origine grecque signifie tortueux
OSE: Signifie qui se produit, état

La scoliose est une déviation latérale de la colonne vertébrale.

Lordose

LOMBE: Latin, *lumbus* signifie rein
OSE: Qui se produit, état

La lordose est une déformation de la colonne vertébrale lombaire (cf. vertèbre lombaire, p. 71) présentant une courbure exagérée vers l'avant.

Bec de lièvre

Le bec de lièvre est une anomalie provenant de l'absence de soudure des 2 parties du maxillaire supérieur.

C) MALADIES INFECTIEUSES

Arthrite

ARTHRO: Articulation
ITE: Inflammation

L'arthrite est une maladie inflammatoire douloureuse des tissus articulaires (muscles et tendons) aboutissant à l'atrophie, l'hypertrophie, la déformation, l'ankylose de l'articulation.

Polyarthrite

POLY: Plusieurs
ARTHRO: Articulation
ITE: Inflammation

La polyarthrite est une arthrite frappant plusieurs articulations.

Arthrite urique

ARTHRITE: Inflammation d'une articulation
URIQUE: Adjectif dérivé de urée

L'arthrite urique est une maladie causée par l'accumulation d'acide urique dans le sang. Il se produit alors une formation de petits dépôts de cristaux d'urate de soude au niveau des articulations.
L'arthrite urique est appelée *la goutte.*

Arthrosynovite

ARTHRO: Articulation

SYNOVIE: Membrane qui sécrète
un liquide huileux
ITE: Inflammation

Une arthrosynovite est l'inflammation de la synoviale articulaire.

Spondylite

SPONDYLO: Vertèbre
ITE: Inflammation

Une spondylite est l'inflammation d'une vertèbre de la colonne vertébrale.

Spondylarthrite

SPONDYL(O): Vertèbre
ARTHR(O): Articulation
ITE: Inflammation

La spondylarthrite est l'inflammation des vertèbres et des disques intervertébraux. Le disque intervertébral joue un rôle dans l'articulation des vertèbres.

Spondylarthrite ankylosante

ANKYLO: Origine grecque, frein
ANKYLOSE: Diminution, ou impossibilité absolu des mouvements d'une articulation

Ce terme est employé lorsqu'une inflammation des vertèbres et des disques intervertébraux aboutit à l'ankylose de la colonne vertébrale.

Arthrose

ARTHR(O): Articulation
OSE: État

Une arthrose est une dégénérescence des articulations.

Cervicarthrose

CERVIC(O): Cou
ARTHRO: Articulation
OSE: État

Une cervicarthrose est une arthrose des vertèbres cervicales.

Rhumatisme

RHEUMA: Mot grec, fluxion

Le rhumatisme articulaire aigu R.A.A. est une maladie des articulations accompagnée d'atteinte cardiaque. Nous disons aussi: maladie de Bouillaud.

Le rhumatisme en général est une maladie caractérisée par des phénomènes de fluxion sur une articulation, un muscle, avec douleur vive. Il en existe plusieurs formes.

Le rhumatisme articulaire aigu est une maladie infectieuse due à un virus. Cette maladie survient surtout en hiver et au printemps, par froid humide, entre 15 et 40 ans. Une atteinte antérieure prédispose à une nouvelle attaque, qui peut apparaître, comme la première, à l'occasion d'un choc, d'une chute, de troubles digestifs. L'hérédité a une influence.

Le coeur doit être examiné quotidiennement chez tout rhumatisant, car très souvent apparaissent des lésions du péricarde, de l'endocarde et du myocarde.

2.4
Chirurgie du système locomoteur

A) CHIRURGIE DE L'OS

Réduction

RÉDUCTION: Nom dérivé du verbe réduire

La réduction d'une fracture est la mise en place des segments osseux.

Ostéosynthèse

OSTE(O): Os
SYNTHÈSE: Reconstruction d'un tout au moyen de ses éléments.

L'ostéosynthèse est la réduction d'une fracture ouverte. La peau est incisée; le chirurgien replace les fragments et le périoste. Pour consolider la réduction, il utilise du fil métallique, vis ou plaques stériles.

Ostéotomie

OSTE(O): Os
TOMIE: Sectionner

Ce terme désigne une intervention chirurgicale qui consiste à sectionner l'os.

Ostéoplastie

OSTE(O): Os
PLASTIE: Réparer

L'ostéoplastie est le nom donné à toutes les opérations qui ont pour but la restauration d'un os à l'aide de fragments osseux.

Ostéoclasie

OSTE(O): Os
CLASIE: Briser

L'ostéoclasie consiste à redresser certaines difformités des os et des articulations en fracturant des os, soit par un effort manuel, soit au moyen d'appareils spéciaux nommés ostéoclastes.

Séquestrectomie

ECTOMIE: Ablation
SEQUESTRARE: Séparer

La séquestrectomie est l'extraction d'un séquestre inclus dans un os vivant.

Un séquestre est une partie d'un os atteint de nécrose.

Amputation

AMPUTER: Couper

Opération par laquelle on enlève un membre ou une partie du membre: le moignon est la partie du membre conservé.

Variétés:

Syme: Ce terme désigne l'amputation du pied dans l'articulation tibio-tarsienne avec résection des malléoles et formation du lambeau avec la peau du talon. (Amputation de la cheville.)

Gritti: L'Opération de Gritti est un procédé d'amputation de la cuisse dans lequel on enlève au moyen d'une scie les surfaces articulaires du fémur et de la rotule. Les surfaces osseuses sont maintenues en contact jusqu'à consolidation.

Hey: Amputation du pied entre le tarse et le métatarse.

Chapart: Amputation du pied par désarticulation du métatarse.

Sinusectomie

SINUS: Cavité percée dans l'os pour l'aérer, l'alléger
ECTOMIE: Ablation = enlever

La sinusectomie est l'ablation des sinus. (Plancher inférieur.)

Sinusotomie

SINUS: Cavité percée dans l'os pour l'aérer, l'alléger
TOMIE: Sectionner

La sinusotomie est l'ouverture des sinus pour fins de drainage.

Trépanation

TRÉPAN: Instrument chirurgical destiné à pratiquer une ouverture dans un os

La trépanation consiste à pratiquer un orifice (trou, cavité) dans un os, soit avec le trépan ou tout autre instrument.

Sinusotomie maxillaire ou Opération de Luc Caldwell

SINUS: Cavité percée dans l'os
TOMIE: Incision
MAXILLAIRE: Mâchoire

Il s'agit de la trépanation du sinus maxillaire, suivie de curetage. Cette intervention est pratiquée dans les cas de sinusite maxillaire chronique.

Rhinoplastie

RHINO: Nez
PLASTIE: Réparation, restauration

Une rhinoplastie est la reconstruction du nez avec excision du cartilage de la peau (greffe). Cette opération est destinée à remédier aux difformités congénitales ou traumatiques.

Septoplastie

SEPTUM: Cloison séparant deux cavités
PLASTIE: Réparation

La septoplastie est la réparation du septum, de la cloison des fosses nasales.

Turbinectomie

TURB(O): En forme de cône
ECTOMIE: Ablation

La turbinectomie est l'ablation d'un des cornets des fosses nasales.

Chondrectomie

CHONDRO: Cartilage
ECTOMIE: Ablation

Une chondrectomie est l'ablation d'un cartilage.

Méniscectomie

MENISC(O): Ménisque = petit coussinet
ECTOMIE: Ablation

La méniscectomie est l'ablation totale ou partielle d'un ménisque articulaire.

Patellectomie

PATELLO: Rotule = os du genou
ECTOMIE: Ablation

La patellectomie est l'ablation de la rotule.

Patelloplastie

PATELLO: Rotule = os du genou
PLASTIE: Restauration, réparation

La patelloplastie est la reconstitution chirurgicale de la rotule fracturée ou déformée par des lésions d'arthrose.

Ténodèse

TENO: Tendon
DESE: Action de lier

Une ténodèse est la transformation d'un muscle paralysé en un ligament. Le chirurgien sectionne le muscle près du tendon et l'extrémité de celui-ci est fixée en un point déterminé du squelette.

Discoïdectomie

DISCOÏD(O): Vertèbre
ECTOMIE: Ablation

La discoïdectomie est l'intervention chirurgicale qui consiste à enlever un disque intervertébral.

Greffe d'Albee

GREFFE: Transplantation de peau ou d'organes

La greffe d'Albee est une greffe en pont d'un fragment osseux qui permet d'immobiliser un segment de la colonne.

B) CHIRURGIE DE L'ARTICULATION

Opération de Hibbs

C'est l'opération destinée à obtenir une ankylose vertébrale par soudure entre elles des apophyses épineuses préalablement fracturées et juxtaposées.

Arthrodèse ou Opération d'Albert

ARTHR(O): Articulation
DESE: Lier

L'arthrodèse est une opération qui a pour but de provoquer l'ankylose d'une articulation.

Arthrocentèse

ARTHRO: Articulation
CENTESE: Piquer

Une arthrocentèse est une ponction pratiquée dans une articulation.

Arthrostomie

ARTHR(O): Articulation
STOMIE: Abouchement

Une arthrostomie est l'ouverture chirurgicale d'une articulation avec abouchement de la synoviale (cf. p. 78) à la peau; pratiquée dans le but de réaliser un drainage permanent.

Arthroplastie ou Arthroplasie

ARTHRO: Articulation
PLASTIE: Restauration
PLASIE: Formation

Cette intervention consiste à rétablir l'articulation ankylosée.

Exercice
de compréhension

(50 points)

I - Comment nomme-t-on:

1- La restauration d'une articulation ankylosée?

2- L'ouverture chirurgicale d'une articulation avec abouchement de la synoviale à la peau?

3- L'opération qui a pour but de provoquer l'ankylose d'une articulation?

4- La greffe d'un fragment osseux qui permet d'immobiliser un segment de la colonne?

5- L'ablation d'une vertèbre?

6- La reconstitution chirurgicale de la rotule?

7- L'obtention d'une ankylose vertébrale par soudure des apophyses épineuses?

8- L'ablation d'un cartilage?

9- L'ablation d'un cornet des fosses nasales?

10- La réparation de la cloison du nez?

11- L'action de pratiquer un orifice dans un os?

12- La réduction d'une fracture ouverte?

13- Une dégénérescence des articulations?

14- L'inflammation des vertèbres et des disques intervertébraux?

15- La goutte?

16- L'inflammation des articulations?

17- Une déviation latérale de la colonne vertébrale?

18- Une déformation de la colonne vertébrale lombaire?

19- Une déformation du genou, en dedans?

20- Une jambe croche?

21- La tuberculose de la hanche?

22- Une production osseuse exubérante développée dans le voisinage d'une articulation malade?

23- Le déplacement de deux surfaces articulaires?

24- Le nom générique des affections du muscle?

25- Une tumeur bénigne provenant de la prolifération des cellules du tissu musculaire?

(50 points)

II – Orthographier correctement tous les termes étudiés concernant l'appareil locomoteur.

Si tu as réussi ce test avec la note exigée de 95 %, tu peux passer à l'objectif suivant.

As-tu bien retenu la signification des racines suivantes:

ostéo, myo, arthro, ortho, condre, myélo, médullo, spondylo, discoïdo, polio, téno, coxo, patello, rhino,
et de
apo, physe, phyte, hypo, épi, dia, pro, sus, dèse, ex, algie, malacie?

On se doit de persévérer! Vas-y pour le Chapitre III.

Chapitre III

Appareil digestif

Objectif général

Associer à leur définition respective les termes relatifs au système digestif.

A) Maladies
 - Maladies de la bouche
 - Maladies du pharynx
 - Maladies de l'oesophage
 - Maladies de l'estomac
 - Maladies de l'intestin

B) Chirurgie

Objectifs spécifiques

3.1 Notions d'anatomie et de physiologie
 A) Étude du tube digestif et des glandes salivaires
 B) Étude des glandes digestives (glandes annexes)

3.2 Pathologie du système digestif
 A) Symptômes relatifs au système digestif
 B) Maladies de la bouche
 C) Maladies de l'oesophage
 D) Maladies de l'estomac
 E) Maladies des intestins
 F) Maladies des glandes gastriques

3.3 Chirurgie
 A) Chirurgie de la bouche et de l'oesophage
 B) Chirurgie de l'estomac
 C) Chirurgie des intestins
 D) Chirurgie des glandes gastriques

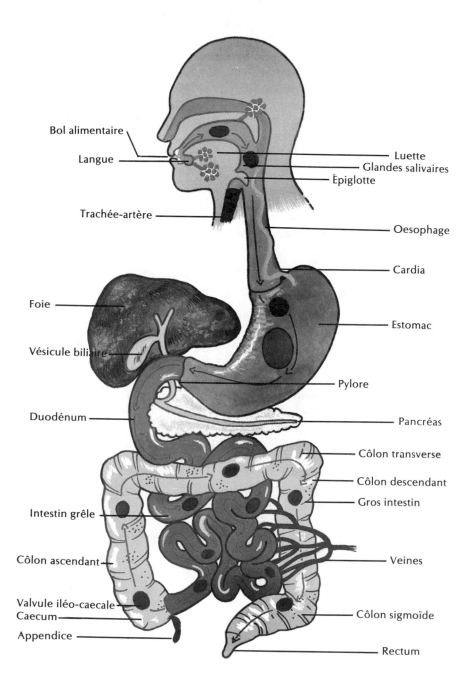

Bol alimentaire

Langue

Luette

Glandes salivaires

Épiglotte

Trachée-artère

Oesophage

Cardia

Foie

Estomac

Vésicule biliaire

Pylore

Duodénum

Pancréas

Côlon transverse

Côlon descendant

Gros intestin

Intestin grêle

Côlon ascendant

Veines

Valvule iléo-caecale

Caecum

Côlon sigmoïde

Appendice

Rectum

SCHÉMA DU SYSTÈME DIGESTIF

3.1
Notions d'anatomie et de physiologie

A) ÉTUDE DU TUBE DIGESTIF

Bouche

STOMA, STOMATO: Bouche

La bouche est limitée par les lèvres, les joues, le palais et la langue. Les dents sont implantées dans les maxillaires.

Salivaire

SIAL: Salive
SALIVAIRE: Adjectif dérivé de salive
GLANDES SALIVAIRES ou GLANDES DIGESTIVES

Les glandes salivaires sont situées dans la bouche et sécrètent un suc digestif bien connu; la salive. Les dents triturent les aliments, la salive humecte le tout que nous nommons le bol alimentaire. La digestion commence dans la bouche.

Parotide

PARAS: Auprès

Les parotides sont les 2 glandes salivaires placées près des oreilles. Si ces glandes enflent, elles deviennent douloureuses et provoquent une parotidite. *Exemple:* les oreillons.

Sublinguale

SUB: En dessous

Les sublinguales sont les 2 glandes salivaires situées sous la langue.

Sous-maxillaire

Les 2 glandes salivaires situées sous le maxillaire inférieur se nomment les sous-maxillaires.

Palais

PALATUM: Origine latine = palais

Le palais est la partie supérieure de la cavité buccale.

Pharynx

PHARYNX: Origine grecque = gorge

Le pharynx est le carrefour où s'ouvrent la trachée, la bouche, le nez, l'oesophage, le larynx et l'oreille par les trompes d'Eustache (cf. p. 407).

Oesophage

OISOPHAGOS: Origine grecque = qui porte ce que l'on mange, de la bouche à l'estomac
PHAGO: Manger

L'oesophage est un tube de 25 cm de longueur qui prend naissance dans le pharynx et achemine les aliments avalés à l'estomac.

Cardia

CARDIA: Origine latine = coeur

Le cardia est l'endroit où l'estomac s'ouvre. L'oesophage s'élargit, c'est l'entrée de l'estomac.

Pylore

PYLOROS: Origine grecque = gardien de la porte

Le pylore est l'endroit où l'estomac se rétrécit, se referme. C'est à cet endroit que l'estomac communique avec l'intestin grêle.

Estomac

GASTRO: Origine grecque, *gastêr* = estomac

L'estomac est le renflement du tube digestif comportant une musculature puissante pour le brassage des aliments. La membrane gastrique comporte de nombreuses glandes, appelées glandes gastriques, qui sécrètent la pepsine, l'acide chlorhydrique, le mucus.

La pepsine et l'acide chlorhydrique contribuent à la transformation des aliments. Le mucus lubrifie, protège la membrane de l'acide chlorhydrique.

Intestin

ENTERO: Origine grecque, *enteron* = intestin

L'intestin grêle est un long vaisseau de 8 mètres contourné sur lui-même. La paroi de l'intestin grêle renferme de nombreuses petites glandes qui sécrètent des sucs intestinaux.

Duodénum

DIGITORUM: Origine latine = qui

est long de douze travers de doigts

DUODENAL: Adjectif dérivé de duodénum

Le duodénum est la première partie de l'intestin grêle. Il reçoit le chyme (bouillie) de l'estomac, la bile du foie et les sucs digestifs du pancréas.

Jéjunum

JEJUNUM INTESTINUM: Origine latine = intestin à jeun, parce qu'il contient peu en comparaison avec le côlon

Le jéjunum est la partie de l'intestin grêle qui fait suite au duodénum.

Iléon

ILEUM: Origine latine = iléon

L'iléon est la troisième et la plus longue portion de l'intestin grêle.

Caecum

CAECUM: Origine latine, *caecus* = aveugle

CAECALE: Adjectif dérivé de *caecum*

L'intestin grêle se jette dans le gros intestin par le caecum. La communication se fait par la valvule iléo-caecale. Sur le fond du caecum il y a l'appendice (petite poche étirée).

Côlon

KOLON: Origine grecque = côlon

Le côlon est le gros intestin. Il mesure 1,60 mètre de longueur et 7 cm de diamètre. Le côlon se termine à gauche par le sigmoïde, l'ampoule rectale suivie de l'anus.

Rectum

Mot latin signifiant droit

Le rectum est l'organe d'évacuation du tube digestif. Le rectum est composé d'une partie dilatée qui se nomme ampoule rectale et d'un muscle qui ferme le rectum nommé sphincter anal.

B) ÉTUDE DES GLANDES ANNEXES AU TUBE DIGESTIF

Gastrique

GASTRO: Estomac
GASTRIQUE: Adjectif dérivé de gastro (ou digestive)

Les glandes gastriques sont le foie, le pancréas, les glandes intestinales.

Diastase

DIASTASIS: Origine grecque = séparation, écartement
DIA: Deux

Les diastases sont les sucs digestifs sécrétés par les glandes digestives, qui agissent sur les aliments pour les digérer. Nous disons aussi enzyme. Donc diastase et enzyme sont synonymes.

Foie

HEPATO: Racine qui désigne le foie

Le foie est situé sous le diaphragme à droite de l'estomac. Il sécrète la bile; garde en réserve le glycogène, le fer et les albumines digérées; transforme l'azote en urée; détruit les vieux globules rouges en collaboration avec la rate.

Vésicule biliaire

VESICA: Ampoule
ULE: Petit

Une vésicule est une petite ampoule contenant du liquide. La vésicule biliaire est un petit réservoir qui contient la bile déversée par le foie.

Canaux biliaires

BILIAIRE: Adjectif dérivé de bile

La voie biliaire principale est formée par la réunion de deux canaux venant l'un du lobe droit et l'autre du lobe gauche du foie. C'est le canal hépatique (hépato = foie).

La voie accessoire dans laquelle la bile s'accumule dans l'intervalle des digestions est constituée par la vésicule biliaire et le canal cystique.

Le canal hépatique et le canal cystique se rejoignent au-dessus du duodénum par un canal unique appelé cholédoque.

Cholérèse

CHOLE: Bile
ERESE: Sécrétion, excrétion

La cholérèse est la sécrétion de la bile par le foie.

Pancréas *PAN:* Tout
KREAS: Chair

Le pancréas est situé sous l'estomac; il produit des sucs digestifs qui se déversent dans le duodénum par le canal pancréatique. Les îlots de Langerhans sécrètent une hormone; l'insuline qui favorise l'utilisation du glucose au niveau des cellules. Le pancréas a pour principal canal excréteur le canal de Wirsung qui débouche dans le duodénum à côté du cholédoque.

Bile La racine qui désigne la bile est cholé

La bile est le produit de sécrétion du foie; elle est de couleur jaune or. La bile contient de l'eau, du cholestérol, des pigments provenant de la destruction des vieux globules rouges, du sel de soude, de l'acide chlorhydrique.

Glycogène *GLYCO:* Sucre
GENE: Qui produit, qui engendre

Le glycogène est une substance située dans le foie qui se transforme en glucose (sucre simple assimilable par les tissus), suivant les besoins de l'organisme. Le foie reçoit le glucose venant de l'intestin grêle, le transforme en glycogène et le garde en réserve.

Épigastre *EPI:* Au-dessus
GASTRE: Ventre, abdomen, estomac

L'épigastre est la région de l'abdomen située au-dessus de l'estomac. C'est la partie supérieure et médiane du ventre (au-dessus du nombril). Voir le schéma de la page 22.

Hypogastre *HYPO:* Au-dessous
GASTRE: Ventre, abdomen, estomac

L'hypogastre est la partie inférieure et médiane du ventre (au-dessous du nombril). C'est la région de l'abdomen située au-dessous de l'estomac. Voir le schéma de la page 22.

Péritoine

PERI: Autour

Le péritoine est un sac fermé, continué de deux feuillets, qui tapisse la face interne des parois abdominales et recouvre les viscères.

À noter: Le péritoine est une séreuse.

3.2
Pathologie
du système digestif

A) SYMPTÔMES RELATIFS AU SYSTÈME DIGESTIF

Pyrosis   *PYRO:* Feu

Le terme pyrosis désigne une sensation de brûlure qui part de la région gastrique (estomac) et qui remonte l'oesophage jusqu'à la gorge.

Dysphagie   *DYS:* Difficulté
                              PHAGIE: Manger

La dysphagie est la difficulté à avaler, donc à manger.

Polyphagie   *POLY:* Beaucoup, nombreux, plusieurs
                              PHAGO, PHAGIE: Manger

La polyphagie est le fait de manger beaucoup. Polyphagie est contraire de dysphagie.

Polydipsie   *POLY:* Beaucoup, nombreux, plusieurs
                              DIPSIE: Soif

La polydipsie est le fait d'avoir une soif excessive.

Hématémèse   *HEMATO:* Sang
                              EMESE: éméo: je vomis
                                       éméto: vomissement

Une hématémèse est un vomissement de sang d'origine digestive.

Mélaéna   *MELANO:* Origine grecque=noir

La mélaéna ou méléna est une évacuation de sang noir par l'anus.

B) MALADIE DE LA BOUCHE

Stomatite

STOMATO: Bouche
ITE: Inflammation

Une stomatite est une inflammation de la bouche. Nous rencontrons plusieurs types de stomatites.

Stomatite Érythémateuse ou Catarrhale

ERYTHEME: Éruption, apparition de rougeur
CATARRHALE: Adjectif dérivé de catarrhe
CATARRHE: Nom donné par les anciens à toutes les inflammations des muqueuses

La stomatite érythémateuse ou catarrhale est une maladie de la bouche qui présente une éruption de taches de rougeurs sur la muqueuse buccale.

Stomatite aphteuse

APHTE: Brûlure, petit ulcère superficiel
APHTEUSE: Adjectif dérivé de aphte

La stomatite aphteuse est une éruption de vésicules arrondies sur la muqueuse de la bouche; nous disons aussi stomatite vésiculaire.

Une vésicule est une petite ampoule contenant du liquide.

Stomatite crémeuse ou Muguet

MUGUET: Maladie habituellement localisée aux muqueuses, due à une levure (champignon).

La stomatite crémeuse est l'apparition de plaques blanchâtres sur la langue et les joues. Elle s'observe surtout chez le nourrisson, où elle se traduit par la présence d'un enduit très blanc sur la langue et sur la muqueuse buccale.

Stomatite ulcéro-membraneuse

ULCÈRE: Perte de substance d'une muqueuse

La stomatite ulcéro-membraneuse est une forme de stomatite caractérisée par la formation d'un ulcère et de membranes.

Stomatite gangréneuse ou Noma

NOMA: Origine grecque = ronger

La stomatite gangréneuse ou Noma est une forme rare de stomatite observée surtout chez les enfants. Elle est habituellement secondaire à des maladies infectieuses (rougeole, scarlatine, fièvre, thyphoïde).

Asialie

A: Manque, absence
SIAL: Salive

L'asialie est l'absence de salive.

Sialorrhée

SIAL: Salive
ORRHEE: Écoulement

La sialorrhée est une sécrétion exagérée de salive.

Ptyalisme

PTYALINE: Ferment contenu dans la salive

Nous utilisons le terme ptyalisme pour signifier un flux salivaire. Le terme ptyalisme est synonyme de sialorrhée.

Gingivite

GINGIVA: Gencive
ITE: Inflammation

Une gingivite est une inflammation des gencives.

Palatite

PALATUM: Palais
ITE: Inflammation

Une palatite est l'inflammation du palais.

Pharyngite

PHARYNX: Gorge
ITE: : Inflammation

Une pharyngite est une affection du pharynx, du voile du palais, des amygdales. On donne encore exceptionnellement le nom d'angine, comme le faisaient les anciens médecins à ces gros maux de gorge.

Amygdalite

AMYGDALE: Amas de tissus lymphoïdes situés de chaque côté de la gorge
ITE: Inflammation

111

L'amygdalite est une inflammation des amygdales. Voir système lymphatique p. 174.

C) MALADIES DE L'OESOPHAGE

Oesophagite

OESOPHAGE: Long tube qui s'étend du pharynx à l'estomac
ITE: Inflammation

L'oesophagite est l'inflammation de l'oesophage.

Sténose de l'oesophage

STENO: Étroit
OESOPHAGE: Long tube qui s'étend du pharynx à l'estomac

La sténose de l'oesophage est le rétrécissement de l'oesophage dû à un traumatisme, brûlure, cancer.
La sténose de l'oesophage est parfois une déformation de naissance.

Achalasie du cardia

A: Manque, absence
CHALASIE: Origine grecque, *chalasie* = relâchement, détente
CARDIA: Ouverture de l'estomac

L'achalasie du cardia est un trouble de l'estomac dû au mauvais fonctionnement des sphincters (muscles) qui fait que le relâchement ne s'effectue pas comme il le devrait au moment des contractions.

Cardiospasme

CARDIA: Ouverture de l'estomac
SPASME: Contraction

Le terme cardiospasme désigne des contractions du cardia s'opposant au passage des aliments de l'oesophage à l'estomac.
Cardiospasme et achalasie sont des synonymes.

Dilatation de l'oesophage

DILATER: Élargir, étendre, augmenter le volume
OESOPHAGE: Long tube qui s'étend du pharynx à l'estomac

La dilatation de l'oesophage est une augmentation du calibre de l'oesophage qui survient à la suite d'un spasme du cardia, d'une obstruction par cancer, d'oesophagite.

Diverticule de l'oesophage

DIVERTICULE: Cavité terminée en cul-de-sac qui sort de sa cavité normale; hernie
OESOPHAGE: Long tube qui s'étend du pharynx à l'estomac

La diverticule de l'oesophage est une hernie de l'oesophage.
La diverticule de l'oesophage peut être congénitale; due à une faiblesse de la paroi musculaire. Elle peut être acquise; causée par la pression d'une trop grande quantité d'aliments.

Varice oesophagiennes

VARICE: Dilatation pathologique permanente d'une veine
OESOPHAGE: Tube qui s'étend du pharynx à l'estomac

Les varices oesophagiennes sont des dilatations des veines du tiers inférieur de l'oesophage. Elles sont un signe d'hypertension (cf. p. 160) et se manifestent brusquement lorsqu'elles se rompent par un vomissement abondant de sang.

Cancer de l'oesophage

CANCER: Tumeur maligne
OESOPHAGE: Tube qui s'étend du pharynx à l'estomac

Le cancer de l'oesophage est une tumeur maligne de l'oeso-phage. Le mal commence par un rétrécissement qui, au premier stade, laisse encore passer les aliments liquides, mais finit par obstruer le passage. Au-dessus de l'endroit rétréci se forme une dilatation qui se remplit de mucus dont l'évacuation par le vomissement est fort douloureuse. Par la pression croissante de la tumeur maligne, la muqueuse de l'oesophage se ramollit et pèle.

D) MALADIES DE L'ESTOMAC

Gastralgie

GASTRO: Estomac
ALGIE: Douleur

Une gastralgie est une douleur au niveau de l'estomac sous forme de brûlure, déchirure, serrement.

Gastrite

GASTRO: Estomac
ITE: Inflammation

Une gastrite est l'inflammation de la muqueuse de l'estomac.

Gastrorragie

GASTRO: Estomac
ORRAGIE: Je jaillis, écoulement
HÉMORRAGIE: *Hémo:* sang

Une gastrorragie est une hémorragie de l'estomac qui se traduit par le rejet de sang noirâtre soit par la bouche (hématémèse), soit par la présence de sang dans les selles (méléna).

Dyspepsie fonctionnelle

DYS: Difficulté
PEPSIE: Digestion

Le terme dyspepsie désigne une digestion difficile; le fait d'avoir de la difficulté à digérer. Il s'agit de troubles gastriques fonctionnels, sans lésion décelable.

Ptose gastrique

PTOSE: Chute, descente, allongement
GASTRIQUE: Adjectif dérivé de *gastro* qui signifie estomac

Une ptose gastrique est une descente d'estomac par suite du relâchement de ses moyens de fixité.

Hyperacidité gastrique

Qualité ou saveur de ce qui est acide (aigre)
HYPER: Excès, augmentation

L'hyperacidité gastrique est l'excès d'acide chlorhydrique dans l'estomac. Nous disons aussi hyperchlorhydrie.

Ulcère gastrique   ou **Maladie de Cruveihier**

ULCUS: Perte de substance

L'ulcère gastrique est une perte de substance de la muqueuse gastrique causée par une hypersécrétion de l'acide chlorhydrique et une diminution du mucus protecteur.

Ulcère gastro-duodénal

GASTRO: Estomac
DUODÉNAL: Adjectif dérivé de duodénum (cf. p. 104)

Il s'agit d'une perte de substance de la muqueuse de l'estomac et de la paroi du duodénum.

Dilatation de l'estomac

DILATER: Élargir, étendre
ESTOMAC: Renflement du tube digestif

La dilatation de l'estomac est l'augmentation aiguë ou chronique de la cavité de l'estomac.

La dilatation aiguë de l'estomac est une accumulation subite de gaz et de liquide dans l'estomac. La dilatation aiguë de l'estomac est successive à une opération abdominale, un accouchement, un traumatisme. Parfois, on la rencontre au cours de maladies infectieuses graves ou à la suite d'un repas copieux.

Carcinoma ventriculi

OME: Tumeur, tuméfaction
CARCINO: Origine grecque, *karhinos, carcos* = crabe, cancer
VENTRICULI: Ventre, estomac

Le carcinoma ventriculi est le cancer de l'estomac. Le cancer se développe très lentement, provoquant dès le début un manque d'appétit, une perte de force.

Le cancer de l'estomac atteint souvent des personnes de plus de 45 ans. Dans bien des cas, il semble être héréditaire.

E) MALADIES DE L'INTESTIN

Entérite

ENTERO: Intestin
ITE: Inflammation

Une entérite est une inflammation de l'intestin grêle.

Gastro-entérite

GASTRO: Estomac
ENTERO: Intestin
ITE: Inflammation

Une gastro-entérite est une inflammation de l'estomac et de l'intestin grêle.

Gastro-duodénite

GASTRO: Estomac
DUODO: Duodénum
ITE: Inflammation

Une gastro-duodénite est l'inflammation de l'estomac et du duodénum.

Colite

CÔLON: Gros intestin
ITE: Inflammation

Une colite est une inflammation du côlon.

Entérocolite

ENTERO: Intestin grêle
CÔLON: Gros intestin
ITE: Inflammation

L'entérocolite est l'inflammation du côlon et de l'intestin grêle.

Gastro-colite

GASTRO: Estomac
CÔLON: Gros intestin
ITE: Inflammation

Une gastro-colite est une inflammation de l'estomac et du côlon.

Typhlite

TYPHL(O): Élément tiré du grec *Tuphlos* = aveugle. Cette racine entre dans la composition de quelques mots pour désigner le caecum
ITE: Inflammation

Le terme typhlite désigne l'inflammation du caecum.

Sigmoïdite

SIGMA: Lettre grecque
IDE: Qui a la forme de, qui ressemble à
SIGMOÏDE: Qui a la forme de la lettre grecque c'est-à-dire d'un S

SIGMOÏDE: Dernière partie du côlon, avant l'ampoule rectale et l'anus
ITE: Inflammation

Une sigmoïdite est une inflammation du sigmoïde.

Rectite

RECTUM: Dernière partie du gros intestin qui aboutit à l'anus
ITE: Inflammation

Une rectite est l'inflammation du rectum.

Proctite   *PROCTO:* Anus
                                        ITE: Inflammation

Le terme proctite désigne l'inflammation de l'anus.
À noter: Anite est synonyme de proctite.

Appendicite   *APPENDICE: Petite poche
                                        étirée située sur le fond
                                        du caecum*
                                        ITE: Inflammation

L'appendicite est l'inflammation de l'appendice.

Diarrhée   *DIA:* À travers
                                        RRHEE: Écoulement

La diarrhée désigne des selles fréquentes, abondantes, liquides.

Dysenterie   Mot d'origine grecque qui
                                        signifie intestin

La dysenterie est une affection caractérisée par des selles diar-
rhéiques contenant du sang, du pus, du mucus avec douleurs
abdominales et atteinte de l'état général.
À noter: Les dysenteries sont contagieuses.

Mégacôlon ou   *MEGA:* Grand, idée de dilatation
Maladie de Hirschprung   CÔLON: Gros intestin

Le terme mégacôlon signifie une dilatation du côlon. Il s'agit
d'une affection congénitale.

Dolicho-côlon   *DOLICHO:* Allongement
                                        CÔLON: Gros intestin

Le terme dolicho-côlon signifie l'allongement du côlon.

Mégadolichocôlon   *MEGA:* Dilatation
                                        DOLICHO: Allongement

Un mégadolichocôlon est un côlon à la fois dilaté et allongé.

Occlusion intestinale   OCCLUSION: État de ce qui
ou **Iléus**   est fermé (bouché)
                                        ILEUS: Tourner

L'occlusion intestinale est le résultat d'un obstacle à la progression du contenu intestinal (matière fécale).

Nous disons iléus car dans cette affection des anses intestinales sont parfois enroulées les unes sur les autres.

Volvulus

VOLVERE : Origine latine = rouler

Il s'agit d'une torsion d'une anse intestinale formant un noeud. Le volvulus entraîne l'occlusion intestinale.

Invagination intestinale

IN : Dans
ESTINAL : Adjectif dérivé de intestin

L'invagination intestinale est une maladie intestinale caractérisée par la pénétration d'une partie de l'intestin dans la partie qui lui fait suite.

Fistule anale

FISTULA : Canal
ANAL : Adjectif dérivé de *anus*

Une fistule est une petit canal dont l'orifice se trouve près de l'anus dans la muqueuse rectale.

Fissure anale

FISSURA : Fente, crevasse
ANAL : Adjectif dérivé de *anus*

Petit ulcère allongé dans les plis de l'anus (fendillé).

Hémorroïde

HEMO : Sang
HÉMORROÏDE : Je coule

Le terme hémorroïde désigne une dilatation des veines de l'anus et du rectum présentant des douleurs très vives lors de l'évacuation des selles.

Hémorroïdes externes

Au-dessus du sphincter anal (muscle de l'anus).

Hémorroïdes internes

Au-dessous du sphincter anal (muscle de l'anus).
À noter : les hémorroïdes sont des varices des veines du rectum.
Varices : voir système cardiovasculaire, p. 125.

Helminthe

HELMINS: Origine grecque = ver

Le terme helminthe désigne les vers intestinaux. Les principaux sont:

Taenia: Ver plat mesurant 2 à 6 mètres (ver solitaire).

Taenia saginata: Provient de la viande de boeuf infestée, mal cuite.

Taenia solium: Provient de la viande de porc infestée, mal cuite.

Bothriocéphale: Provient de la viande de poisson infestée, mal cuite.

Ascaris ou Ascaride

ASCARIS, ASCARIDOS: S'agiter

Les ascaris sont des vers ronds d'un blanc laiteux mesurant 20 à 38 centimètres. La femelle pond un très grand nombre d'oeufs par jour. Ils deviennent adultes dans l'intestin grêle. Les larves peuvent atteindre les poumons par voie sanguine.

Oxyures

OXY: Queue

Les oxyures sont de petits vers blancs ronds mesurant de 3 à 10 millimètres. Les femelles gagnent le rectum où elles demeurent le jour; pendant la nuit, elles sortent et pondent des oeufs sur la peau autour de l'anus; d'où les démangeaisons nocturnes.

F) MALADIES DES GLANDES GASTRIQUES

Hépatalgie

HEPATO: Foie
ALGIE: Douleur

L'hépatalgie est une douleur au niveau du foie.

Hépatite

HEPATO: Foie
ITE: Inflammation

Une hépatite est une inflammation des cellules hépatiques causée par un virus.

Cirrhose

CIRRHO: Origine grecque, *Kirrhos* = jaune

La cirrhose du foie est une affection dans laquelle les cellules hépatiques sont détruites et remplacées par un tissu scléreux, c'est-à-dire durci.

Ictère

ICTERE: Jaunisse

L'ictère est une affection du foie caractérisée par un taux de bilirubine trop élevé. La bilirubine s'accumule dans le sang et imprègne les tissus qui prennent une coloration jaune.

Bilirubine: matière colorante de la bile qui provient de la dégradation (décomposition) de l'hémoglobine (voir page 171).

Hémoglobine: cf. système hémotopoïétique p. 171.

Ascite

ASCO: Origine grecque, *askos* = sac, gonflement

ITE: Inflammation

L'ascite est l'accumulation de liquide dans la cavité péritonéale.

Péritonéale: adjectif dérivé de péritoine

Péritoine: sac constitué de deux feuillets, qui recouvre les viscères.

Cholécystite

CHOLE: Bile

CYST(O): Vésicule, ampoule

ITE: Inflammation

Une cholécystite est l'inflammation aiguë ou chronique de la vésicule biliaire.

Angiocholite

ANGIO: Vaisseau

CHOLE: Bile

ITE: Inflammation

Une angiocholite est l'inflammation des voies biliaires.

Angiocholécystite

ANGIO: Vaisseau

CHOLE: Bile

CYSTO: Vésicule, ampoule

ITE: Inflammation

L'angiocholécystite est l'inflammation des voies biliaires et de la vésicule biliaire.

Lithiase biliaire

LITHO: Pierre

BILIAIRE: Adjectif dérivé de bile

Lithiase biliaire est synonyme de calcul biliaire.

La bile se concentre dans la vésicule biliaire, la concentration exagérée favorise la formation de calculs biliaires.

Pancréatite

PANCRÉAS: Cf. p. 107
ITE: Inflammation

Le terme pancréatite est le nom donné à toutes les inflammations aiguës ou chroniques du pancréas.

3.3
Chirurgie

A) CHIRURGIE DE LA BOUCHE ET DE L'OESOPHAGE

Cheiloplastie

CHEILO: Lèvre
PLASTIE: Réparation

La chéiloplastie est une opération qui consiste à restaurer plus ou moins complètement une ou deux lèvres.

Glossotomie

GLOSSO: Langue
TOMIE: Section

La glossotomie est l'amputation de la langue.

Pharyngotomie

PHARYNX: Gorge
TOMIE: Section, incision

Une pharyngotomie est une ouverture chirurgicale du pharynx.

Gastro-oesophagectomie

OESOPHAGO: Oesophage
ECTOMIE: Ablation, excision, résection

Une gastro-oesophagectomie est la résection du tiers inférieur de l'oesophage et de la moitié supérieure de l'estomac.

Oesophagotomie

OESOPHAGO: Oesophage
TOMIE: Incision, ouverture

L'oesophagotomie est une opération qui consiste à sectionner un rétrécissement de l'oesophage.

Oesophago-tubage

OESOPHAGO: Oesophage
TUBAGE: Tube

L'oesophago-tubage est une opération qui consite à placer une sonde à demeure dans un rétrécissement de l'oesophage.

Oesophagoplastie

OESOPHAGO: Oesophage
PLASTIE: Réparation, restauration

L'oesophagoplastie est le nom donné aux diverses opérations destinées à remplacer une plus ou moins grande partie de l'oesophage oblitérée, soit par une plastie cutanée, soit par une portion de jéjunum ou de côlon transplantée.

Oesophagostomie

OESOPHAGO: Oesophage
STOMIE: Bouche

L'oesophagostomie est une opération qui consiste à pratiquer sur l'oesophage, au-dessus d'un point rétréci, un orifice permanent par lequel on peut alimenter le malade.

B) CHIRURGIE DE L'ESTOMAC

Gastrorraphie

GASTRO: Estomac
RRAPHIE: Suture

La gastrorraphie est une opération qui consiste à pratiquer le plissement de l'estomac. Elle a pour but de diminuer le volume de l'estomac.

À noter: Gastroplication est synonyme de gastrorraphie (*plicare:* plier).

Gastropexie

GASTRO: Estomac
PEXIE: Fixation

La gastropexie est la fixation de l'estomac dans le cas de gastroptose (chute, descente de l'estomac), soit en raccourcissant l'enveloppe de l'estomac (épiploon gastro-hépatique), soit en suturant la tunique séreuse (enveloppe fermée) de l'estomac au bas du lobe gauche du foie.

Gastroplastie

GASTRO: Estomac
PLASTIE: Réparation, restauration

La gastroplastie est le nom donné à diverses opérations plastiques portant sur l'estomac: oblitération d'un ulcère perforé, cure d'une sténose (rétrécissement) médio-gastrique.

Pylorotomie

PYLORE: Endroit du tube digestif ou l'estomac se rétrécit, se referme
TOMIE: Incision

Une pylorotomie est une intervention chirurgicale qui consiste à ouvrir le pylore.

123

Gastrotomie

GASTRO: Estomac
TOMIE: Incision, section

Une gastrotomie est une opération qui consiste à ouvrir l'estomac après une laparotomie (voir page 128).

Gastrectomie:

GASTRO: Estomac
ECTOMIE: Ablation

La gastrectomie est une opération chirurgicale qui consiste à enlever partiellement ou totalement l'estomac.

Gastrostomie

GASTRO: Estomac
STOMIE: Abouchement

Une gastrotomie est une intervention chirurgicale qui consiste à aboucher l'estomac à la paroi abdominale, afin de permettre l'absorption des aliments en cas d'obstruction due à un durcissement de l'oesophage.

Gastro-entérostomie

GASTRO: Estomac
ENTERO: Intestin
STOMIE: Abouchement

La gastro-entérostomie est une opération chirurgicale qui consiste à pratiquer l'abouchement de l'estomac et de l'intestin grêle, c'est-à-dire à mettre l'estomac en communication avec une anse intestinale.

Gastro-duodénostomie

GASTRO: Estomac
DUODÉNUM: Première partie de l'intestin grêle
STOMIE: Abouchement

La gastro-duodénostomie est une opération qui consiste à mettre en communication l'estomac et le duodénum en sectionnant le pylore.

Gastro-jéjunostomie

GASTRO: Estomac
JÉJUNUM: Deuxième partie de l'intestin grêle
STOMIE: Bouche, abouchement

La gastro-jéjunostomie est une opération qui consiste à mettre en communication l'estomac et le jéjunum.

C) CHIRURGIE DES INTESTINS

Résection intestinale

RÉSECTION: Opération chirurgicale qui consiste à enlever un organe, une partie d'un organe ou d'un tissu

La résection intestinale est une intervention chirurgicale qui consiste à retrancher une partie plus ou moins grande de l'intestin.

Duodénotomie

DUODÉNUM: Première partie de l'intestin grêle
TOMIE: Incision, ouverture

Une duodénotomie est une incision du duodénum.

Duodénectomie

DUODÉNUM: Première partie de l'intestin grêle
ECTOMIE: Résection, ablation

La duodénectomie est la résection du duodénum; elle est presque toujours partielle.

Entéropexie

ENTERO: Intestin
PEXIE: Fixation

L'entéropexie est la fixation de l'intestin à la paroi abdominale.

Colotomie

CÔLON: Gros intestin
TOMIE: Incision

Une colotomie est l'ouverture chirurgicale du côlon.

Colectomie

CÔLON: Gros intestin
ECTOMIE: Résection, ablation

La colectomie est la résection de la totalité ou d'une partie du côlon.

Colopexie

CÔLON: Gros intestin
PEXIE: Fixation

La colopexie est la fixation d'un point du côlon à la paroi abdominale.

Hémicolectomie

HEMI: Moitié
CÔLON: Gros intestin

L'hémicolectomie est la résection de la moitié du côlon. (Côlon droit le plus souvent.)

Colostomie

COLO: Côlon
STOMIE: Bouche, abouchement, ouverture sur l'extérieur

La colostomie est l'abouchement du côlon descendant à la peau pour créer un anus artificiel.

Sigmoïdostomie

SIGMOÏDE: Dernière partie du côlon
STOMIE: Bouche, abouchement

Une sigmoïdostomie est une intervention chirurgicale qui consiste à pratiquer un anus artificiel sur l'anse sigmoïde.

Jéjuno-colostomie

JÉJUNUM: Partie de l'intestin grêle qui fait suite au duonénum
CÔLON: Gros intestin
STOMIE: Bouche, abouchement

La jéjuno-colostomie est l'abouchement du jéjunum au côlon.

Appendicectomie

APPENDICE: Poche étirée située sur le fond du caecum
ECTOMIE: Ablation, exérèse, résection

L'appendicectomie est l'ablation de l'appendice.

Hémorroïdectomie

HÉMORROÏDES: Varices de l'anus.
ECTOMIE: Ablation

Une hémorroïdectomie est une intervention chirurgicale qui consiste à enlever les hémorroïdes.

Typhlopexie

TYPHLO: Caecum
PEXIE: Fixation

La typhlopexie est une opération chirurgicale qui consiste à fixer le caecum.

D) CHIRURGIE DES GLANDES GASTRIQUES

Hépatectomie
HEPATO: Foie
ECTOMIE: Ablation, résection

L'hépatectomie est la résection d'une partie du foie.

Cholécystectomie
CHOLE: Bile
CYSTO: Vésicule, sac
CHOLECYSTO: Vésicule biliaire
ECTOMIE: Ablation, excision

La cholécystectomie est l'ablation de la vésicule biliaire. Il s'agit d'ouvrir la vésicule biliaire, de la vider de la bile et du pus.

Cholécystostomie
CHOLE: Bile
CYSTO: Vésicule, sac
STOMIE: Bouche, abouchement, ouverture sur l'extérieur

La cholécystostomie est l'abouuchement de la vésicule biliaire à la peau.

Cholédochotomie ou
Cholédocotomie
CHOLEDOCHO: Origine grecque = qui contient
TOMIE: Incision, section

Une cholédochotomie est l'incision du canal cholédoque pour fin de drainage.
Le canal cholédoque est un canal qui transporte la bile de la vésicule biliaire au duodénum.

Pancréatectomie
PANCRÉAS: Glande digestive située sous l'estomac qui sécrète le suc pancréatique (ferments) et l'insuline
EXTOMIE: Ablation, excision, résection

Une pancréatectomie est l'ablation du pancréas.

Pancréatotomie
PANCRÉAS: Glande digestive située sous l'estomac qui

sécrète le suc pancréatique
(ferments) et l'insuline
TOMIE: Incision

Une pancréatotomie est une incision du pancréas.

Pancréatostomie

PANCRÉAS: Glande digestive
située sous l'estomac qui sécrète
l'insuline et des ferments
digestifs
STOMIE: Abouchement

La pancréatostomie est l'établissement d'une fistule faisant communiquer le canal pancréatique avec l'extérieur.

Pancréatolyse

PANCRÉAS: Glande digestive qui
sécrète l'insuline et des
ferments digestifs
LYSE: Décomposition, dissociation, libération

La pancréatolyse est une opération qui consiste à inciser la capsule pancréatique pour libérer la glande.

Lipectomie

LIPO: Graisse
ECTOMIE: Ablation

Une lipectomie est l'ablation d'un large coin de tissu adipeux (graisseux) prélevé dans la paroi abdominale d'un sujet obèse.

Laparotomie

LAPARO: Flanc, cavité
abdominale
TOMIE: Incision, section

Une laparotomie est une incision chirurgicale de la paroi abdominale et du péritoine pour regarder puis agir sur les organes de l'abdomen.

Coeliotomie

COELIO: Ventre, abdomen
TOMIE: Section, incision

Le terme coeliotomie désigne une intervention chirurgicale qui consiste à ouvrir la cavité abdominale.

Exercice de compréhension

(50 points)

I - Comment nomme-t-on:

1- Une incision chirurgicale de la paroi abdominale et du péritoine?
2- L'ablation d'un coin de tissu adipeux?
3- L'ablation du pancréas?
4- L'incision du pancréas?
5- L'opération qui consiste à inciser la capsule pancréatique pour libérer la glande?
6- L'ablation de la vésicule biliaire?
7- L'incision du canal cholédoque pour fin de drainage?
8- L'intervention qui consiste à fixer le caecum?
9- L'ablation de l'appendice?
10- La fixation du côlon?
11- La création d'un anus artificiel?
12- La résection du duodénum?
13- L'amputation de la langue?
14- Les calculs biliaires?
15- L'inflammation de la vésicule biliaire?
16- L'inflammation des voies biliaires?
17- L'accumulation de liquide dans la cavité abdominale?
18- Une douleur au niveau du foie?
19- L'inflammation des cellules hépatiques?
20- La destruction et le remplacement des cellules hépatiques par un tissu scléreux?
21- La jaunisse?
22- Les vers intestinaux en général?
23- Une dilatation des veines de l'anus et du rectum?
24- Un petit ulcère allongé dans les plis de l'anus?
25- Une douleur à l'estomac?
26- Une inflammation de l'estomac?
27- Une hémorragie de l'estomac?
28- Une digestion difficile?
29- Des spasmes dans la région du cardia?
30- Le rétrécissement de l'oesophage?
31- Une inflammation des amygdales?
32- Une inflammation du pharynx?
33- Une inflammation du palais?
34- L'absence de salive?

35- Un écoulement exagéré de salive?

36- Une perte de substance d'une muqueuse?

37- L'apparition de plaques blanchâtres sur la langue et les joues?

38- Une éruption de vésicules arrondies sur la muqueuse de la bouche?

39- Une inflammation de la muqueuse buccale en général?

40- Une évacuation de sang noir par l'anus?

41- Le fait de manger beaucoup?

42- Le fait d'avoir de la difficulté à avaler?

43- Un vomissement de sang d'origine digestive?

44- La séreuse qui recouvre les viscères?

45- La région de l'abdomen située au-dessus de l'estomac?

46- Une substance située dans le foie qui se transforme en glucose?

47- La partie inférieure et médiane du ventre?

48- La sécrétion de la bile par le foie?

49- Les sucs digestifs sécrétés par les glandes digestives?

50- Les glandes salivaires placées près des oreilles?

(50 points)

II - Orthographier correctement les termes relatifs à l'appareil digestif.

Si tu as réussi ce test avec une note de 95 %, tu peux passer à l'objectif suivant.

As-tu bien mémorisé la signification des racines suivantes:

stoma, stomato, sial, pharynx, phago, gastro, entéro, hépato, cholé, glyco, dipsie, hémato, mélano, chalasie, ptose, carcino, typhlo, procto, iléus, volveré, oxy
et de
para, sub, dia, érèsè, épi, péri, dys, poly, émèse, a, orrhée, sténo, ide, méga, dolicho?

**Une tâche d'honneur s'impose à toi:
maîtriser les termes médicaux pour comprendre
le langage des médecins.**

Allons-y!

Denturologie

Objectif général

Associer à leur définition respective les termes relatifs à la pathologie dentaire.

Objectifs spécifiques

3.1 Notions d'anatomie et de physiologie

3.2 Pathologie concernant les dents

3.3 Traitement et chirurgie dentaire

STRUCTURE D'UNE DENT

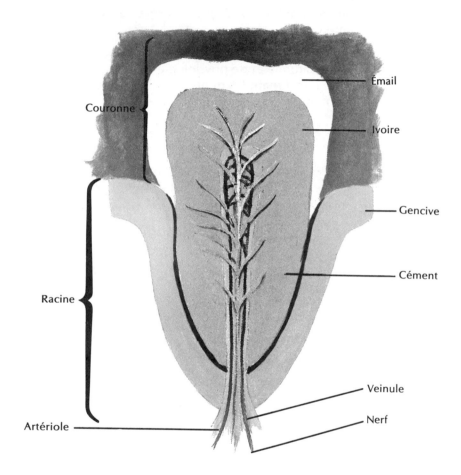

Couronne

Racine

Artériole

Émail

Ivoire

Gencive

Cément

Veinule

Nerf

Introduction

Odontologie

ODONTO: Dent
LOGIE: Science, étude de

L'odontologie est l'étude des dents et de leurs maladies.

Stomatologie

STOMATO: Bouche
LOGIE: Science, étude de

La stomatologie est l'étude de la bouche, avec en particulier la pathologie dentaire qui est l'objet de l'odontologie.

Stomatologiste

STOMATO: Bouche
LOGISTE: Spécialiste de

Le stomatologiste est le médecin spécialiste de la bouche et des dents.

Dentiste

DENS, DENTIS: Dent

Un dentiste est un praticien qui soigne les dents, qui exerce la chirurgie dentaire.

À noter: Dentiste et chirurgien dentiste sont des termes synonymes.

3.1
Notions d'anatomie et de physiologie

Dent

DENS: Racine latine = dent
ODONTO: Racine qui désigne les dents

Les maxillaires portent les dents. Les dents sont les organes de la mastication. Les dents sont logées dans des cavités (alvéoles) situées dans la gencive.

Alvéole dentaire

ALVEUS: Origine latine = creux
OLE: Petit
DENTAIRE: Adjectif dérivé de dent

Une alvéole est une cavité, un petit creux. Les alvéoles dentaires sont des cavités que l'on trouve dans le maxillaire inférieur et supérieur et dans lesquelles sont enchâssées les dents.

Gencive

GINGIVO: Racine qui désigne la gencive
PERIO: Racine qui désigne la gencive

La gencive est une muqueuse buccale qui recouvre les mâchoires et enserre chaque dent au collet.

Racine

RADICULA: Racine latine = racine

La racine ou plus exactement la partie radiculaire est la partie de la dent qui est enfoncée dans la gencive.

Couronne

COURONNE: Origine grecque, Korônè = tout objet recourbé

La couronne est la partie extérieure de la dent.

Collet

COLLUM: Col
COL: Partie rétrécie d'un os ou d'un organe
COLLET: Petit col

Le collet est la partie de la dent qui est à la jonction de la racine et de la couronne. Le collet se trouve normalement recouvert par la muqueuse gingivale (gencive).

Cément

CÉMENT: Origine latine, *caementum* = blocaille, débris de pierre

Le cément est une substance dure, osseuse, qui recouvre et protège les racines de la dent.

Émail

ÉMAIL: Mot d'origine germanique, *smalt*

L'émail recouvre et protège la couronne de la dent; c'est une substance incolore, au travers de laquelle apparaît la coloration de la dentine sous-jacente.

Ivoire ou dentine

IVOIRE: Mot d'origine latine; *ebur*
DENS: Dent

L'ivoire ou dentine se retrouve sous l'émail; c'est une substance dure et calcaire, plus ou moins blanche, jaunâtre.

Pulpe dentaire

PULPA: Pulpe
DENTAIRE: Adjectif dérivé de dent

La pulpe dentaire est une substance molle où se rencontrent les nerfs et les vaisseaux sanguins. La pulpe est communément appelée: «le nerf».

Incisive

INCISIF: Qui coupe

Les incisives sont les quatre dents caractérisées par une couronne tranchante; elles servent à couper les aliments.

Canine

CANIN: Qui a rapport au chien

Les deux canines ont une couronne pointue et une racine très longue, elles déchirent les aliments.

Prémolaires

PRE: Avant
MOLAIRE: Origine latine, *mola* = meule

Les prémolaires ont une racine simple ou double; elles servent à broyer les aliments.

Molaires

MOLAIRE: Origine latine, *mola* = meule

Les molaires ont une grosse couronne et une racine double ou triple; elles broient également les aliments. La dernière se nomme la dent de sagesse.

Denture

DENS: Dent

La denture est l'ensemble des dents d'une personne.

Dentition

DENS, DENTIS: Dent

La dentition est la naissance et la formation des dents, depuis la première enfance jusqu'à la fin de l'adolescence.
Nous distinguons la dentition juvénile et la dentition adulte.
La dentition juvénile ou dentition de lait est temporaire (6 mois à 7 mois). Cette dentition compte 20 dents; 4 incisives, 2 canines, 4 prémolaires sur chacune des deux mâchoires.
La dentition adulte compte 32 dents; 4 incisives, 2 canines, 4 prémolaires et 6 molaires sur chaque mâchoire.

Apical

APEX: Mot latin = sommet

Le mot apical est un adjectif qui signifie le sommet, la pointe, l'extrémité de la dent. Nous lisons dans les dossiers dentaires: périodontite apicale, résection apicale, etc.

Faces dentaires

DENTAIRE: Adjectif dérivé de dent

Sur chaque dent, on considère cinq (5) faces:
☐ *face vestibulaire*: en regard des lèvres et des joues
☐ *face linguale*: en regard de la langue
☐ *face mésiale*: ou face antérieure
☐ *face distale*: ou face postérieure
☐ *face triturante*: le dessus des dents

Périodonte   *PERI:* Autour
            ODONTO: Dent

Le périodonte est l'ensemble des tissus qui entourent la dent, y compris l'os maxillaire.

Occlusale   OCCLUSION: Origine latine,
            occlusio = action de fermer
            OCCLUSALE: Adjectif dérivé de
            occlusion

En chirurgie dentaire, l'occlusion est la position que prend la mâchoire lorsqu'on serre les dents. La recherche de la position occlusale est très importante dans la confection des prothèses.

3.2
Pathologie concernant les dents

Odontalgie

ODONTO: Dent
ALGIE: Douleur

Le terme odontalgie signifie une douleur au niveau de la dent (mal de dent).

Anodontie

AN: Manque, absence
ODONTO: Dent

Le terme anodontie signifie absence de toutes ou de presque toutes les dents.

Érythrodontie

ERYTHRO: Rouge
ODONTO: Dent

L'érythrodontie est la coloration rose des dents.

Mélanodontie

MELANO: Noir
ODONTO: Dent

La mélanodontie est une affection frappant uniquement les dents de lait, consistant en une destruction de l'émail sur une surface plus ou moins grande laissant apparaître l'ivoire qui prend une teinte de brun noirâtre.
La mélanodontie serait causée par une carence en vitamine C.

Microdontie

MICRO: Petit
ODONTO: Dent

La microdontie est l'arrêt du développement d'une ou de plusieurs dents qui conservent chez l'adulte la petite dimension de l'enfance.

Périodontite

PERIO: Gencive
ODONTO: Dent
ITE: Inflammation

Une périodontite est l'inflammation aiguë des tissus qui composent la périodonte.

Odontome

ODONTO: Dent
OME: Tumeur

L'odontome est une tumeur bénigne de la dent adulte. Nous disons également: dentome ou paradontome.

Dens in dente

DENS: Dent

Dens in dente signifie un dentome intra-dentaire, à l'intérieur de la dent.

Pulpopathie

PULPE DENTAIRE: Substance molle où se rencontrent les nerfs et les vaisseaux sanguins
PATHIE: Maladie, affection

Une pulpopathie est une affection de la pulpe dentaire.

Pulpite

PULPE: Substance molle qui contient les vaisseaux sanguins et les nerfs
ITE: Inflammation

Une pulpite est une inflammation de la pulpe dentaire. La pulpite est causée le plus souvent par la carie. Elle peut également se produire à la suite d'un plombage défectueux.

Carie dentaire

La carie dentaire est une inflammation due à des bactéries, qui sapent lentement l'émail et l'ivoire de la dent. Cette inflammation est activée par la consommation excessive de sucre, un nettoyage insuffisant des dents, une malformation de la denture, une faiblesse générale, des traitements dentaires se succédant trop rapidement.

Nous distinguons trois phases de la carie dentaire:
a) La carie superficielle, ou adamantite: l'émail commence à être rongé sans douleur.
b) La carie en profondeur ou dentite: la dentine (ivoire) est attaquée: douleur dès le début.
c) La carie pénétrante attaquant la pulpe, atteignant l'apex, se répandant dans l'alvéole où la dent est logée. De là, l'infection peut attaquer les maxillaires et produire des abcès ou fistules.

Tartre

TARTARON: Origine grec-
que = tartre
TARTRE: Dépôt fait par le   vin
dans les tonneaux

Le tartre est un dépôt dur et lisse des sels en suspens dans la salive (phosphate, carbonate de chaux et de magnésie) sur le collet des dents.

Le tartre doit être enlevé le plus rapidement possible, car le tartre repoussant la gencive vers le bas, découvre la base de la dent qui finit par se déchausser et tomber.

3.3
Traitement
et chirurgie dentaire

Endodontie

ENDO: Intérieur
ODONTO: Dent

L'endodontie est la partie de l'art dentaire qui s'occupe du traitement de canal.

L'endodontiste est le spécialiste qui fait le traitement de canal.

Périodontie

PERIO: Gencive
ODONTO: Dent

La périodontie est une partie de l'art dentaire qui s'occupe de traiter les problèmes de gencives.

Le périodontiste est le spécialiste qui traite les affections gingivales.

Pédodontie

PEDO: Enfant
ODONTO: Dent

La pédodontie est la partie de l'art dentaire qui s'occupe des traitements des dents chez les enfants.

Le pédodontiste est le spécialiste qui traite les dents des enfants.

Orthodontie

ORTHO: Droit
ODONTO: Dent

L'orthodontie est une partie de l'art dentaire qui s'occupe de la prophylaxie et du traitement des difformités des dents. (Redresser les dents.)

Extraction

EX: Dehors

Une extraction est une opération qui consiste à enlever une ou plusieurs dents.

Prothèse
partielle amovible

PRO: Au lieu de, à la place de
THESE: Je place

La prothèse est la partie de la chirurgie qui remplace un organe par un appareil.

La prothèse partielle amovible est le remplacement de quelques dents. (Amovible signifie que l'on peut enlever, déplacer.)

Prothèse complète

PRO: Au lieu de, à la place de
THESE: Je place
PROTHÈSE: Remplacement d'un organe par un appareil

La prothèse complète est le dentier.

Un dentier est un rang de dents artificielles montées ensemble.

Exercice
de compréhension

(50 points)

I - Comment nomme-t-on:

1- L'étude des dents et de leurs maladies?
2- L'étude de la bouche?
3- Un praticien qui soigne les dents et qui exerce la chirurgie dentaire?
4- Les racines qui désignent les dents?
5- La partie radiculaire de la dent?
6- La partie qui est à la jonction de la couronne et de la racine?
7- Une substance dure et calcaire qui se trouve sous l'émail?
8- Le nerf de la dent?
9- Les dents pointues qui déchirent les aliments?
10- Le sommet de la dent?
11- La face de la dent en regard des lèvres et des joues?
12- La face de la dent en regard de la langue?
13- La face postérieure de la dent?
14- La face antérieure de la dent?
15- L'ensemble des tissus qui entourent la dent?
16- Un mal de dent?
17- Une tumeur bénigne de la dent adulte?
18- L'absence de toutes ou de presque toutes les dents?
19- L'inflammation de la pulpe dentaire?
20- Un dépôt dur et lisse sur le collet des dents?
21- Le spécialiste qui fait le traitement de canal?
22- La partie de l'art dentaire qui s'occupe de redresser les dents?
23- La partie de l'art dentaire qui s'occupe de traiter les dents des enfants?
24- La partie de l'art dentaire qui s'occupe de traiter les gencives?
25- Le fait d'enlever une ou plusieurs dents?

(50 points)

II - Écrire correctement chaque mot étudié, relatif à la denturologie.

Si tu as réussi ce test avec une note de 95 %, tu peux passer à l'objectif suivant.

As-tu bien retenu la signification des racines suivantes:

odonto, dens, alveus, pério, apex, occlusio, érythro, mélano, pédo, ortho, thèse, radicula
et de
ole, péri, algie, an, ex, pro?

Poursuivons notre étude avec le chapitre IV!...

Chapitre IV

Appareil cardio-vasculaire

Objectif général

Associer à leur définition respective les termes relatifs au système cardio-vasculaire.

A) Pathologie
- maladies du coeur
- maladies des vaisseaux

B) Chirurgie

Objectifs spécifiques

4.1 Notions d'anatomie et de physiologie

A) étude du coeur

B) étude des vaisseaux sanguins

4.2 Pathologie du système cardio-vasculaire

A) affections du coeur

B) les arythmies

C) affections des vaisseaux sanguins

4.3 Chirurgie

A) du coeur

B) des vaisseaux

LE COEUR

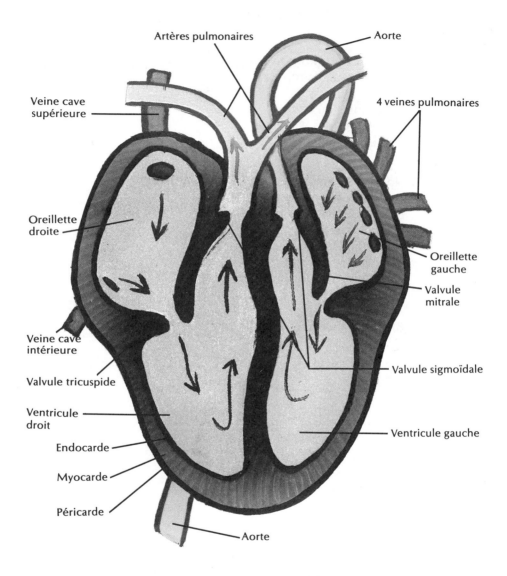

Artères pulmonaires

Aorte

Veine cave
supérieure

4 veines pulmonaires

Oreillette
droite

Oreillette
gauche

Valvule
mitrale

Veine cave
intérieure

Valvule tricuspide

Valvule sigmoïdale

Ventricule
droit

Ventricule gauche

Endocarde

Myocarde

Péricarde

Aorte

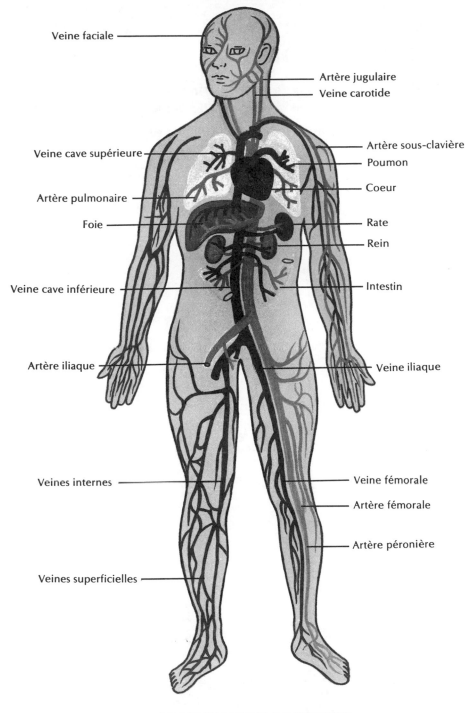

Veine faciale

Artère jugulaire
Veine carotide

Veine cave supérieure

Artère sous-clavière
Poumon

Coeur

Artère pulmonaire

Foie

Rate

Rein

Veine cave inférieure

Intestin

Artère iliaque

Veine iliaque

Veines internes

Veine fémorale

Artère fémorale

Artère péronière

Veines superficielles

LA CIRCULATION SANGUINE

Introduction

Cardiologie

CARDIO: Coeur
LOGIE: Étude de

La cardiologie est l'étude du coeur et de ses affections.

Cardiologue

CARDIO: Coeur
LOGUE: Spécialiste de

Un cardiologue est un médecin spécialisé dans les maladies du coeur.

4.1
Notions d'anatomie et de physiologie

A) ÉTUDE DU COEUR

Coeur

CARDIO: Origine grecque = coeur
CORDIA: Origine latine = coeur

Le coeur est un muscle creux logé entre les 2 poumons, dans le médiastin antérieur. Le coeur est situé au centre de la poitrine, la pointe légèrement tournée vers la gauche. Il a la grosseur d'un poing et repose sur le diaphragme (muscle large aplati qui sépare le thorax de l'abdomen). Le coeur est divisé en deux parties; la partie droite et la partie gauche. Cette division est effectuée par une cloison étanche appelée septum. C'est pourquoi, nous disons en médecine, coeur droit et coeur gauche.

Oreillette

ETTE: Suffixe signifiant petit
OREILLETTE: Petite oreille

Les oreillettes sont les cavités supérieures du coeur. Nous avons donc l'oreillette droite et l'oreillette gauche. Les oreillettes reçoivent le sang amené par les veines.

Ventricule

VENTRER: Ventre
ULE: Petit

Les ventricules sont les 2 cavités du coeur qui font suite aux oreillettes. Les parois des ventricules sont épaisses. Les ventricules projettent le sang dans les artères.

Valvule

VALVE: Origine latine = battant de porte
ULE: Petit

À l'intérieur du coeur, de petites valves permettent la circulation du sang dans un seul sens.

Auriculo-ventriculaire

AURICULO: Abréviation de auriculaire
VENTRICULAIRE: Adjectif dérivé de ventricule

L'orifice auriculo-ventriculaire est une petite ouverture située entre l'oreillette et le ventricule. Cette petite ouverture permet au sang d'entrer dans le ventricule. Nous avons l'orifice auriculo-ventriculaire droit.

Valvule mitrale

VALVULE: Petite valve
MITRALE: Adjectif dérivé de mitre
MITRE: Bandeau, tiare, coiffure des Perses

La valvule mitrale est munie de deux pointes; elle est située à l'orifice auriculo-ventriculaire gauche appelé aussi orifice mitral. Comme la valvule mitrale est munie de deux pointes, elle est bicuspide.

Valvule tricuspide

VALVULE: Petite valve
TRI: Trois
CUSPIDE: Pointe

La valvule tricuspide est munie de 3 pointes; elle se situe à l'orifice auriculo-ventriculaire droit appelé aussi orifice tricuspidien.

Valvule sigmoïde

SIG: Sigma, lettre grecque
IDE: Qui à la forme de, qui concerne
SIGMOÏDE: qui a la forme du sigma

Le signe Σ est une lettre majuscule («sigma») de l'alphabet grec. Les valvules sigmoïdes sont deux valvules du coeur qui ont la forme d'un S et qui sont situées à l'orifice de l'aorte et de l'artère pulmonaire. La lettre S vient de la lettre grecque: *sigma.*

Myocarde

MYO: Muscle
CARDIO: Coeur

Le myocarde est le muscle du coeur.

Péricarde

PERI: Autour (périmètre - périphérie)
CARDIO: Coeur

Le péricarde est l'enveloppe extérieure du coeur. Cette enveloppe est formée de deux feuillets minces. Le feuillet accolé directement au muscle cardiaque s'appelle feuillet viscéral: l'autre feuillet pariétal.

Endocarde

ENDO: Intérieur
CARDIO: Coeur

L'endocarde est la tunique interne du coeur. Les valvules sont des replis de l'endocarde.

Noeud sinusal

SINUS: Mot latin = courbure, concavité

Le noeud sinusal est une petite masse de tissu nerveux logée dans l'oreillette droite. Ce tissu nerveux est composé de nerfs ralentisseurs. Le noeud sinusal provoque la contraction des oreillettes.

Systole

SYSTOLE: Origine grecque; *sistole* = contraction

La systole est le travail du coeur, les contractions du muscle cardiaque.

Diastole

DIASTOLE: Origine grecque; *diastole* = expension

La diastole est le repos du coeur, la dilatation, le relâchement du muscle cardiaque; c'est la période de remplissage.

Révolution cardiaque

RÉVOLUTION: Retour d'un astre dans sa course au point d'où il était parti

La révolution cardiaque est l'ensemble des phénomènes qui constituent chaque battement du coeur (systole, diastole).

Système nerveux du coeur

NODAL: Adjectif dérivé de noeud

Le système nerveux du coeur est constitué par un tissu particulier appelé le tissu nodal. Ce système nerveux intrinsèque est formé de trois (3) éléments:
☐ Le noyau ou noeud de Keith et Flack est situé dans la paroi de l'oreillette droite, c'est de ce point que part l'excitation nerveuse.
☐ Le noyau ou noeud de Tawara est situé dans la cloison inter-

auriculaire; ce point coordonne, répartit et assure le cheminement des ondes de la contraction vers les deux ventricules.

☐ Le faisceau de His situé dans la cloison interventriculaire achemine les ondes de la contraction vers les ventricules en collaboration avec le noeud de Tawara.

☐ Le réseau de Purkige situé dans la paroi des ventricules est constitué des branches terminales du faisceau de His; ce réseau permet aux ondes contractiles de se répandre dans tout le coeur.

B) ÉTUDE DES VAISSEAUX SANGUINS

Vaisseau sanguin

VAISSEAU: Origine latine; *vas* = récipient
SANGUIN: Adjectif dérivé de sang

Les vaisseaux sanguins sont les canaux dans lesquels circule le sang. Les vaisseaux du coeur sont *les artères, les veines et les capillaires.*

Les artères conduisent le sang du coeur aux organes. Elles sont situées en profondeur. Elles ont une paroi épaisse et élastique qui leur permet de se dilater au passage du sang. La plus grosse artère est l'aorte. Les artères coronaires irriguent le coeur.

Les veines ramènent le sang au coeur. La paroi des veines est mince et molle. La veine cave inférieure et la veine cave supérieure sont de grosses veines qui se déversent dans l'oreillette droite.

Les capillaires sont des petits vaisseaux (50 fois plus petits qu'un cheveu) qui relient les artères aux veines et permettent au sang de nourrir tous nos organes.

Endartère

ENDO: Intérieur
ARTÈRE: Vaisseau sanguin

L'endartère est l'intérieur de l'artère.

Endoveine

ENDO: Intérieur

L'endoveine est l'intérieur d'une veine

Artériole

ARTÈRE: Vaisseau sanguin
OLE: Diminutif signifiant petit

Les artérioles sont de petites artères.

Veinule

VEINE: Vaisseau sanguin
ULE: Diminutif signifiant petit

Une veinule est une petite veine.

Vaso-motricité

VASO: Vaisseau
MOTRICITÉ: Moteur

La vaso-motricité est l'ensemble des phénomènes qui commandent la *variation* du calibre des vaisseaux.

Vaso-constriction

VASO: Vaisseau
CONSTRICTION: Contracter

La vaso-constriction est la *diminution* du calibre des vaisseaux.

Vaso-dilatation

VASO: Vaisseau
DILATATION: Dilater

La vaso-dilatation est l'*augmentation* du calibre des vaisseaux.

Débit cardiaque

DÉBIT: Quantité de liquide fournie dans un temps donné
CARDIAQUE: Adjectif dérivé de coeur

Le débit cardiaque est la quantité de sang qui circule dans les artères.

Tension artérielle

TENSION: État de ce qui est tendu
ARTÉRIELLE: Adjectif dérivé de artère

Le sang circule dans les artères sous une certaine *pression*.
La tension artérielle est donc la résistance des parois artérielles à la pression du flux sanguin.

4.2
Pathologie du système cardio-vasculaire

A) AFFECTIONS DU COEUR

Cardiopathie

CARDIO: Coeur
PATHIE: Maladie

Le terme cardiopathie désigne les affections cardiaques, les maladies du coeur.

Péricardite

PÉRICARDE: Enveloppe du coeur
ITE: Inflammation

Une péricardite est l'inflammation de la tunique externe du coeur, c'est-à-dire des feuillets du péricarde.

Myocardite

MYOCARDE: Muscle du coeur
ITE: Inflammation

Une myocardite est l'inflammation du muscle du coeur.

Endocardite

ENDOCARDE: Tunique interne du coeur
ITE: Inflammation

Une endocardite est une inflammation de l'endocarde, notamment des valvules du coeur. Les microbes contenus dans le sang atteignent l'endocarde. Ils s'arrêtent le plus souvent au niveau des valvules et provoquent une inflammation qui laisse souvent après elle des lésions cicatricielles, telles la sténose valvulaire (rétrécissement) et l'insuffisance valvulaire. La maladie d'Osler est une endocardite maligne à évolution lente.

Insuffisance valvulaire

INSUFFISANCE: Manque de suffisance, qui ne suffit pas
VALVULAIRE: Adjectif dérivé de valvule

L'insuffisance valvulaire est l'incapacité des valvules à se fermer hermétiquement (souffle au coeur).

Souffle

SOUFFLE: Origine latine, *sufflare* = souffler sur

En médecine, le souffle est le nom générique de tous les bruits physiologiques ou pathologiques perçus à l'auscultation des systèmes respiratoires et circulatoires.

Sténose valvulaire

STENOSE: Rétrécissement
VALVULAIRE: Adjectif dérivé de valvule

Une sténose valvulaire est un rétrécissement valvulaire, c'est-à-dire l'incapacité des valvules à s'ouvrir à pleine capacité.

Insuffisance cardiaque

INSUFFISANCE: Manque de suffisance, qui ne suffit pas
CARDIAQUE: Adjectif dérivé de coeur

L'insuffisance cardiaque est l'incapacité du coeur à remplir intégralement ses fonctions.

Cardiomégalie

CARDIO: Coeur
MEGALO: Augmentation de volume

Une cardiomégalie est une augmentation du volume du coeur.

Précordialgie

PRE: Périphérie, autour
CORDIA: Coeur
ALGIE: Douleur

Le terme précordialgie signifie une douleur dans la région précordiale, de la région du coeur.

Angine de poitrine

ANGINE: Origine grecque, *angor* = angoisse

L'angine de poitrine désigne une maladie provoquant une sensation d'angoisse ou d'étouffement. La crispation cardiaque provoque des crises de douleur dans la région du sternum, irradiant généralement dans le membre supérieur gauche. L'angine de poitrine est due à un manque d'oxygène dans le myocarde; ce manque d'oxygène est causé la plupart du temps par le durcissement des artères coronariennes ou tout simplement par suite d'une carence d'oxygène dans le sang.

Infarctus du myocarde

INFARCTUS: Origine latine, *infarcire* = remplir, farcir

L'infarctus du myocarde se produit lorsqu'il y a arrêt de la circulation sanguine dans l'artère qui irrigue un territoire du myocarde. Les globules rouges s'infiltrent dans ce territoire, les tissus sont gonflés.

Tétralogie de Fallot

TETRA: Préfixe tiré du grec et qui signifie quatre

La tétralogie de Fallot est la principale anomalie congénitale qui se produit au cours de la vie intra-utérine (dans l'utérus de la mère) au niveau du coeur et des vaisseaux sanguins.

Elle est caractérisée par le rétrécissement de l'artère pulmonaire, une communication interventriculaire (entre les ventricules), l'hypertrophie du ventricule droit, et l'aorte naissant à cheval au-dessus des deux ventricules.

La rubéole contractée par la mère au cours des trois premiers mois de la grossesse peut être la cause d'une telle malformation congénitale, et bien sûr un vice de développement.

B) ARYTHMIES

Arythmie

A: Manque, absence
RYTHME: Origine grecque, *rythmos* = cadence

L'arythmie est la perturbation du rythme cardiaque dans sa fréquence, dans sa régularité des contractions.

Arythmie sinusale

ARYTHMIE: Perturbation du rythme cardiaque
SINUSALE: Cf. noeud sinusal, p. 153

L'arythmie sinusale est l'accélération du coeur pendant l'inspiration et un ralentissement au cours de l'expiration.

Tachycardie

TACHY: Origine grecque, *rapide*
CARDIO: Coeur

La tachycardie est l'accélération du rythme des battements cardiaques.
La tachycardie sinusale prend naissance au noeud sinusal.

Bradycardie

BRADY: Origine grecque, *lent*
CARDIO: Coeur

La bradycardie est le ralentissement du rythme des battements cardiaques.
La bradycardie sinusale prend naissance au noeud sinusal.

Extrasystole

EXTRA: En dehors
SYSTOLE: Contractions cardiaques

Les extrasystoles sont des contractions prématurées qui altèrent la régularité des battements normaux.

Bloc auriculo-ventriculaire

AURICULAIRE: Adjectif dérivé de oreillette
VENTRICULAIRE: Adjectif dérivé de ventricule

Le bloc auriculo-ventriculaire se produit lorsque l'impulsion électrique est retardée ou bloquée totalement lors de son passage des oreillettes aux ventricules. Le bloc auriculo-ventriculaire se produit donc lorsque l'onde d'excitation ne se propage pas.
Lorsque le bloc est incomplet, l'impulsion est retardée. Lorsque le bloc est complet, l'impulsion est coupée, bloquée totalement.

Fibrillation

FIBRILLE: Petite fibre

Les fibrillations sont des trémulations désordonnées des fibres musculaires cardiaques. Ce sont de minuscules mouvements du muscle cardiaque sans effet sur les oreillettes.
Les fibrillations qui touchent l'oreillette sont compatibles avec la vie. Les fibrillations qui touchent le ventricule ne permettent pas le travail du coeur; ces fibrillations sont mortelles.

Hypotension

HYPO: Diminution, insuffisance
TENSION: Pression

L'hypotension est une diminution de la tension artérielle.

Hypertension
artérielle

HYPER: En excès, augmentation, exagérée

TENSION: Pression du sang sur les artères

ARTÉRIEL: Adjectif dérivé de artère

L'hypertension artérielle est une élévation de la tension artérielle, au-dessus de 140/90.

Collapsus

CUM: Avec

LAPSUS: Chute

Le collapsus est une chute brutale du débit cardiaque qui s'accompagne d'un effondrement de la tension artérielle, d'une hypotension brutale et d'une diminution de la conscience.

Dicrotisme ou
pouls dicrote

DIS: Grec = deux fois

DICROTE: Onde

POULS: Origine latine, *pulsus de pellire* = pousser

Le pouls est le soulèvement perçu par le doigt qui palpe une artère superficielle. Ce soulèvement est dû au passage du sang dans l'artère et correspond à un battement cardiaque.

Le dicrotisme ou pouls dicrote correspond à un pouls rebondissant, donnant deux pulsations pour une seule contraction du coeur.

C) AFFECTIONS DES VAISSEAUX SANGUINS

Angéite

ANGIO: Vaisseau

ITE: Inflammation

Angéite est le nom générique désignant toutes les inflammations des vaisseaux sanguins: *artérite,phlébite, etc.*

À noter: Angéite est synonyme de vascularite. (*Vaso:* vaisseau, vasculaire: adjectif dérivé de vaisseau.)

Artérite

ARTÈRE: Vaisseau qui transporte le sang du coeur aux organes

ITE: Inflammation

L'artérite est l'inflammation d'une artère.

Anévrisme   *ANEVRISMA:* Dilatation

L'anévrisme est la dilatation permanente pathologique d'une artère.

Sténose   *STENO:* Étroit
                                 OSE: État

Une sténose est un rétrécissement des artères.

Artériosclérose   *ARTERIO:* Artère
                                 SCLERO: Dur, durci
                                 OSE: État

L'artériosclérose est le durcissement, l'épaississement et la perte d'élasticité des artères. La tunique interne de l'artère est envahie de dépôts d'un gris jaunâtre appelés: *Plaques athéromateuses.*
   L'athérome est une plaque jaunâtre constituée de dépôts de graisse (cholestérol) qui libère une bouillie semblable à du pus grumeleux.

Thrombose   *OSE:* État, phénomène qui
coronarienne   se produit
                                 CHROMBUS: Caillot
                                 CORONARIENNE: Adjectif dérivé de coronaire. Les vaisseaux coronaires irriguent le coeur

Les plaques athéromateuses favorisent la formation d'un caillot (thrombus) qui obstrue la lumière de l'artère; c'est la thrombose coronarienne.
   La thrombose coronarienne est la principale cause de l'infarctus du myocarde.

Embolie artérielle   EMBOLIE: Origine grecque
                                    = lancer dedans
                                 ARTÉRIEL: Adjectif dérivé d'artère

L'embolie est l'obstruction brusque d'un vaisseau, par un caillot (thrombus), entraîné par la circulation.

Ischémie   *ISCH(O):* Origine grecque, *ischun*
                                    = arrêter
                                 EMIE: État du sang

L'ischémie est le fait que le sang, étant arrêté à un endroit de la circulation par un obstacle quelconque, n'irrigue plus les tissus situés en aval de cet arrêt.

Phlébite

PHLEBO: Veine
ITE: Inflammation

La phlébite est l'inflammation aiguë ou chronique d'une veine.

Thrombophlébite

THROMBUS: Caillot
PHLEBITE: Inflammation d'une veine

La thrombophlébite est l'inflammation d'une veine déterminée par une thrombose (formation d'un thrombus).

Thrombo-angéite oblitérante ou Maladie de Buerger

THROMBO: Thrombus = caillot
ANGIO: Vaisseau
ITE: Inflammation
OBLITÉRANTE: Oblitérer = obstruer, boucher

La thrombo-angéite oblitérante est une maladie inflammatoire des artères et des veines des membres inférieurs, presque toujours accompagnée de gangrène.

Gangrène symétrique des extrémités ou Maladie de Raynaud

GANGRÈNE: Putréfaction des tissus (pourriture)

La gangrène symétrique des extrémités est une affection caractérisée par des troubles circulatoires paroxystiques symétriques, observés surtout aux mains. Des troubles hormonaux ovariens sont fréquemment associés.

Varice

VARICE: Mot d'origine latine (*varix*)

Une varice est une dilatation *permanente* et *irrégulière* d'une veine, à laquelle est jointe une altération de la paroi.

4.3
Chirurgie de l'appareil cardio-vasculaire

A) CHIRURGIE DU COEUR

Péricardectomie　　　　　PÉRICARDE: Enveloppe du coeur
ECTOMIE: Ablation, résection

Une péricardectomie est la résection chirurgicale du péricarde.

Péricardiotomie　　　　　PÉRICARDE: Enveloppe du coeur
ou **Péricardotomie**　　　　*TOMIE:* Incision, section

Une péricardiotomie est une incision faite au péricarde dans le but d'évacuer une collection liquide de cette séreuse.

Valvuloplastie　　　　　*VALVULO:* Valvule
PLASTIE: Réparation

Une valvuloplastie est une intervention chirurgicale qui consiste à réparer une valvule du coeur.

annuloplastie　　　　　*ANNULO:* Anneau
PLASTIE: Réparation

Une annuloplastie est une opération qui consiste à réduire la circonférence de l'anneau de la valvule mitrale.

Commissurotomie　　　　COMMISSURE: Point où deux parties se réunissent
TOMIE: Sectionner

La commissurotomie est une intervention qui consiste à agrandir, à élargir l'ouverture des valvules mitrales et tricuspides.

Valvule artificielle　　　　VALVULE: Petite valve du coeur, permettant la circulation du sang dans un seul sens

Dans les cas d'insuffisance cardiaque, d'insuffisance valvulaire, le chirurgien remplace la valvule défectueuse par une valvule artificielle (valvule de Starr - de Mc Govern).

163

Décortication cardiaque

DÉCORTICATION: Nom dérivé du verbe décortiquer
DÉCORTIQUER: Détacher
CARDIAQUE: Adjectif dérivé de coeur

La décortication cardiaque est l'ablation du tissu fibreux qui empêche le remplissage du coeur.

B) CHIRURGIE DES VAISSEAUX

Endartériectomie

ENDO: Intérieur
ENDARTÈRE: Intérieur de l'artère
ECTOMIE: Ablation, résection

L'endartériectomie est l'ouverture de l'artère sur toute la longueur du segment obstrué et résection du thrombus (caillot) avec la totalité des parties nécrosées des tuniques (membranes intérieures) artérielles qui adhèrent au caillot.

Artériotomie

ARTERIO: Artère
TOMIE: Incision, section

L'artériotomie est l'incision d'une artère pratiquée pour soustraire du sang à l'organisme ou pour enlever un obstacle à la circulation (thrombose ou embolie).

Phlébectomie

PHLEBO: Veine
ECTOMIE: Ablation

La phlébectomie est la résection d'un segment plus ou moins étendu d'une veine.

Pontage

Pontage est synonyme de *by-pass.*
BY-PASS: Mot anglais = conduit, moyen de dérivation

Le pontage est une opération destinée à rétablir la circulation en avant d'une oblitération artérielle limitée. Le chirurgien utilise un greffon, pratique une anastomose (abouchement) à l'artère au-dessus et au-dessous de la partie obstruée et achemine ainsi un tunnel, court-circuitant le segment artériel thrombosé laissé en place.

Exercice
de compréhension

(50 points)

I - Comment nomme-t-on:

1- L'opération qui consiste à ouvrir une artère pour l'ablation d'un thrombus?

2- La résection d'un segment d'une veine?

3- L'intervention qui consiste à réparer une valvule du coeur?

4- L'incision du péricarde pratiquée dans le but d'évacuer une collection liquide?

5- L'opération qui consiste à élargir les valvules du coeur?

6- L'ablation du tissu fibreux qui empêche le remplissage du coeur?

7- La dilatation permanente d'une veine, accompagnée d'une altération de la paroi?

8- La putréfaction des tissus?

9- Une maladie inflammatoire des artères et des veines des membres inférieurs accompagnée de gangrène?

10- L'inflammation d'une veine?

11- Le fait que le sang n'irrigue plus certains tissus?

12- L'obstruction brusque d'un vaisseau par un caillot?

13- Le durcissement des artères?

14- Le rétrécissement des artères?

15- La dilatation permanente d'une artère?

16- L'inflammation d'une artère?

17- Les racines qui désignent les vaisseaux?

18- Une chute brutale du débit cardiaque?

19- Un pouls qui donne deux pulsations pour une seule contraction du coeur?

20- Des trémulations désordonnées des fibres musculaires du coeur?

21- Le fait que l'onde d'excitation ne se propage pas aux oreillettes et aux ventricules du coeur?

22- Le ralentissement du rythme des battements du coeur?

23- L'accélération du rythme des battements cardiaques?

24- L'arrêt de la circulation sanguine dans l'artère qui irrigue un territoire du myocarde?

25- Une douleur dans la région du coeur?

(50 points)

II- Orthographier correctement les termes relatifs à l'appareil cardio-vasculaire.

Si tu as réussi ce test avec une note de 95 %, tu peux passer à l'objectif suivant.

As-tu mémorisé la signification des racines suivantes:

cardio, cardia, myo, septum, vaso, mégalo, rythmos, lapus, dicrote, angio, thrombus, ischo, phlébo
et de
ette, ule, ide, péri, endo, pre, tetra, a, tachy, brady, dis, sténo, scléro, émie?

N'oublie pas:
La persévérance est la vertu qui fait poursuivre ce qu'on a commencé, que l'on rencontre ou non des difficultés!...

Système hématopoïétique

Objectif général

Associer à leur définition respective les termes relatifs au système hématopoïétique.

A) Pathologie
- anémie
- autres maladies

B) Chirurgie

Objectifs spécifiques

4.1.1 Notions d'anatomie et de physiologie
A) La composition du sang
B) Le système lymphatique

4.2.1 Pathologie
A) Affections du sang
B) Affections des tissus lymphoïdes
C) Affections de la rate

4.3.1 Chirurgie
A) De la rate
B) Des ganglions

TYPES DE CELLULES SANGUINES

MOELLE OSSEUSE

ORGANES LYMPHOÏDES	SYSTÈME RÉTICULO-ENDOTHÉLIAL		GRANYLOCYTES			
9	15 à 20		10 à 12		2 à 4	7 (FACE — PROFIL)
2 000/mm³	350/mm³	150	30	4 500	300 000	5 000 000/mm³
Lymphocytes	Monocytes	Éosinophiles	Basophiles	Neutrophiles	Thrombocytes	Érythrocytes

GLOBULES BLANCS   PLAQUETTES   GLOBULES ROUGES

Introduction

Hématologie

HEMATO: Sang
LOGIE: Science, étude de

L'hématologie est l'étude du sang aux points de vue anatomique, physiologique et pathologique.

Hématologue

HEMATO: Sang
LOGUE: Spécialiste

Un hématologue est une personne qui étudie le sang, un médecin qui traite spécialement les maladies du sang.

4.1.1
Notions d'anatomie et de physiologie

A) LA COMPOSITION DU SANG

Sang   *SANGUIS:* Origine latine = sang

Le sang est un liquide rouge propulsé par le coeur, circulant dans les artères et les veines, apportant à tous les tissus de l'organisme les éléments nutritifs et l'oxygène nécessaires à la vie.

Le sang transporte les déchets cellulaires, assure la régulation thermique (chaleur) du corps et la défense contre les microbes.

Le sang comprend deux parties: une partie liquide (90 % eau) appelée plasma; une partie solide constituée de globules rouges, de globules blancs, de plaquettes sanguines. Le sang contient également des matières minérales, des protéines, des glucoses, des graisses, des hormones et des anticorps.

Globule   *GLOBE:* Origine latine, *globus* = boule
                           ULE: Diminutif signifiant petit

Les globules sont de petites masses arrondies, c'est-à-dire des cellules sphériques en suspension dans le sang.

Hématopoïèse   *HEMATO:* Sang
                           POÏESE: Exprime l'idée de formation

L'hématopoïèse est la formation des globules du sang.

Hématopoïétique   *HEMATO:* Sang
                           POÏETIQUE: Poïèse = idée de formation

Le terme hématopoïétique est l'adjectif dérivé de hématopoïèse.

Un organe hématopoïétique est donc un organe qui fabrique des globules du sang. Le foie, la rate et la moelle osseuse sont des organes hématopoïétiques.

Hématie   *HEMATO:* Sang

Les hématies sont les globules rouges du sang.

Érythrocyte

ERYTHRO: Rouge
CYTE: Cellule

Les érythrocytes sont les globules rouges du sang. Le terme érythrocyte est donc synonyme d'hématie.

Hémoglobine

HEMO: Sang
GLOBINE: Globule

L'hémoglobine est le pigment qui colore les globules rouges du sang. L'hémoglobine contient des sels de fer.

Leucocyte

LEUCO: Blanc
CYTE: Cellule

Les leucocytes sont les globules blancs du sang. Les leucocytes luttent contre les microbes en les digérant (cf. microbiologie, p. 287).

Mononucléaire

MONO: Un
NUCLÉAIRE: Origine latine, *nucleus:* noyau

Les mononucléaires sont des globules blancs (leucocytes) qui ont un seul noyau.

Monocyte

MONO: Un
CYTE: Cellule

Les monocytes sont des leucocytes mononucléaires (un seul noyau).

Lymphocyte

LYMPHE: Blanc
CYTE: Cellule

Les lymphocytes sont des leucocytes mononucléaires (un seul noyau).

Polynucléaire

POLY: Beaucoup, plusieurs
NUCLÉAIRE: *Nucleus* = noyau

Les polynucléaires sont des globules blancs (leucocytes) qui ont un noyau à plusieurs lobes.

Neutrophile

NEUTRON: Particule que l'on retrouve dans le noyau

NEUTRO: Relatif au neutron
PHILE: Origine grecque, *philien*
= aimer, qui tend vers

Les neutrophiles sont des leucocytes polynucléaires qui ont un noyau à plusieurs lôbes.

Basophile

BASO: Origine grecque = base
PHILE: Aimer, qui tend vers

Les basophiles sont des leucocytes polynucléaires qui ont un noyau à plusieurs lobes.

Acidophile ou Éosinophile

ACIDO: Acide
PHILE: Qui aime, qui tend vers

Les acidophiles ou éosinophiles sont des leucocytes polynucléaires qui ont un noyau à plusieurs lobes.

Plaquettes sanguines

ETTE: Diminutif signifiant petit
SANGUINE: Adjectif dérivé de sang

Les plaquettes sanguines sont des lamelles en circulation dans le sang qui jouent un rôle de coagulation lors d'une blessure en attendant la coagulation du fibrinogène liquide (cf. p. 173).

Plasma

PLASSEIN: Mot grec = former

Les globules du sang baignent dans un liquide appelé *Plasma*. Ce liquide jaunâtre contient:
a) Des matières alimentaires puisées au niveau intestinal qu'il distribue à chacun de nos organes.
b) Des déchets tels l'urée, le gaz carbonique, la vapeur d'eau.
c) Du fibrinogène liquide (cf. p. 173).

Isogroupe

ISO: Semblable

Le terme isogroupe signifie du même groupe sanguin.
Il est à noter que les divers sangs ont été étudiés puis groupés selon leur compatibilité et incompatibilité (cf. p. 30).
Les principaux groupes sanguins sont:
le groupe AB, *le groupe* A, *le groupe* B, *le groupe* O.

Fibrinogène

FIBRINE: Petite fibre
GÈNE: Qui produit

Le fibrinogène est une substance liquide contenue dans le sang qui se transforme en fibrine sous l'action d'un ferment appelé thrombine.

Fibrine

FIBRA: Origine latine = fibre, brin, fil

La fibrine est un réseau de filaments qui, lors de la coagulation, retient les globules du sang dans ses filets.

Coagulation

COAGULO: Mot latin = coagulation

La coagulation est la solidification du sang en dehors des vaisseaux, c'est-à-dire la transformation du liquide sanguin en une masse semi-solide appelée caillot.

Lors d'une hémorragie, un ferment se forme, c'est la thrombine.

La thrombine transforme le fibrinogène liquide en fibrine solide. La fibrine constitue le caillot.

La coagulation est le moyen de défense de l'organisme contre l'hémorragie.

Caillot sanguin

CAILLOT: Coaguler = cailler
SANGUIN: Adjectif dérivé de sang

Le caillot sanguin est formé de globules rouges et de fibrine coagulée.

Fibrinolyse

FIBRINE: Filament
LYSE: Destruction, dissolution

La fibrinolyse est la destruction de la fibrine qui entraîne la destruction du caillot. La fibrinolyse est donc la destruction du caillot.

Sérum

SERUM: Mot latin qui signifie petit-lait

Sous l'influence de ferments, le caillot se dissout et libère un liquide jaune appelé: sérum.

Érythropoïèse

ERYTHRO: Rouge
POÏESE : Formation

L'érythropoïèse est la formation des globules rouges du sang.

Hémolyse

HEMO: Sang
LYSE: Destruction, dissolution

L'hémolyse est la destruction des globules rouges du sang.

B) LE SYSTÈME LYMPHATIQUE

Lymphe

LYMPHE: Origine grecque qui signifie *eau*

Au niveau des capillaires sanguins, par le phénomène de l'osmose, (cf. p. 51), une certaine partie du plasma et des globules blancs traverse les capillaires sanguins, va aux cellules et retourne au sang. C'est la lymphe ou liquide interstitiel.

La lymphe circule avec une extrême lenteur dans des canaux appelés vaisseaux lymphatiques.

Ganglion

ADENO: Racine qui désigne le ganglion

Les ganglions sont des renflements situés sur le trajet des canaux lymphatiques, surtout à la jonction de plusieurs de ces canaux.

Les ganglions sont des relais pour la lymphe et sont groupés au cou, autour de début des bronches, dans le creux de l'aisselle, dans le pli de l'aine.

Adénoïde

ADENO: Glande
IDE: Qui ressemble, qui concerne

Les adénoïdes sont des amas de tissus lymphatiques situés près des cavités nasales et des trompes d'Eustache (cf. oreilles, p. 411).

Amygdale

AMYGDALE: Racine grecque = amande

Les amygdales sont des amas de tissus lymphatiques logés de chaque côté du pharynx (gorge).

Lymphoïde

LYMPHE: Eau
IDE: Qui ressemble, qui concerne

Le tissu où se forment les lymphocytes est le tissu lymphoïde.

Un organe lymphoïde est un foyer de formation des lymphocytes.

Myélocyte

MYELO: Moelle
CYTE: Cellule

Les myélocytes sont des globules blancs encore en développement qui se trouvent dans la moelle osseuse. La moelle osseuse est le lieu de leur formation.

Rate

SPLENO: Mot grec = rate

La rate est une glande logée sous le diaphragme, à gauche de l'estomac, au-dessus du côlon.

Le tissu de la rate est très fragile et gorgé de sang. La rate détruit et forme les globules rouges. Elle produit des lymphocytes.

De plus, la rate est un réservoir de fer et de sang en cas d'hémorragie.

4.2
Pathologie

A) AFFECTIONS DU SANG

Hémopahie

HEMO: Sang
PATHIE: Maladie, affections

Le terme hémopathie désigne les affections du sang.

Anémie

AN: Manque, absence
EMIE: État du sang

L'anémie, ou sang pauvre, est la diminution du nombre de globules rouges dans le sang.

Aglobulie

A: Manque, absence
GLOBULIE: Globule

L'aglobulie est la diminution du nombre total des globules rouges.
    Aglobulie est donc synonyme d'anémie.

Anémie hypochrome

HYPO: Au-dessous, peu
CHROME: Couleur

Une anémie hypochrome est une anémie caractérisée par une diminution du taux de l'hémoglobine sans qu'il y ait une diminution notable du nombre de globules rouges.
    Cependant, dans ce type d'anémie, les globules rouges ne diminuent pas, mais ils sont plus petits. Nous disons aussi anémie microcytaire; *micro* signifiant petit et *cyte* cellule.

Anémie hyperchrome

ANÉMIE: Pauvreté du sang
HYPER: Exagération, au-dessus
CHROME: Couleur

L'anémie hyperchrome est une pauvreté du sang caractérisée par une augmentation du taux d'hémoglobine, un gonflement anormal des globules rouges avec diminution du nombre de ceux-ci.
    Nous disons également anémie macrocytaire; car *macro* signifie grand et *cyte* signifie cellule.

Anémie pernicieuse ou de Biermer

ANÉMIE: Pauvreté du sang
PERNICIEUX: Origine latine; *pernicies* = destruction

L'anémie pernicieuse est une anémie hyperchrome avec diarrhée, dilatation de la rate et déviation neurologique.

Anémie hémolytique

ANÉMIE: Pauvreté du sang
HÉMOLISE: Destruction des globules rouges du sang

L'anémie hémolytique est caractérisée par l'éclatement des globules rouges qui laissent passer l'hémoglobine dans le sang.

Anémie apathique

ANÉMIE: Pauvreté du sang
A: Manque, absence
PATHIE: Maladie

L'anémie apathique provient d'une production trop faible de globules rouges dans la moelle osseuse.

Polyglobulie

POLY: Plusieurs, beaucoup
GLOBULIE: Globule

La polyglobulie est un état pathologique dans lequel le nombre de globules rouges augmente considérablement, avec parfois dans certains cas une augmentation de leur volume. Le taux de l'hémoglobine diminue ou augmente, allant jusqu'à doubler. En général, le sang devient plus sombre, noirâtre et visqueux.

Hémophilie

HEMO: Sang
PHILIE: Qui aime, qui tend vers

L'hémophilie est une maladie héréditaire caractérisée par un retard de la coagulation du sang. La cause est inconnue. Cette maladie affecte uniquement les garçons et est transmise uniquement par les femmes.

Anoxémie

A: Manque, absence
OXIE: Oxygène
EMIE: État du sang

L'anoxémie est le manque d'oxygène dans le sang.

Hématome

HEMATO: Sang
OME: Tumeur, tuméfaction

L'hématome est une tuméfaction formée d'un amas de sang sorti des capillaires. En fait, l'hématome est un afflux brusque de sang dans la peau ou dans les tissus, produit par un coup, un choc ou une contusion.

Le gonflement disparaît souvent par résorption, mais la décoloration due à l'hémoglobine s'écoulant des vaisseaux capillaires demeure parfois longtemps et laisse des taches bleues, vertes et jaunes.

Purpura

PURPURA: Pourpre

Le purpura est une maladie qui se manifeste par des taches rougeâtres sur la peau provoquées par des petites hémorragies de la peau. Les capillaires éclatent et laissent passer les globules rouges.

Hémorragie

HEMO: Sang
RRAGIE: Écoulement

Une hémorragie est un écoulement, un jaillissement de sang, hors d'un vaisseau.

Épistaxis

Du grec: *Epi* et *stazien* = goutte à goutte

Le terme épistaxis désigne un saignement de nez (saignement nasal).

Hémostase

HEMO: Sang
STASE: Arrêt

L'hémostase est l'arrêt d'une hémorragie.

Azotémie

AXOTE: Gaz qui contient de l'oxygène (air) et de l'hydrogène (eau)
EMIE: État du sang

L'azotémie est le taux de substances azotées, en particulier de l'urée, dans le sang.

L'urée est une substance qui contient des déchets de matières azotées, que l'organisme fabrique avec les sels et les acides extraits du sang par le rein, et concentrée dans l'urine.

Hyperazotémie *HYPER:* En excès, augmentation
AZOTE: Urée
EMIE: État du sang

L'hyperazotémie est le taux anormalement élevé d'urée dans le sang.

Uricémie *URICO:* Acide urique
EMIE: État du sang

L'uricémie est le taux d'acide urique dans le sang.

Hyperuricémie *HYPER:* En excès, augmentation
URICO: Acide urique
EMIE: État du sang

L'hyperuricémie est une quantité excessive d'acide urique dans le sang.

Urémie URÉE: Substance concentrée dans l'urine
EMIE: État du sang

L'urémie est l'ensemble des phénomènes toxiques provoqués par l'excès d'urée dans le sang.

Acidose ACIDE: Corps chimique composé contenant de l'hydrogène
OSE: État, phénomène qui se produit

L'acidose est l'état du sang qui est trop acide.
L'acidose est un état caractérisé par une diminution de la réserve alcaline (sel) du sang. Cet état se rencontre souvent chez les diabétiques.

Acido-cétose ACIDE: Corps chimique composé contenant de l'hydrogène
ACÉTONE: Liquide brûlant à odeur de chloroforme
OSE: État, phénomène qui se produit

L'acido-cétose est l'état d'un sang trop acide qui contient en excès des corps cétoniques.
L'acétonémie est la présence d'acétone dans le sang.

Alcalose

ALCALI: Soude, sel (le chlorure de sodium est le sel de table)
OSE: État, phénomène qui se produit

L'alcalose est l'état d'un sang trop alcalin causé par une perte d'acides.

Hyperglycémie

HYPER: En excès
GLYCO: Sucre
EMIE: État du sang
GLYCEMIE: Taux de sucre dans le sang

L'hyperglycémie est une élévation du taux de sucre dans le sang.

Hypoglycémie

HYPO: Diminution
GYCO: Sucre
EMIE: État du sang
GLYCEMIE: Taux de sucre dans le sang

L'hypoglycémie est une diminution du taux de sucre dans le sang.

Cholestérolémie

CHOLESTÉROL: Cristaux blancs nacrés combinés à des acides gras
EMIE: État du sang

La cholestérolémie est le taux de cholestérol dans le sang.

Hypercholestérolémie

HYPER: En excès
CHOLESTÉROL: Cristaux blancs nacrés combinés à des acides gras
EMIE: État du sang

L'hypercholestérolémie est un excès du taux de cholestérol dans le sang.

B) AFFECTIONS DES TISSUS LYMPHOÏDES

Adénopathie cervicale

CERVICO: Cou
ADENO: Glande, ganglion
PATHIE: Maladie

Une adénopathie cervicale est une augmentation de volume des ganglions lymphatiques du cou.

Adénite

ADENO: Glande
ITE: Inflammation

L'adénite est l'inflammation aiguë ou chronique des ganglions lymphatiques. L'adénite est souvent tuberculose; il se forme alors un abcès froid.

Maladie de Hodgkin

HYPER: En excès
TROPHIE: Nourriture (cf. p. 29)

La maladie de Hodgkin est une maladie chronique caractérisée par une hypertrophie indolore et progressive des ganglions lymphatiques. Cette affection s'accompagne de fièvre, d'anémie et de cachexie progressive.

Cette maladie est due à la présence d'une cellule géante qui est 7 fois plus grande qu'un globule blanc normal.

Mononucléose

MONONUCLÉAIRE: Globule blanc (cf. p. 171)
OSE: État

La mononucléose est une maladie infectieuse caractérisée par l'augmentation des ganglions lymphatiques s'accompagnant d'un taux très élevé des mononucléaires.

Il s'agit d'une affection à virus.

Amygdalite

AMYGDALE: Amas de tissus lymphatiques situés de chaque côté du pharynx
ITE: Inflammation

L'amygdalite est l'inflammation des amygdales. Chez les enfants, l'inflammation des végétations adénoïdes accompagne souvent l'amygdalite.

Leucopénie

LEUCO: Blanc
PENIE: Pauvreté

La leucopénie est une diminution des globules blancs dans le sang.

Agranulocytose

A: Manque
LEUCOCYTE: Globule blanc
GRANULE: Petit grain arrondi
OSE: État du sang

L'agranulocytose est la disparition des leucocytes granuleux du sang. Cette situation entraîne une grande sensibilité aux infections.

Leucémie
ou **Leucose**

LEUCO: Blanc
EMIE: État du sang
OSE: État

La leucémie ou leucose est une prolifération anormale et maligne des globules blancs dans le sang.

Lymphangite

LYMPHE: Eau
ANGIO: Vaisseau
ITE: Inflammation

Une lymphangite est une inflammation aiguë ou chronique des vaisseaux lymphatiques.

Angiome

ANGIO: Vaisseau
OME: Tumeur, tuméfaction

Un angiome est une tuméfaction provoquée par un amas de vaisseaux sanguins ou lymphatiques malformés.

Végétations adénoïdes

ADENO: Glande, ganglion
ÏDE: Qui concerne

Les végétations adénoïdes sont une hypertrophie du tissu adénoïde de la muqueuse du nez et de la gorge.

On se souvient que les adénoïdes sont des amas de tissus lymphatiques situés près des cavités nasales et des trompes d'Eustache.

C) AFFECTIONS DE LA RATE

Splénopathie

SPLENO: Rate
PATHIE: Maladie, affection

Le terme splénopathie est le nom générique donné à toutes les affections de la rate.

Splénomégalie ou
Mégalosplénie

SPLENO: Rate
MEGALO: Augmentation de volume

La splénomégalie est l'augmentation du volume de la rate.

4.3
Chirurgie

A) CHIRURGIE DE LA RATE

Splénectomie
SPLENO: Rate
ECTOMIE: Ablation

La splénectomie est l'ablation de la rate.

Splénopexie
SPLENO: Rate
PEXIE: Fixation

Une splénopexie est une opération qui consiste dans la fixation de la rate.

Splénorraphie
SPLENO: Rate
ORRAPHIE: Suture

Une splénorraphie est une suture de la rate.

Splénotomie
SPLENO: Rate
TOMIE: Incision, ouverture, section

Une splénotomie est une incision de la rate.

Anastomose spléno-rénale
ANA: Avec
STOMIE: abouchement
OSE: État
SPLENO: Rate
RÉNALE: Adjectif dérivé de rein

L'anastomose spléno-rénale est la mise en communication des veines spléniques et rénales.

B) CHIRURGIE DES GANGLIONS

Adénectomie
ADENO: Ganglion, glande
ECTOMIE: Ablation

L'adénectomie est:
1- l'ablation d'une glande
2- l'ablation des végétations adénoïdes

Curage ganglionnaire

GANGLIONNAIRE: Adjectif dérivé
de ganglion
CURAGE: Action de nettoyer

Le curage ganglionnaire ou curetage est une opération qui consiste à dépouiller les ganglions des produits morbides qu'ils peuvent contenir.

Exercice
de compréhension

(50 points)

I- Comment nomme-t-on:

1- Une opération qui consiste à dépouiller les ganglions des produits morbides qu'ils contiennent?
2- L'ablation de la rate?
3- La fixation de la rate?
4- Une suture de la rate?
5- Une incision de la rate?
6- L'ablation des végétations adénoïdes?
7- Une inflammation des vaisseaux lymphatiques?
8- Une tuméfaction provoquée par un amas de vaisseaux sanguins ou lymphatiques?
9- La disparition des leucocytes granuleux du sang?
10- L'inflammation des amygdales?
11- Une diminution des globules blancs du sang?
12- L'inflammation des ganglions lymphatiques?
13- Une maladie infectieuse caractérisée par un taux élevé de mononucléaires?
14- Une diminution du taux de sucre dans le sang?
15- La maladie causée par un globule blanc sept fois plus grand qu'un leucocyte normal?
16- L'état d'un sang trop acide?
17- L'excès d'urée dans le sang?
18- L'arrêt d'une hémorragie?
19- Un saignement de nez?
20- Des taches sur la peau, provoquées par l'éclatement des capillaires?
21- Une tuméfaction formée par un amas de sang sorti des capillaires?
22- Le manque d'oxygène dans le sang?
23- La diminution du nombre de globules rouges dans le sang?
24- Les affections du sang?
25- La destruction des globules rouges du sang?

(50 points)

II - Orthographier correctement les termes reliés au système hématopoïétique

Si tu as réussi ce test avec une note de 95 %, tu peux passer à l'objectif suivant.

As-tu bien retenu la signification des racines suivantes:

hémato, poïèse, érythro, leuco, nucleus, lymphe, phile, adéno, myélo, spléno, chrome, angio, oxie, purpura
et de
cyte, ule, mono, poly, ette, iso, lyse, émie, a, an, hypo, hyper, ome, rragie, stase, glyco, pénie, mégalo?

Souviens-toi du vieil adage:
«*Rien n'est impossible au coeur vaillant.*»

Tu parviendras sûrement à maîtriser le langage médical!...

Chapitre V

Appareil respiratoire

Objectif général

Associer à leur définition respective les termes relatifs à l'appareil respiratoire.

A) Pathologie
- Maladies du nez
- Maladies du larynx
- Maladies de la trachée
- Maladies des bronches
- Maladies des poumons

B) Chirurgie

Objectifs spécifiques

5.1 Notions d'anatomie et de physiologie
   A) Étude de la fonction respiratoire
   B) Étude des voies respiratoires et du poumon

5.2 Pathologie de l'appareil respiratoire
   A) Symptômes concernant la respiration
   B) Affections des voies respiratoires
   C) Affections du poumon

5.3 Chirurgie
   A) Larynx
   B) Trachée
   C) Poumon

Introduction

Pneumologie

PNEUMO: Poumon
LOGIE: Science

La pneumologie est la partie de la médecine qui étudie le poumon et ses affections.

Pneumologue

PNEUMO: Poumon
LOGUE: Spécialiste de

Le pneumologue est le médecin spécialiste des poumons.

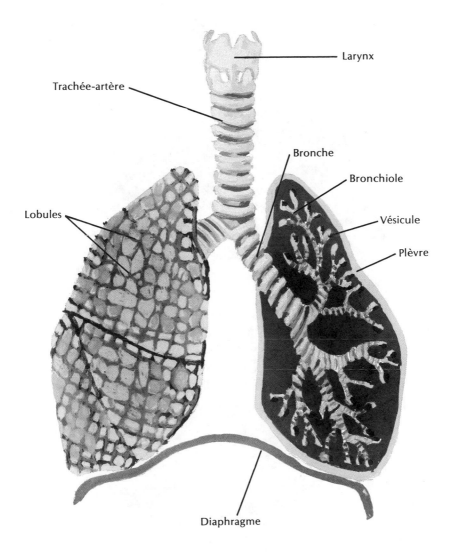

Larynx

Trachée-artère

Bronche

Bronchiole

Lobules

Vésicule

Plèvre

Diaphragme

LOBULE PULMONAIRE

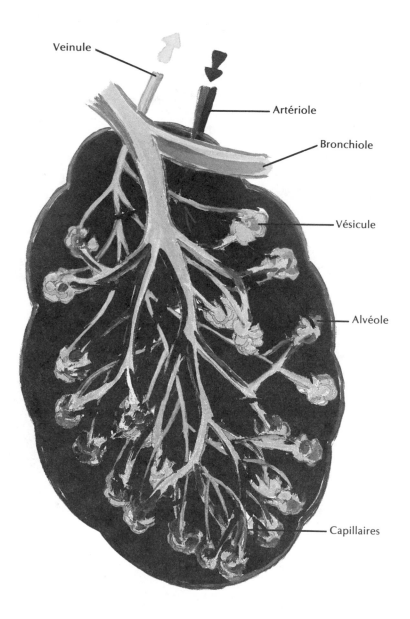

Veinule

Artériole

Bronchiole

Vésicule

Alvéole

Capillaires

5.1
Notions d'anatomie et de physiologie

A) ÉTUDE DE LA FONCTION RESPIRATOIRE

Respiration

RESPIRER: Origine latine, *spirare* = souffler

La respiration est la fonction qui a pour but de purifier le sang, d'alimenter les cellules en oxygène et d'assurer l'évacuation du gaz carbonique.

Inspiration

IN: Intérieur

L'inspiration est la pénétration de l'air dans les voies respiratoires et dans le poumon.

Expiration

EX: Au-dehors

L'expiration est le rejet de l'air vicié à l'extérieur de l'organisme.

Respiration cutanée

CUSTIS, CUTANEO: Origine latine, *cutis* = peau

La respiration cutanée est la respiration effectuée par les pores de la peau.

Respiration intérieure

INTÉRIEUR: En dedans

La respiration intérieure est la respiration cellulaire.

Respiration externe

EX: Au-dehors

La respiration externe est la respiration effectuée par les voies respiratoires.

Hématose

HEMATO: Sang
OSE: État, phénomène qui se produit

L'hématose est le phénomène par lequel le sang vicié (rouge foncé) qui contient le gaz carbonique se purifie par l'oxygène respiré.

B) ÉTUDE DES VOIES RESPIRATOIRES ET DU POUMON

Voie respiratoire

VOIE: Canal
RESPIRATOIRE: Adjectif dérivé de respiration

Les canaux par où passe l'air sont les voies respiratoires. Les voies respiratoires sont le nez, le pharynx, le larynx, la trachée, les bronches.

Fosse nasale

NASALE: Adjectif dérivé de nez

Les fosses nasales sont deux couloirs parallèles horizontaux creusés dans le visage, protégés par la pyramide du nez qui s'ouvre à l'extérieur par les narines et dans la gorge par deux orifices appelés cornets.

Pharynx

PHARYNX: Origine grecque = gorge

Le pharynx ou la gorge est le carrefour des fosses nasales, de la bouche, du larynx et de l'oesophage.

Rhino-pharynx

RHINO: Nez
PHARYNX: Gorge

Le rhino-pharynx est la cavité arrière des fosses nasales, c'est-à-dire l'étage supérieur de la gorge.

Larynx

LARYNX: Mot d'origine grecque

Le larynx est un tube fait de tissu musculaire et cartilagineux intercalé entre le pharynx et la trachée. Le larynx contient les cordes vocales.

Trachée

TRACHERIA ARTERIA: Origine grecque = artère raboteuse

La trachée-artère ou simplement la trachée est un long tube formé d'une vingtaine d'anneaux cartilagineux, qui descend le long du cou.

Bronche

BRONCHOS: Origine grecque = bronche

La trachée-artère se divise en deux bronches qui pénètrent chacune dans un poumon.

Bronchiole

BRONCHO: Bronche
OLE: Petit

Les bronches se divisent en voies de plus en plus petites appelées bronchioles. Les bronchioles sont de petites bronches.

Alvéole

ALVEUS: Origine latine = creux
OLE: Petit

Une alvéole est une petite cavité, un petit creux. Les alvéoles pulmonaires sont de petits sacs appendus à chaque bronchiole qui se remplissent d'air à l'inspiration et se vident à l'expiration.

Poumon

PULMO: Poumon

Le poumon est l'organe essentiel de la respiration. Les poumons sont logés de chaque côté du coeur. Les poumons sont faits de tissus spongieux, mous, élastiques, constitués par une très grande quantité d'alvéoles. Le poumon droit est formé de 3 lobes et le poumon gauche de 2 lobes.

Plèvre

PLEURO: Plèvre

La plèvre est une membrane séreuse (cf. p. 53) qui recouvre et protège le poumon. Cette membrane est composée de 2 feuillets; le *viscéral* qui adhère à la surface externe des poumons et le *pariétal* qui est accolé à la cage thoracique et au diaphragme.

Hile pulmonaire

HILE: Point d'attache d'un vaisseau à un organe

Le hile pulmonaire est l'endroit ou entrent et sortent du *poumon* les vaisseaux et les nerfs.

Médiastin

MEDIA: Moyen, au milieu de

Le médiastin est l'espace qui se trouve entre les deux poumons.

5.2
Pathologie
de l'appareil respiratoire

A) SYMPTÔMES CONCERNANT LA RESPIRATION

Apnée

A: Manque, absence
PNEE: Pneumo = air

L'apnée est l'arrêt plus ou moins prolongé de la respiration.

Dyspnée

DYS: Difficulté
PNEE: Pneumo = air

Le terme dyspnée signifie difficulté à respirer.

Polypnée

POLY: Plusieurs, nombreux
PNEE: Pneumo = air

Le terme polypnée désigne une respiration rapide, haletante, superficielle.

Hémoptysie

HEMO: Sang
PTYSIE: Cracher

Une hémoptysie est un crachement de sang provenant des voies respiratoires. L'hémoptysie est une manifestation caractéristique d'une maladie pulmonaire, parfois d'une maladie cardiaque; souvent la tuberculose en est l'origine.

B) AFFECTIONS DES VOIES RESPIRATOIRES

Rhinite

RHINO: Nez
ITE: Inflammation

Une rhinite est une inflammation aiguë ou chronique de la muqueuse des fosses nasales (rhume des foins).

Rhino-pharyngite

RHINO: Nez
PHARYNX: Gorge
ITE: Inflammation

La rhino-pharyngite est l'inflammation de la muqueuse du nez et de la gorge.

Laryngite

LARYNGO: Larynx
ITE: Inflammation

Une laryngite est une inflammation aiguë ou chronique du larynx.

Tumeur du larynx

TUMEUR: Augmentation du volume d'un organe due à une multiplication de cellules nouvelles
LARYNX: Tube qui s'étend du pharynx à la trachée et qui contient les cordes vocales

Les tumeurs du larynx peuvent être bénignes ou malignes. Les tumeurs bénignes comprennent les polypes (cf. p. 56), les enflures granuleuses (granules) et nodulaires (noeuds). Les chanteurs sont souvent affectés par ces enflures nodulaires, saillies sur les bords des cordes vocales.

Quant aux tumeurs malignes, le cas le plus grave est celui du cancer du larynx. Cette affection commence généralement par une tumeur bénigne sur une corde vocale, tumeur qui se développe petit à petit, rendant la voix rauque et la déglutition difficile. Il en résulte un amaigrissement et un affaiblissement généralisés et finalement une paralysie des cordes vocales.

Aphonie

A: Manque, absence
PHONO: Origine grecque = voix

L'aphonie est la perte de la voix.

Trachéite

TRACHÉE: Tube qui descend le long du cou
ITE: Inflammation

La trachéite est l'inflammation de la trachée. La trachéite est souvent confondue avec la bronchite.

Trachéectasie

TRACHÉE: Tube qui descend le long du cou
ECTASIE: Dilatation

La trachéectasie est la dilatation de la trachée.

Trachéomalacie

TRACHÉE: Tube qui descend le long du cou
MALACIE: Ramollissement

La trachéomalacie est le ramollissement de la trachée par dégénérescence graisseuse des cartilages.

Trachéosténose

TRACHÉE: Tube qui descend le long du cou
STENOSE: Rétrécissement

La trachéosténose est le rétrécissement de la trachée. Nous disons aussi sténose trachéale.

Trachéocèle

TUMEUR: Augmentation de volume d'un organe due à une multiplication de cellules nouvelles
TRACHÉE: Tube qui descend le long du cou
CELE: Hernie

Le terme trachéocèle désigne une hernie de la muqueuse trachéale formant une tumeur du cou à contenu gazeux.

Bronchite

BRONCHO: Bronche
ITE: Inflammation

La bronchite est l'inflammation aiguë ou chronique de la muqueuse des bronches.

La bronchite aiguë est souvent consécutive à un refroidissement car celui-ci diminue la résistance de l'organisme à l'infection. Sous l'effet de l'infection, les muqueuses des bronches s'enflamment.

Dans la bronchite chronique, des inflammations répétées de la muqueuse endommagent les cils vibratiles; les bactéries et les virus n'étant plus évacués ils envahissent les bronches et causent une infection généralisée.

Bronchiectasie

BRONCHO: Bronche
ECTASIE: Dilatation

La bronchiectasie est l'augmentation permanente du calibre des bronches. C'est-à-dire la dilatation des bronches.

Bronchorrhée

BRONCHO: Bronche
ORRHEE: Écoulement

La bronchorrhée est l'hypersécrétion pathologique du mucus bronchique, s'observant dans les bronchites chroniques.

Bronchocèle

BRONCHO: Bronche
CELE: Hernie

Une bronchocèle est une dilatation bronchique localisée, pleine de pus ou de mucus; d'origine tuberculeuse ou cancéreuse.

Asthme bronchique

ASTHME: Origine grecque = être essoufflé
BRONCHIQUE: Adjectif dérivé de bronche

L'asthme est causé par des spasmes bronchiques d'origine allergique. L'allergie peut être due à la poussière domestique ou à d'autres substances, y compris des substances sécrétées par des bactéries; une bronchite peut donc causer des crises d'asthme.

C) AFFECTIONS DES POUMONS

Pneumothorax

PNEUMO: Air
THORACO: Poitrine

Le terme pneumothorax désigne la présence d'air entre les 2 feuillets de la plèvre.

Hydrothorax

HYDRO: Eau
THORACO: Poitrine

L'hydrothorax est un épanchement de liquide entre les 2 feuilles de la plèvre.

Pyothorax

PYO: Pus
THORACO: Poitrine

Le terme pyothorax désigne la présence de pus entre les 2 feuillets de la plèvre.

Hémothorax

HEMO: Sang

THORACOX: Poitrine

Le terme hémothorax désigne la présence de sang entre les 2 feuillets de la plèvre.

Pleurésie

PLEURO: Plèvre
ITE: Inflammation

La pleurésie est l'inflammation de la plèvre. Nous distinguons la pleurésie sèche; inflammation de la plèvre sans exsudation, et la pleurésie purulente ou empyème qui est l'inflammation de la plèvre avec épanchement de pus.

Atélectasie

ATELÊS: Origine grecque = incomplet
ECTASIE: Dilatation, distension, extension

L'atélectasie est l'affaissement des alvéoles pulmonaires qui se vident de leur contenu gazeux.

Emphysème

EN: Dans
PHUSAN: Souffler

L'emphysème pulmonaire est la dilatation *permanente* des alvéoles pulmonaires avec perte d'élasticité des poumons.

Oedème aigu du poumon

OEDÈME: Enflure

L'oedème aigu du poumon est le passage brusque du sérum sanguin dans les alvéoles pulmonaires. Il en résulte une dyspnée intense et une expectoration abondante, parfois striée de sang.

Pneumonie

PNEUMO: Air

La pneumonie est une inflammation du poumon localisée soit à un lobe ou à un segment du poumon. La pneumonie entraîne à l'endroit atteint une condensation plus ou moins importante du parenchyme; c'est-à-dire des alvéoles.

La broncho-pneumonie diffère de la pneumonie en ce sens que les lésions inflammatoires sont dispersées en foyers. Il y a alternance de foyers sains avec des foyers lésés et les bronchioles sont atteintes.

Nous distinguons:

a) La pneumonie à pneumocoque (cf. p. 285) ou pneumonie franche lombaire aiguë; fréquente chez les vieillards et les nourrissons.

b) La pneumonie à virus (cf. p. 286) ou pneumonite, le virus se loge sur les bronches et les alvéoles.

Tuberculose

TUBERCULUM: Origine latine = tubercule

TUBERCULE: Lésion modulaire souvent polylobée et multiple

La tuberculose pulmonaire est une infection du poumon due au bacille de Koch (cf. p. 285). La tuberculose pulmonaire est une maladie contagieuse.

Pneumoconiose

PNEUMO: Air

OSE: État, phénomène qui se produit

La pneumoconiose est une affection du poumon causée par l'inhalation et la fixation dans le poumon des particules solides répandues dans l'atmosphère. (charbon, silice, fer, etc.)

a) *La silicose:* est une affection causée par la poussière de silice (chez les tailleurs de pierre).

b) *La sidérose:* est une affection causée par la poussière de fer (chez les mineurs et les soudeurs).

c) *L'amiantose:* est une affection causée par la poussière d'amiante (chez les mineurs).

d) *L'anthracose ou anthracosis:* est l'infiltration des poumons causée par la poussière de charbon inhalée.

Carcinome bronchique ou Cancer du poumon

CARCINO: Cancer

OME: Tumeur

BRONCHIQUE: Adjectif dérivé de bronche

Le cancer du poumon est une prolifération maligne de cellules glandulaires ou épithéliales. Les malaises dépendent de la grosseur de la tumeur et de sa localisation. Une tumeur située à proximité du hile (cf. p. 195) provoque un rétrécissement des grosses bronches, qui se manifeste par de la toux et une sensation d'étouffement.

5.3
Chirurgie
de l'appareil respiratoire

Laryngectomie

LARYNG(O): Larynx
ECTOMIE: Ablation

Une laryngectomie est l'ablation partielle ou totale du larynx.

Laryngopharyngectomie

LARYG(O): Larynx
PHARYNG(O): Pharynx (gorge)
ECTOMIE: Ablation

La laryngopharyngectomie est l'ablation du larynx et du pharynx.

Laryngorraphie

LARYNGO: Larynx
RRAPHIE: Suture

Une laryngorraphie est une suture du larynx.

Trachéotomie ou
Trachéostomie

TRACHÉE: Tube qui descend le long du cou
TOMIE: Ouverture, section, incision
STOMIE: Abouchement

Une trachéotomie est une ouverture faite dans la trachée pour permettre au malade de respirer. Une canule par laquelle l'air entre et sort est introduite dans l'ouverture. Cette intervention est pratiquée lorsqu'il y a obstruction du passage de l'air dans le larynx causée par une tumeur, un corps étranger, une paralysie des cordes vocales, un oedème de la glotte, ou obstruction causée pendant ou après certaines opérations.

Trachéoplastie

TRACHEE: Tube qui descend le long du cou
PLASTIE: Réparation, restauration

La trachéoplastie est une opération chirurgicale destinée à remplacer, par une greffe cutanée, un segment rétréci de la trachée.

Bronchotomie

BRONCHO: Bronche
TOMIE: Sectionner, inciser

La bronchotomie est une incision chirurgicale des bronches pour exploration ou exérèse de corps étranger.

Bronchorraphie

BRONCHO: Bronche
RRAPHIE: Suture

Une bronchorraphie est une suture des bronches.

Lobectomie pulmonaire

LOBE: Partie arrondie d'un organe
ECTOMIE: Excision, ablation

La lobectomie est l'ablation d'un lobe du poumon.

Pneumotomie

PNEUMO: Air
TOMIE: Incision, coupure, section

La pneumotomie est une incision faite au poumon dans un but thérapeutique. *Exemple:* évacuation d'un abcès du poumon.

Pneumectomie

PNEUMO: Air
ECTOMIE: Ablation, excision

La pneumectomie est l'excision (ablation) d'un poumon ou d'une partie de poumon.

Thoracentèse

THORACO: Poitrine, thorax
CENTESE: Piquer

Une thoracentèse est une ponction pratiquée dans la cavité pleurale.
   La thoracentèse est exploratrice, pour faire le diagnostic d'une pleurésie, ou évacuatrice, pour traiter la pleurésie.

Pneumocentèse

PNEUMO: Air
CENTESE: Piquer

Une pneumocentèse est une ponction du poumon pratiquée en vue d'évacuer le contenu d'une cavité ou d'un abcès.

Pneumothorax

THORACO: Poitrine
PNEUMO: Air

Le terme pneumothorax désigne une introduction d'air dans la plèvre avec une aiguille dans un but thérapeutique.

Pleurotomie

PLEURO: Plèvre = enveloppe du poumon
TOMIE: Section

La pleurotomie est l'ouverture de la plèvre au bistouri, soit pour évacuer une collection liquide, soit pour explorer la cavité pleurale ou l'un des poumons.

Thoracotomie

THORACO: Thorax ou poitrine
TOMIE: Section

La thoracotomie est l'ouverture chirurgicale du thorax, pour exploration ou intervention soit sur le poumon, soit sur le coeur ou l'oesophage.

Thoracoplastie

THORACO: Thorax ou poitrine
PLASTIE: Réparation, restauration

La thoracoplastie est la résection d'une ou de plusieurs côtes, ou de parties de côtes.

Exercice
de compréhension

(50 points)

I - Comment nomme-t-on:

1- L'ouverture chirurgicale du thorax?
2- La résection d'une ou de plusieurs côtes?
3- Une incision faite au poumon dans un but thérapeutique?
4- L'ablation d'un poumon?
5- Une ponction pratiquée dans la cavité pleurale?
6- Une ponction pratiquée dans le poumon?
7- L'ouverture de la plèvre?
8- Une suture des bronches?
9- L'ablation d'un lobe du poumon?
10- Une suture du larynx?
11- Une affection du poumon causée par l'inhalation de particules solides?
12- Une affection du poumon due au bacille de Koch?
13- La maladie qui se caractérise par le passage brusque du sérum sanguin dans les alvéoles pulmonaires?
14- La présence de sang entre les deux feuillets de la plèvre?
15- Une inflammation purulente de la plèvre?
16- L'affaissement des alvéoles pulmonaires?
17- La dilatation permanente des alvéoles pulmonaires avec perte d'élasticité du poumon?
18- L'inflammation des bronches?
19- La dilatation permanente des bronches?
20- Le rétrécissement de la trachée?
21- La perte de la voix?
22- L'inflammation du larynx?
23- L'espace situé entre les deux poumons?
24- Un crachement de sang provenant des voies respiratoires?
25- L'inflammation de la muqueuse des fosses nasales?

(50 points)

II - Orthographier correctement les termes relatifs à l'appareil respiratoire.

205

Si tu as réussi ce test avec une note de 95 %, tu peux passer à l'objectif suivant.

As-tu mémorisé la signification des racines suivantes:

rhino, broncho, alveus, hile, pnée, laryngo, phono, hydro, pyo, pneumo
et de
média, dys, poly, ptysie, ectasie, malacie, sténose, orrhée, cèle, centèse?

Après avoir étudié les systèmes digestif, cardio-vasculaire et respiratoire, voyons l'appareil urinaire!

Appareil urinaire

Objectif général

Associer à leur définition respective les termes relatifs à l'appareil urinaire.

A) Pathologie
- malformations
- infections
- troubles fonctionnels

B) Symptômes urinaires

C) Chirurgie de l'appareil urinaire

Objectifs spécifiques

5.1 Notions d'anatomie et de physiologie
a) Étude du rein, des canaux urinaires et de la vessie

5.2 Pathologie de l'appareil urinaire
a) affections du rein
b) affections des canaux urinaires et de la vessie

5.3 Symptômes des maladies urinaires

5.4 Chirurgie de l'appareil urinaire
a) chirurgie du rein
b) chirurgie des canaux urinaires et de la vessie

APPAREIL URINAIRE

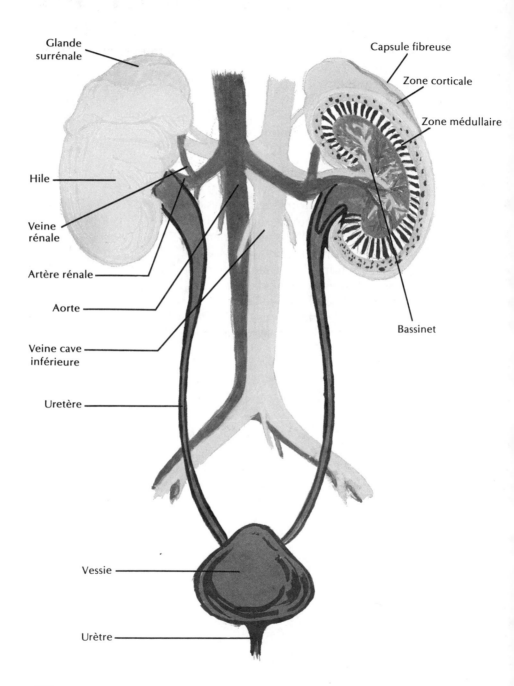

Glande surrénale

Capsule fibreuse

Zone corticale

Zone médullaire

Hile

Veine rénale

Artère rénale

Aorte

Veine cave inférieure

Bassinet

Uretère

Vessie

Urètre

Introduction

Néphrologie *NEPHRO:* Rein
LOGIE: Science, étude de

La néphrologie est l'étude des reins, de leur physiologie et de leurs maladies.

Néphrologue *NEPHRO:* Rein
LOGUE: Spécialiste de

Un néphrologue est un médecin, spécialiste, qui traite les maladies des reins.

Urologie *URO:* Origine latine; *urina* = urine
LOGIE: Science, étude de

L'urologie est la science qui étudie l'appareil urinaire.

Urologue *URO:* Urine
LOGUE: Spécialiste de

Un urologue est un médecin qui traite les maladies des voies urinaires.

5.1
Notions d'anatomie et de physiologie

A) ÉTUDE DU REIN ET DE SON FONCTIONNEMENT

Néphron   *NEPHR(O):* Rein

Les reins sont des glandes qui sécrètent l'urine. Au nombre de deux, ils sont situés à droite et à gauche de la colonne lombaire.

Dans le rein, il y a 1 200 000 petits appareils filtrant; ce sont les cellules du rein appelées tubes urinifères ou néphrons.

Chaque tube urinifère est surmonté d'une petite ampoule appelée glomérule, dont la fonction est de filtrer le sang.

Bassinet   BASSINET: Petit bassin
                                      PYEL(O): Racine qui désigne le bassinet

Le bassinet du rein est un petit réservoir membraneux qui collecte l'urine et la déverse dans l'uretère. Le bassinet du rein est ramifié et chaque ramure forme le calice du rein. Chaque rein est pourvu d'un bassinet.

Uretère   *OURETER:* Uretère

Les uretères sont des petits canaux qui s'étendent du bassinet du rein à la vessie. Chaque rein a son uretère qui achemine l'urine du rein à la vessie.

Vessie   *VESICA:* Origine latine = vessie
                                    VESICAL: Adjectif dérivé de vessie

La vessie est un réservoir musculo-membraneux destiné à recueillir l'urine et à l'évacuer en bloc, quand la quantité accumulée devient une gêne pour l'organisme. La vessie pleine a la forme d'un ballon, vide elle apparaît repliée sur elle-même.

Urètre   *URINA:* Origine latine = urine
                                    OURON: Origine grecque = urine

L'urètre est un canal qui transporte l'urine de la vessie à l'extérieur. L'urètre s'ouvre à l'extérieur par un orifice appelé méat urinaire. (Méat signifie: passage, ouverture.) Chez l'homme, une partie de l'urètre traverse le pénis.

Miction

MICTIO: Origine latine = uriner

L'action d'uriner se nomme miction.

5.2
Pathologie urinaire

A) AFFECTIONS DU REIN

Néphropathie

NEPHRO: Rein
PATHIE: Maladie, affection

Néphropathie est le nom générique donné à toutes les affections du rein.

Néphrose

NEPHRO: Rein
OSE: État, phénomène qui se produit

Les néphroses sont des lésions dégénératives des reins sans inflammation, donc sans néphrite véritable.

La néphrose lipoïdique (*lipide:* graisse; *oïde:* qui ressemble) est une variété de néphrose dans laquelle il existe une infiltration graisseuse des cellules des tubes du rein.

Néphrite

NEPHRO: Rein
ITE: Inflammation

Une néphrite est une inflammation du rein.

La néphrite aiguë est une lésion du tissu rénal qui évolue rapidement.

La néphrite chronique ou mal de Bright est une sclérose diffuse du tissu rénal (sclérose: durcissement).

Glomérulonéphrite

GLOMÉRULE: Petites ampoules situées au début de chaque tube urinifère
NEPHRON: Tube urinifère, cellule du rein

La glomérulonéphrite est une variété de néphrite caractérisée par l'atteinte des glomérules.

Glomérulite est synonyme de glomérulonéphrite.

Tubulonéphrite

TUBULO: Tube
NEPHRO: Rein
ITE: Inflammation

La tubulonéphrite est une variété de néphrite caractérisée par l'atteinte des tubes urinifères du rein.

Pyonéphrite

PYO: Pus
NEPHRO: Rein
ITE: Inflammation

La pyonéphrite est une inflammation du parenchyme rénal due à un microbe pyogène (qui donne du pus), provoquant généralement des abcès de taille et de nombre variable.

Néphrosclérose

NEPHRO: Rein
SCLERO: Dur

La néphrosclérose est le durcissement du tissu rénal.

Colique néphrétique

NEPHRON: Cellule du rein
NÉPHRÉTIQUE: Adjectif dérivé de néphron

Une colique néphrétique est une crise douloureuse correspondant à la migration d'un calcul ou d'un corps étranger, du rein vers la vessie.

Néphrocirrhose

NEPHRO: Rein
CIRRHO: Origine grecque, *kirrhos* = Jaune
OSE: État

La néphrocirrhose est généralement le stade final de nombreuses affections rénales associées à la perte du tissu rénal.

Lithiase rénale

LITHO: Pierre
RÉNALE: Adjectif dérivé de rein

La lithiase rénale est la formation de calculs dans les calices ou le bassinet du rein.

Néphroptose ou Ptose rénale

NEPHRO: Rein
PTOSE: Chute, descente

La néphroptose est le déplacement, la mobilité anormale du rein par suite du relâchement de ses moyens de fixité.

Rein atrophié

A: Manque, absence

TROPHIE: Nourriture

L'atrophie est la diminution du volume d'un organe.

Rein hypertrophié

HYPER: En excès, exagération
TROPHIE: Nourriture

L'hypertrophie est l'augmentation du volume d'un organe.

Rein polykystique

POLY: Plusieurs, nombreux
KYSTE: Cavité contenant une substance liquide, molle, rarement solide

Le rein polykystique est une malformation congénitale caractérisée par la production de kystes multiples dans les deux reins transformés en masses bosselées. Nous disons également maladie polykystique des reins.

Aplasie du rein

A: Absence, manque
PLASIE: Formation

L'aplasie est l'absence de développement d'un rein.

Rein ectopique

ECTO: Hors de, en dehors
TOPO: Lieu

Un organe ectopique est un organe qui n'est pas à sa place habituelle, c'est-à-dire un organe qui est en dehors de sa place normale.

Hydronéphrose ou Uronéphrose

HYDRO: Eau
URO: Urine
NEPHRO: Rein
OSE: État, phénomène qui se produit

L'hydronéphrose est l'état d'un rein distendu par l'urine qui ne peut s'écouler.

Pyélite

PYELO: Bassinet
ITE: Inflammation

La pyélite est l'inflammation du bassinet du rein.

Pyélonéphrite

PYELO: Bassinet
NEPHRO: Rein
ITE: Inflammation

Une pyélonéphrite est une inflammation du bassinet et du rein.

Périnéphrite

PERI: Autour
NEPHRO: Rein
ITE: Inflammation

Une périnéphrite est une inflammation de l'enveloppe adipeuse du rein.

Tuberculose rénale

RÉNALE: Adjectif dérivé de rein
TUBERCULO: Cf. microbiologie

La tuberculose rénale est une infection chronique du rein par le bacille de Koch.

Cancer du rein

Le cancer du rein est une tumeur maligne qui se développe au niveau du tissu rénal.
Les variétés de cancer du rein sont:
□ L'hypernéphrome de Grawitz
□ Le néphroépithéliome
□ Le sarcome rénal (fréquent chez les enfants de moins de 3 ans)

B) AFFECTIONS DES CANAUX DU REIN

Épispadias

EPI: Au-dessus
SPADIAS: Je divise

L'épispadias est une anomalie congénitale caractérisée par l'ouverture de l'urètre sur la partie supérieure du pénis, chez le mâle (voir p. 302).

Hypospadias

HYPO: Au-dessous
SPADIAS: Je divise

L'hypospadias est une anomalie congénitale caractérisée par l'ouverture de l'urètre sur la partie inférieure du pénis, chez le mâle (voir page 302).

Urétrite

URETRO: Urètre
ITE: Inflammation

L'urétrite est l'inflammation de la muqueuse de l'urètre. Elle peut être due à des microbes variables, mais très souvent elle est causée par le gonocoque. (Cf. microbiologie, p. 285.)

Rétrécissement de l'urètre

RÉTRÉCISSEMENT: Nom dérivé du verbe rétrécir
URÈTRE: Canal qui s'étend de la vessie vers l'extérieur

Le rétrécissement de l'urètre est une diminution *permanente* de la lumière urétrale.

Fistule urétrale

FISTULE: Conduit anormal, par lequel s'écoule un liquide
URÉTRALE: Adjectif dérivé de urètre

Une fistule urétrale est un petit trajet congénital ou accidentel qui relie la vessie à la peau ou à un autre organe.

Cystite

CYSTO: Vessie
ITE: Inflammation

Une cystite est une inflammation aiguë ou chronique de la vessie.

Trigonite

TRIGONE: Adjectif signifiant qui a trois angles et trois faces

Une trigonite est une cystite localisée au trigone vésical.

Dysectasie du col vésical

DYS: Difficulté
ECTASIE: Dilatation
VÉSICAL: Adjectif dérivé de vessie

La dysectasie du col vésical est une difficulté pour le col de la vessie de s'ouvrir. La dysectasie du col vésical est due à une lésion organique du col ou à des troubles nerveux.

Lithiase vésicale

LITHO: Pierre
VÉSICALE: Adjectif dérivé de vessie

La lithiase vésicale est la présence de calculs dans la vessie.

Polype vésical

POLYPE: Tumeur généralement bénigne
VÉSICAL: Adjectif dérivé de vessie

Le polype vésical est une tumeur bénigne qui se développe sur la muqueuse de la vessie. Cette tumeur a tendance à récidiver (à revenir); il ne faut pas négliger la possibilité de cancérisation du polype.

Exstrophie

EX: Hors de
TROPHIE: Croissance, développement, nutrition

L'exstrophie de la vessie est une malformation de la vessie, dont la muqueuse vient faire saillie à l'hypogastre par suite de l'absence de la paroi antérieure de l'abdomen et de celle du réservoir urinaire. Nous disons également extroversion de la vessie, c'est-à-dire renversement de la vessie.

Rupture de la vessie

RUMPERE: Origine latine, rompre, déchirer

Une rupture de la vessie est une perforation de la vessie à la suite d'un traumatisme.

Méga-uretère

MEGA: Grand, idée de dilatation
URETÈRE: Canal qui s'étend du rein à la vessie

Le méga-uretère est la dilatation d'un uretère.

Urétérocèle

URETERO: Uretère
CELE: Hernie

Une urétérocèle est une malformation congénitale caractérisée par une dilatation, parfois considérable, de la partie terminale de l'uretère, qui fait saillie dans la vessie.

On la désigne encore sous le nom de *dilatation kystique de l'extrémité inférieure de l'uretère.*

Urétérolithiase

URETERO: Uretère
LITHO: Pierre

L'urétérolithiase est la présence d'un calcul dans l'uretère.

5.3
Symptômes des maladies urinaires

Dysurie   *DYS:* Difficulté
                                      URIE: Dans l'urine

Une dysurie est une difficulté à uriner.

Polyurie   *POLY:* Beaucoup
                                      URIE: Dans l'urine

La polyurie est le fait d'uriner beaucoup.

Anurie   *A:* Manque, absence
                                      URIE: Dans l'urine

L'anurie est l'absence de sécrétion d'urine par les reins.

Incontinence   *IN:* Contraire
                                      CONTINENCE: Nom dérivé du
                                          verbe contenir

L'incontinence est l'émission involontaire d'urine ou de matières
fécales.

Énurésie ou   *URINA:* Origine latine = urine
Énurèse   *OURON:* Origine grecque = urine
                                      ERESE: Sécrétion, excrétion

L'énurésie est l'incapacité de retenir l'urine; c'est une incontinence d'urine presque toujours nocturne qui résulte soit d'un
fonctionnement défectueux de la vessie, d'une réaction nerveuse, d'une tension émotionnelle ou de légers troubles psychiques.

Hématurie   *HEMATO:* Sang
                                      URIE: Dans l'urine

L'hématurie est la présence anormale de sang dans l'urine.

Hémoglobinurie   HÉMOGLOBINE: (Cf. p. 171)
                                      URIE: Dans l'urine

L'hémoglobinurie est la présence d'hémoglobine dans l'urine.

Pollakiurie

POLLAKI: Souvent
URIE: Urine

La pollakiurie est le fait d'uriner anormalement souvent et par petite quantité.

Oligurie

OLIGO: Peu
URIE: Urine

L'oligurie est le fait d'uriner en quantité insuffisante.

Protéinurie

PROTÉINE: Substance gélatineuse dérivant de substances présentes dans les organismes animaux et végétaux
URIE: Dans l'urine

La protéinurie est la présence anormale de protéines dans l'urine.

Albuminurie

ALBUMINE: Matière azotée organique
URIE: Dans l'urine

L'albuminurie est la présence anormale d'albumine dans l'urine.

Pyurie

PYO: Pus
URIE: Dans l'urine

Le terme pyurie désigne la présence de pus dans l'urine.

Glycosurie

GLYCO: Sucre
URIE: Urine

La glycosurie est la présence de sucre dans les urines, ce qui n'est jamais normal.

Bactériurie

BACTERIO: Origine grecque, *bakatérion* = petit bâton, bactérie
URIE: Dans l'urine

La bactériurie est la présence de bactéries en très grande quantité dans l'urine.
Le terme bactériurie est le synonyme de microburie.

5.4
Chirurgie de l'appareil urinaire

A) CHIRURGIE DU REIN

Néphrotomie

NEPHRO: Rein
TOMIE: Incision, section, coupure

Une néphrotomie est une incision pratiquée sur le rein, dans le but d'extraire un calcul ou d'évacuer une collection de liquide.

Néphrectomie

NEPHRO: Rein
ECTOMIE: Ablation, exérèse

Une néphrectomie est l'ablation d'un rein.

Néphrostomie

NEPHRO: Rein
STOMIE: Bouche, abouchement, ouverture sur l'extérieur

La néphrostomie est l'établissement d'une fistule rénale chirurgicale (petit canal).

Néphrorraphie

NEPHRO: Rein
ORRAPHIE: Suture

Une néphrorraphie est une intervention chirurgicale qui consiste à fixer un rein mobile; c'est aussi la suture d'un rein après incision.

Néphropexie

NEPHRO: Rein
PEXIE: Fixation, fixer

Le terme néphropexie est synonyme de néphrorraphie.
Ces deux termes désignent la suture et la fixation d'un rein.

Néphro-urétérectomie

NEPHRO: Rein
URETERE: Conduit qui s'étend du rein à la vessie
ECTOMIE: Ablation, excision

La néphro-urétérectomie est l'ablation simultanée d'un rein et de son uretère.

Pyéloplastie

PYELO: Bassinet
PLASTIE: Réparation

Une pyéloplastie est une réparation du bassinet du rein.

B) CHIRURGIE DE LA VESSIE ET DES CANAUX URINAIRES

Cystectomie

CYSTO: Vessie
ECTOMIE: Ablation, résection

Une cystectomie est une résection totale ou partielle de la vessie.

Cystostomie

CYSTO: Vessie
STOMIE: Bouche, abouchement, ouverture sur l'extérieur

Une cystostomie est l'installation d'une bouche artificielle avec drainage.

Lithotritie

LITHO: Pierre
TRITIE: Broyer, briser

Une lithotritie est une opération chirurgicale qui consiste à broyer un calcul dans la vessie. On pratique une lithotritie lorsque le calcul n'est ni trop dur, ni trop volumineux.

Urétérotomie

URETÈRE: Canal qui s'étend du rein à la vessie
TOMIE: Incision, section, coupure

Une urétérotomie est une intervention chirurgicale qui consiste à pratiquer une incision de l'uretère dans le but d'extraire un calcul.

Urétérectomie

URETÈRE: Canal qui s'étend du rein à la vessie
ECTOMIE: Ablation, excision, résection

L'urétérectomie est aussi la résection chirurgicale d'un uretère, en totalité ou en partie.

Urétérostomie

URETÈRE: Canal qui s'étend du rein à la vessie
STOMIE: Bouche, abouchement, ouverture

L'urétérostomie est une opération chirurgicale qui consiste à aboucher l'uretère soit à la peau (urétérostomie cutanée), soit dans le côlon et plus particulièrement dans l'anse sigmoïde de ce dernier (utérosigmoïdostomie).

Toutes ces interventions ont pour objet de dériver les urines en dehors de la vessie.

Urétéro-colostomie

URETERO: Uretère
COLO: Côlon
STOMIE: Bouche, ouverture

L'urétéro-colostomie est une opération qui consiste à aboucher l'uretère dans le côlon, en particulier dans le côlon transverse.

Urétéro-entérostomie

URETERO: Uretère
ENTERO: Intestin
STOMIE: Bouche, abouchement, ouverture

L'urétéro-entérostomie est une opération qui consiste à aboucher l'uretère dans l'intestin.

Urétéropyélostomie

URETERO: Uretère
PYELO: Bassinet du rein
STOMIE: Abouchement

L'urétéropyélostomie est l'intervention chirurgicale ayant pour objet de réimplanter l'uretère dans le bassinet.

Urétérorraphie

URETERO: Uretère
ORRAPHIE: Suture

L'urétérorraphie est une intervention chirurgicale consistant à suturer l'uretère pour rétablir la continuité du canal.

Urétérolithotomie

URETERO: Uretère
LITHO: Pierre
TOMIE: Incision

L'urétérolithotomie est une intervention chirurgicale consistant à ouvrir l'uretère pour en extraire un calcul.

Urétrotomie

URETRO: Urètre
TOMIE: Incision, section

L'urétrotomie est une incision de la paroi de l'uretère dans le but de rétablir le cours de l'urine.

Urétrectomie

URETRO: Urètre
ECTOMIE: Ablation, exérèse, résection

L'urétrectomie est la résection d'une partie plus ou moins longue de l'urètre.

Urétrostomie

URETRO: Urètre
STOMIE: Abouchement

L'urétrostomie est l'ouverture de l'urètre et la création d'un méat artificiel, en cas de rétrécissement infranchissable.
À noter: Une périnéostomie est une urétrostomie pratiquée au niveau du périnée.

Urétrorraphie

URETRO: Urètre
ORRAPHIE: Suture

Une urétrorraphie est une suture de l'urètre en vue de rétablir la continuité du canal.

Urétroplastie

URETRO: Urètre
PLASTIE: Réparation, restauration

L'urétroplastie est la reconstitution chirurgicale de l'urètre.

Dialyse péritonéale

DIALYSE: Méthode de séparation des substances dissoutes (*dis* = deux et *lyse* = décomposition, séparation)
PÉRITONÉALE: Adjectif dérivé de péritoine

La dialyse péritonéale est l'irrigation de la cavité péritonéale de façon continue pendant une douzaine d'heures dans le but d'extraire les déchets toxiques (urée) contenus en excès dans le sang.

Exercice
de compréhension

(50 points)

I - Comment nomme-t-on:

1- Une incision de la paroi de l'uretère?
2- La résection d'une partie de l'urètre?
3- La création d'un méat artificiel?
4- Une suture de l'urètre?
5- La reconstitution chirurgicale de l'urètre?
6- L'irrigation de la cavité péritonéale dans le but d'extraire des déchets?
7- L'opération qui consiste à aboucher l'uretère dans l'intestin?
8- La résection totale ou partielle de la vessie?
9- La réparation du bassinet du rein?
10- La suture et la fixation d'un rein?
11- L'ablation d'un rein?
12- Le fait d'uriner souvent et en petite quantité?
13- Le fait d'uriner en quantité insuffisante?
14- La présence de sucre dans les urines?
15- La présence de pus dans l'urine?
16- La présence anormale de sang dans les urines?
17- L'incapacité de retenir l'urine, surtout la nuit?
18- L'absence de sécrétion d'urine par le rein?
19- Le fait d'uriner beaucoup?
20- Une difficulté à uriner?
21- La dilatation d'un uretère?
22- Une inflammation de la vessie?
23- Une inflammation de la muqueuse de l'urètre?
24- La racine qui signifie: je divise?
25- L'inflammation de l'enveloppe adipeuse du rein?

(50 points)

II - Orthographier correctement les termes relatifs à l'appareil urinaire.

Si tu réussis ce test avec une note de 95 %, tu peux passer à l'objectif suivant.

As-tu mémorisé la signification des racines suivantes:

*néphro, uro, ouron, mictio, cirrho, litho, plasie, ecto, topo,
pyélo, cysto, urétéro, urétro*
et de
*pyo, ptose, péri, ectasie, méga, cèle, dys, poly, pollaki,
oligo, glyco, tritie?*

**Je te conseille de relire les mots étudiés jusqu'ici
avant de passer à l'étude des quatre (4) derniers chapitres,
et de les écrire sous la forme d'une dictée.**

Chapitre VI

Système nerveux

Objectif général

Associer à leur définition respective les termes relatifs au système nerveux.

A) Maladies
- cérébro-vasculaires
- lésions expansives
- infectieuses
- héréditaires et familiales
- épilepsie

B) Chirurgie

Objectifs spécifiques

6.1 Notions d'anatomie et de physiologie
A) Étude de la cellule nerveuse
B) Étude des nerfs et de leur environnement
C) Étude des systèmes nerveux

6.2 Pathologie du système nerveux
A) Maladies cérébro-vasculaires
B) Lésions expansives
C) Maladies infectieuses
D) Maladies héréditaires et familiales
E) Affections nerveuses générales

6.3 Chirurgie nerveuse ou neuro-chirurgie
A) Chirurgie du cerveau
B) Chirurgie de la moelle épinière
C) Chirurgie des nerfs

LE NEURONE

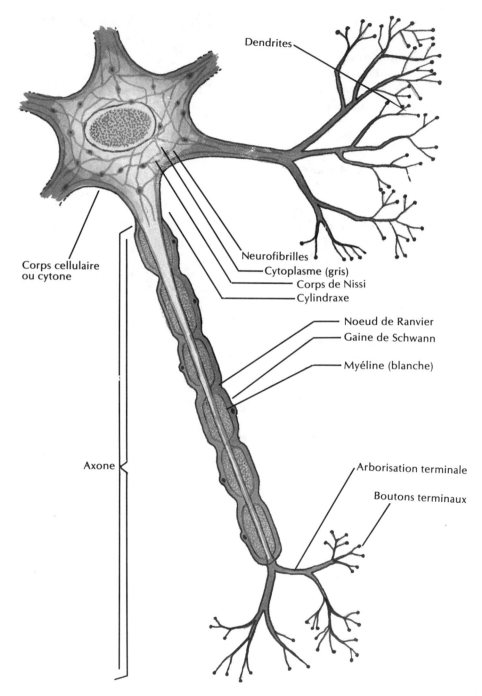

Dendrites

Corps cellulaire
ou cytone

Neurofibrilles

Cytoplasme (gris)

Corps de Nissi

Cylindraxe

Noeud de Ranvier

Gaine de Schwann

Myéline (blanche)

Axone

Arborisation terminale

Boutons terminaux

230

Introduction

Neurologie

NEURO: Origine grecque, *neuron*
= nerf
LOGIE: Étude de

La neurologie est la partie de la médecine qui s'occupe de l'anatomie, de la physiologie et de la pathologie du système nerveux.

Neurologue

NEURO: Nerf
LOGUE: Spécialiste de

Le neurologue ou neurologiste est le médecin qui étudie ou traite spécialement les maladies nerveuses (physiques).

6.1
Notions d'anatomie et de physiologie

A) ÉTUDE DE LA CELLULE NERVEUSE

Neurone

NEURON: Origine grecque: nerf

Le tissu nerveux est formé d'une infinité de cellules appelées *neurone*. Le neurone est pourvu d'un grand noyau et de deux sortes de prolongements protoplasmiques: les dendrites et le cylindraxe ou axone.

Myéline

MYELO: Origine grecque, *muelos* = moelle

La myéline est une fibre nerveuse, grasse, phosphorée, d'aspect nacré, qui forme une gaine et entoure le cylindraxe. La gaine de myéline transporte l'influx nerveux. Les nerfs blancs possèdent la myéline et les nerfs gris ne possèdent pas de myéline.

Gaine de Schawnn

NÉVROGLIE: Tissu conjonctif qui comble les vides entre les cellules nerveuses

La gaine de Schawnn est une 2e enveloppe qui entoure le cylindraxe. Ses fibres nerveuses sont composées de petites cellules appelées cellules névrogliques.

B) ÉTUDE DES NERFS ET DE LEUR ENVIRONNEMENT

Nerf

NERVUS: Origine latine = tendon, ligament, nerf

Les fibres nerveuses se réunissent pour agir et portent le nom de nerfs. Nous distinguons trois sortes de nerfs.

a) *Les nerfs moteurs:* ils partent de l'encéphale (cerveau) et transmettent des ordres à différentes parties du corps.

b) *Les nerfs sensitifs:* ils partent des organes des sens (oeil, oreille, nez, etc.) et apportent les sensations perçues par ces organes à l'encéphale.

c) *Les nerfs mixtes:* ils sont sensitifs et moteurs. Ils transmettent des ordres aux muscles et des sensations aux centres nerveux. Tous les nerfs rachidiens sont mixtes.

Névroglie

NEVRO: Nerf
GLI(O): Grec = glu

La névroglie est un tissu conjonctif qui comble les vides entre les neurones. La névroglie est donc le tissu conjonctif des centres nerveux et des nerfs.

Encéphale

EN: À l'intérieur
CEPHALO: Tête

L'encéphale est la partie du système nerveux qui se trouve dans la boîte crânienne. L'encéphale comprend trois parties: le cerveau, le cervelet, le bulbe rachidien.

Cerveau

CEREBELLUM: Latin populaire = cerveau

Le cerveau est le plus volumineux et le plus important des centres nerveux.

Chaque hémisphère cérébral est formé de lobes; lobe frontal, lobe pariétal, lobe temporal, lobe occipital (cf. les os du crâne, p. 69).

Le cerveau est le siège de l'intelligence, de la mémoire, de la volonté, de la sensibilité, de la motricité volontaire.

Cervelet

CEREBELLUM: Cerveau
ET: Diminutif
CERVELET: Petit cerveau

Le cervelet est fait de deux masses, l'une droite, l'autre gauche: les deux hémisphères cérébelleux; situés au-dessus et en arrière du tronc cérébral. Le cervelet assure la coordination, l'équilibre et le tonus musculaire.

Bulbe rachidien

BULBE: Renflement
RACHIDIEN: Qui se rapporte au rachis (colonne vertébrale)

Le bulbe rachidien est situé à la base du cerveau, il prolonge la moelle épinière vers le haut et se présente comme un renflement de celle-ci.

Le bulbe rachidien est le centre de la respiration, de la sécrétion, de la mastication, de la déglutition. Il est aussi le centre modérateur du coeur et le centre vaso-moteur.

Nerfs crâniens

CRÂNE: Origine latine; *cranium*
CRÂNIEN: Adjectif dérivé de crâne

Les nerfs crâniens sont les nerfs qui partent du crâne, nous en avons 12 paires.

Nerfs rachidiens

RACHIS: Colonne vertébrale (cf. p. 71)
RACHIDIEN: Adjectif dérivé de rachis

Le canal de la colonne vertébrale dans lequel passe la moelle épinière est le canal rachidien, 31 paires de nerfs partent de la colonne vertébrale, ce sont les *nerfs rachidiens.*

Liquide céphalo-rachidien

CEPHALO: Tête
RACHIDIEN: Adjectif dérivé de rachis (colonne vertébrale)

Nous retrouvons ce liquide dans des cavités de l'encéphale appelées ventricules.
Le liquide céphalo-rachidien protège l'encéphale des contacts avec la boîte crânienne et tient l'encéphale en suspension dans cette boîte.
De plus, ce liquide protège la moelle épinière de la colonne vertébrale. Il se trouve entre la dure-mère et la pie-mère.

Méninge

MENIN: Origine grecque: membrane très fine du cerveau

Les méninges sont trois enveloppes qui entourent le cerveau et la moelle épinière. Les méninges sont la dure-mère, l'arachnoïde, la pie-mère.

Épidural

ÉPINE DORSALE: Système entier des vertèbres, depuis le crâne jusqu'au coccyx (colonne vertébrale)

L'espace épidural est l'espace qui se trouve entre la dure-mère et les parois de la colonne vertébrale, à la partie inférieure du canal rachidien.

C) ÉTUDE DES SYSTÈMES NERVEUX

Cérébro-spinal   *CEREBRUM:* Cerveau
SPINAL: Épine
ÉPINE DORSALE: Colonne verté-
brale

Le système nerveux cérébro-spinal comprend:

a)   Le *système nerveux central* ou *névraxe* qui comprend l'encéphale et la moelle épinière.

b)   Le *système nerveux périphérique* comprend les 12 paires de nerfs crâniens et les 31 paires de nerfs rachidiens.

c)   Le *système nerveux cérébro-spinal* régit nos actes volontaires.

Sympathique   *SYMPATHEIA:* Origine grecque: participation à la souffrance

Le système nerveux sympathique ou organo-végétatif ou auto-nome assure la régulation automatique des organes.

Ce système est formé de ganglions nerveux situés des deux côtés et en avant de la colonne vertébrale. Il en part de nom-breux filets nerveux (plexus) qui se rendent aux organes de la digestion, de la circulation et des sécrétions.

Le système sympathique influence à notre insu les mouve-ments du coeur, des poumons, des reins, des intestins, etc.

Parasympathique   *PARA:* Contraire
SYMPATHIQUE: Système nerveux autonome ou organo-végétatif

Le système nerveux parasympathique contrebalance le système nerveux sympathique. Les organes réagissent d'une façon oppo-sée suivant qu'ils sont soumis à l'action de l'un ou de l'autre de ces systèmes.

6.2
Pathologie du système nerveux

A) MALADIES CÉRÉBRO-VASCULAIRES

Neuropathie

NEURO: Nerf
PATHIE: Maladie, affection

Le terme neuropathie désigne les affections du système nerveux physique.

Thrombose cérébrale

THROMBUS: Caillot
OSE: État, phénomène qui se produit
CÉRÉBRALE: Origine latine, *cérébrum:* cerveau

Une thrombose cérébrale est la formation plus ou moins lente d'un caillot dans une artère cérébrale (du cerveau).

Embolie cérébrale

EMBOLIE: Origine grecque: lancer dedans
CÉRÉBRALE: Origine latine, *cérébrum:* cerveau

L'embolie cérébrale est l'obstruction brusque d'une artère cérébrale par un caillot venant du coeur gauche.

Hémorragie cérébrale

HEMO: Sang
RRAGIE: Écoulement, jaillissement
CÉRÉBRALE: Cerveau

L'hémorragie cérébrale est l'épanchement sanguin dans la substance cérébrale ou dans les ventricules consécutif à la rupture d'une artériole cérébrale.

Hémorragie sous-arachnoïdienne

HÉMORRAGIE: Ecoulement de
ARACHNOÏDIENNE: Adjectif dérivé de arachnoïde
ARACHNOÏDE: Méninge

L'hémorragie sous-arachnoïdienne est une irruption de sang dans l'espace sous-arachnoïdien.

Encéphalopathie hypertensive

CEPHALO: Tête
EN: Intérieur
PATHIE: Maladie
HYPER: En excès
TENSION: Pression du sang dans les artères

L'encéphalopathie hypertensive est un syndrome aigu caractérisé par une hypertension artérielle, de la céphalée, des nausées, des vomissements, de la confusion mentale et un coma urémique.

B) LÉSIONS EXPANSIVES

Névrome

NEVRO: Nerf
OME: Tumeur, tuméfaction

Un névrome est une tumeur bénigne provenant de la prolifération du tissu nerveux.

Gliome

GLIO: Névroglie: tissu conjonctif qui comble les vides entre les neurones
OME: Tumeur, tuméfaction

Un gliome est une tumeur bénigne provenant de la prolifération du tissu conjonctif des nerfs et des centres nerveux.

Hypertension intra-crânienne

HYPER: Excès
INTRA: Intérieur
CRÂNIENNE: Adjectif dérivé de crâne

L'hypertension intra-crânienne est un syndrome caractérisé par de la céphalée, des vomissements, de la bradycardie, des vertiges, des convulsions. Le fond de l'oeil révèle de l'oedème et on observe une hyperproduction de liquide céphalo-rachidien.

L'hypertension intra-crânienne est la conséquence des méningites, des tumeurs cérébrales ou des abcès cérébraux.

C) MALADIES INFECTIEUSES

Névrite

NEVRO: Nerf

ITE: Inflammation

Une névrite est une lésion inflammatoire ou dégénérative d'un nerf.

Méningite

MÉNINGE: Enveloppe qui entoure le cerveau et la moelle épinière
ITE: Inflammation

La méningite est l'inflammation aiguë ou chronique des méninges. Cette maladie est causée par un microbe ou un virus qui se loge sur les méninges. La contagion se fait par des porteurs de microbes. La méningite est plus fréquente chez le nourrisson, l'enfant, le sujet jeune. Les complications sont la surdité, la septicémie (cf. p. 296), l'épilepsie, l'arriération mentale, l'hydrocéphalie chez le bébé.

Poliomyélite

POLIO: Gris
MYELO: Moelle
ITE: Inflammation

La poliomyélite est l'inflammation de l'axe gris de la moelle épinière. La poliomyélite entraîne la paralysie. La cause est un virus.

Chorée de Sydenham ou Chorée aiguë (Danse de St-Guy)

CHORÉE: Origine grecque: danse

La chorée de Sydenham est une affection rhumatismale aiguë caractérisée par des mouvements involontaires, irréguliers, brusques, rapides, persistant pendant le repos.

La chorée aiguë des femmes enceintes est due à une infection mal définie.

Neuro-syphilis

NEURO: Nerf
SYPHILIS: Maladie vénérienne (cf. microbiologie, p. 295)

La neuro-syphilis est la syphilis des centres nerveux. La cause de cette affection est le microbe de la syphilis.

Tabès ou Ataxie locomotrice

A: Manque, absence
TAXIE: Ordre

Le tabès est une affection d'origine syphilitique (syphilis) caractérisée par l'incoordination motrice avec conservation de la force musculaire.

D) MALADIES HÉRÉDITAIRES ET FAMILIALES

Hydrocéphalie

HYDRO: Eau
CEPHALO: Tête

L'hydrocéphalie est l'accumulation de liquide céphalo-rachidien dans la cavité crânienne.
L'hydrocéphalie est une maladie héréditaire et familiale à la fois.

Maladie de Little

MEDULL(O): Moelle épinière
MÉDULLAIRE: Qui concerne la moelle épinière

La paralysie spasmodique congénitale apparaît dès les premiers mois de la vie. La maladie de Little est due à une lésion médullaire héréditaire.

Maladie de Friedreich

MOELLE: Substance contenue dans la cavité des os
MOELLE ÉPINIÈRE: Substance nerveuse que renferme le canal vertébral

La maladie de Friedreich est une affection chronique de la moelle amenant des troubles de coordination. La maladie de Friedreich est héréditaire, débute dans l'enfance, et elle est incurable.

Maladie de Wilson

ICTERE: Jaunisse

La maladie de Wilson est une maladie qui atteint les enfants et débute par un léger ictère. Cette maladie entraîne de la rigidité musculaire et des tremblements qui rappellent la paralysie agitante. La maladie de Wilson est incurable et entraîne la mort dans un délai assez court.

Chorée chronique ou Chorée de Huntington

CHORÉE: Origine grecque: danse de Saint-Guy

La chorée de Huntington est une maladie héréditaire, apparaissant vers les âges de 40-50 ans.

La chorée de Huntington est caractérisée par des mouvements involontaires, irréguliers, brusques, rapides, accompagnés de démence incurable.

Il importe de bien différencier la chorée aiguë et la chorée chronique.

E) AFFECTIONS NERVEUSES GÉNÉRALES

Maladie de Parkinson ou Paralysie agitante

La maladie de Parkinson est une affection caractérisée par un tremblement important et de la rigidité musculaire (salivation exagérée). Les causes de la maladie de Parkinson sont mal définies.

Sclérose en plaques

SCLERO: Dur, durci
OSE: État

La sclérose en plaques est une maladie chronique évoluant par poussées et caractérisée par des plaques de sclérose disséminées dans les centres nerveux.

Les causes de la sclérose en plaques sont mal définies. Cette maladie survient entre 20 et 40 ans.

Épilepsie

EPILEPSIA = Attaque

L'épilepsie est une maladie due à une décharge subite et désordonnée des cellules cérébrales. L'épilepsie se traduit par des crises convulsives.

Nous distinguons le *Grand Mal* et le *Petit Mal*.

Le Grand mal se présente en 4 phases:

a) *L'aura:* Phénomène apparaissant immédiatement avant la crise. Après l'aura qui est très brève, le malade pâlit, pousse un cri, perd connaissance et tombe n'importe où.

b) *La phase tonique:* Pendant cette phase qui dure 30 secondes, le malade mord sa langue, le corps se raidit, le visage est cyanosé (bleu).

c) *La phase clonique:* Pendant la phase clonique qui dure

3 minutes, nous observons chez le malade l'écume à la bouche, des grimaces, des convulsions et des émissions de selles et d'urines.

  d) *Le coma:* Le coma est la dernière phase. Le malade est insensible à la douleur, immobile et inconscient. Progressivement, il passe du coma au sommeil profond et à la confusion mentale. En général, le malade ne conserve aucun souvenir de sa crise.

  Le *Petit Mal* dure quelques secondes et passe souvent inaperçu. Le malade cesse de parler, de bouger, et son regard est fixe.

Hypermétrie

HYPER: Excès, augmentation
METRIE: Origine grecque, *metron:* mesure

L'hypermétrie est l'impossibilité à contrôler la portée de ses mouvements. L'hypermétrie diffère de l'ataxie en ce que la direction générale du mouvement est conservée.

Ataxie

A: Manque, absence
TAXIE: Ordre

L'ataxie est l'incoordination des mouvements volontaires avec conservation de la force musculaire.

  Dans les cas d'ataxie nous observons l'instabilité en station debout et une démarche analogue à celle de l'ivresse.

Céphalée

CEPHALO: Tête

Une céphalée est un mal de tête.

Névralgie

NEVRO: Nerf
ALGIE: Douleur

Une névralgie est une douleur siégeant sur le trajet d'un nerf.

Neurogène

NEURO: Nerf
GENE: Qui engendre

Le terme neurogène signifie qui est produit par le système nerveux; d'origine nerveuse.

Paralysie

PLEGIE: Racine qui désigne la paralysie

La paralysie est la diminution ou l'abolition de la motricité. La paralysie peut être complète, incomplète, légère. La paralysie légère se nomme *parésie*; elle présente l'affaiblissement de la contractilité.

Hémiplégie

HEMI: À moitié
PLEGIE: Paralysie

L'hémiplégie est la paralysie d'un côté du corps provoquée par une lésion cérébrale dans l'hémisphère opposé, ou du faisceau pyramidal entre le bulbe rachidien et la moelle épinière.

Monoplégie

MONO: Un
PLEGIE: Paralysie

La monoplégie est la paralysie localisée à un seul membre.

Diplégie

DI: Racine grecque = deux
BIS: Racine latine = deux

Une diplégie est une paralysie des deux côtés du corps. Nous disons également paralysie bilatérale.

Tétraplégie

TETRA: Quatre
PLEGIE: Paralysie

La tétraplégie ou quadriplégie est la paralysie des quatre membres.

Triplégie

TRI: Trois
PLEGIE: Paralysie

Le terme triplégie désigne la paralysie d'une moitié du corps accompagnée d'un membre du côté opposé.

Paraplégie

PARA: Idée d'imperfection
PLEGIE: Paralysie

La paraplégie est une paralysie des deux côtés du corps, affectant les deux bras ou les deux jambes. Ce terme est surtout employé pour désigner la paralysie des deux membres inférieurs.

6.3
Chirurgie nerveuse ou neuro-chirurgie

A) CHIRURGIE DU CERVEAU

Crâniotomie

CRANIO: Crâne
TOMIE: Sectionner

La crâniotomie est l'ouverture de la boîte crânienne, soit pour l'ablation d'une tumeur au cerveau, soit pour décomprimer le cerveau à la suite d'un traumatisme.

Crâniectomie

CRANIO: Crâne
ECTOMIE: Ablation, résection

La crâniectomie est le détachement complet d'un volet osseux qui peut être remis en place sans modification ou plus ou moins remanié.

Crânioplastie

CRANIO: Crâne
PLASTIE: Restauration, réparation

La crânioplastie est le transport et la greffe d'un tissu osseux au niveau d'une brèche pratiquée dans le crâne dans le but de faciliter la formation de tissu osseux nouveau.

Trépanation

TREPAN: Instrument chirurgical destiné à pratiquer un orifice dans un os

La trépanation consiste à pratiquer un orifice dans un os soit avec le trépan ou tout autre instrument.

Lobectomie

LOBE: Partie arrondie d'un organe
ECTOMIE: Ablation, résection

Une lobectomie est l'ablation chirurgicale des deux lobes préfrontaux du cerveau.

Lobotomie

LOBO, LOBE: Partie arrondie d'un organe
TOMIE: Section

La lobotomie est la section de la totalité d'un lobe du cerveau.

Leucotomie

LEUCO: Blanc
TOMIE: Section

La leucotomie consiste à sectionner un lobe du cerveau et une partie des faisceaux blancs qui unissent le cortex préfrontal au reste du cerveau, en particulier au noyau du thalamus (couche optique du cerveau).

Pallidectomie

PALLIDUM: Couche grise située dans le cerveau jouant un rôle important dans la réalisation des mouvements automatiques
ECTOMIE: Ablation

La pallidectomie est la destruction du pallidum afin de supprimer certains effets de la maladie de Parkinson.

Chimiopallidectomie

CHIMIE: Science qui étudie les caractères et les propriétés du corps
ECTOMIE: Ablation, extraction, exérèse

La chimiopallidectomie est la destruction chimique du thalamus (couche optique du cerveau) au moyen d'une injection d'alcool. (Traitement proposé dans la maladie de Parkinson.)

Ventriculotomie

VENTRICULUS: Ventricule
TOMIE: Section, incision

La ventriculotomie est l'ouverture chirurgicale d'un ventricule cérébral.

Ventriculostomie

VENTRICULUS: Ventricule
STOMIE: Bouche, abouchement

La ventriculostomie est l'ouverture chirurgicale d'un ventricule cérébral dans les espaces sous-arachnoïdiens de la base du crâne.

Cette opération est destinée à drainer une hydrocéphalie (cf. p. 239) et au besoin à faire pénétrer un médicament injecté par ponction ventriculaire.

Stéréotaxie

STEREO: Trois dimensions
TAXIE: Ordre

La stéréotaxie est une méthode de repérage qui consiste à atteindre une région profonde du cerveau, préalablement définie par ses coordonnées dans les 3 plans de l'espace.

Cette région est atteinte par une électrode qui pénètre dans le crâne par un orifice pratiqué par trépanation. Cette électrode est guidée par un appareil spécial.

B) CHIRURGIE DE LA MOELLE ÉPINIÈRE

Laminectomie

LAMINIA: Origine latine: lame
ECTOMIE: Ablation, résection

La laminectomie est la résection de lames vertébrales pratiquées pour diminuer la compression de la moelle.

Radicotomie ou Rhizotomie

RADICO: Racine
RHIZO: Racine
TOMIE: Section

La radicotomie est la section chirurgicale des racines médullaires (moelle épinière).

Chordotomie ou Cordotomie

CHORDO: Cordon
MYELO: Moelle
MEDULLO: Moelle épinière
TOMIE: Incision

La chordotomie est synonyme de myélotomie.

Il s'agit d'une intervention chirurgicale qui consiste à sectionner un cordon médullaire (moelle épinière) dans un but thérapeutique.

C) CHIRURGIE DES NERFS

Neurotomie ou Névrotomie

NEURO: Nerf
NEVRO: Nerf
TOMIE: Section

La neurotomie est la section d'un nerf.

Névrectomie ou Neurectomie

NEURO: Nerf
NEVRO: Nerf
ECTOMIE: Ablation, résection

La névrectomie est la résection d'un nerf sur une partie plus ou moins longue de son trajet.

Neurorraphie

NEURO: Nerf
ORRAPHIE: Suture

Une neurorraphie est une suture des deux bouts d'un nerf sectionné.

Neurotripsie

NEURO: Nerf
TRIPSIE: Action de broyer

Une neurotripsie est l'écrasement des nerfs, en particulier du sciatique (nerf qui part du sacrum).

Phrénicectomie ou Phrenicotomie

PHRENICO: Phrénique
ECTOMIE: Ablation, exérèse
TOMIE: Section

La phrénicectomie est la section avec ou sans exérèse d'un des nerfs phréniques (du diaphragme).

Sympathectomie

SYMPATHIQUE: Système nerveux autonome, végétatif
ECTOMIE: Ablation

Une sympathectomie est la résection d'un nerf sympathique sur une plus ou moins grande longueur.

Neurolyse

NEURO: Nerf
LYSE: Dissociation, décomposition, destruction

La neurolyse est la libération chirurgicale d'un nerf comprimé par une cicatrice ou chéloïde (tumeur) intra ou extra-veineuse.
    La neurolyse désigne aussi la destruction d'un nerf au moyen d'injections d'alcool pratiquées dans le nerf lui-même.

Vagotomie

VAGO: Vague

La vagotomie est la section du *nerf vague* appelé aussi *nerf pneumogastrique.*
    On se souvient que: *pneumo* = poumon; *gastro* = estomac.

Exercice
de compréhension

(50 points)

I - Comment nomme-t-on:

1- La destruction d'un nerf?
2- La section d'un nerf?
3- La suture d'un nerf sectionné?
4- La résection d'une lame vertébrale?
5- L'ouverture chirurgicale d'un ventricule cérébral?
6- L'ouverture de la boîte crânienne?
7- Une douleur siégeant sur le trajet d'un nerf?
8- Un mal de tête?
9- L'incoordination des mouvements volontaires avec conservation de la force musculaire?
10- L'impossibilité à contrôler la portée de ses mouvements?
11- Le phénomène apparaissant immédiatement avant une crise d'épilepsie?
12- La maladie caractérisée par des plaques de sclérose disséminées dans les centres nerveux?
13- L'affection caractérisée par un tremblement important et de la rigidité musculaire?
14- L'affection chronique de la moelle amenant des troubles de coordination?
15- L'accumulation de liquide dans la cavité crânienne?
16- La danse de St-Guy?
17- Une inflammation aiguë ou chronique des méninges?
18- Une lésion inflammatoire d'un nerf?
19- Une tumeur bénigne provenant de la prolifération du tissu nerveux?
20- Une tumeur bénigne provenant de la prolifération du tissu conjonctif des centres nerveux et des nerfs?
21- Les maladies du système nerveux physique?
22- Les trois enveloppes qui entourent le cerveau et la moelle épinière?
23- La partie du système nerveux qui se trouve dans la boîte crânienne?
24- La cellule nerveuse?
25- Le médecin spécialiste des affections nerveuses (physiques)?

(50 points)
II - Écrivez correctement tous les termes relatifs au système nerveux.

Si tu réussis ce test avec une note de 95 %, tu peux passer à l'objectif suivant.

As-tu bien retenu la signification des racines suivantes:

neuro, névro, myélo, médullo, céphalo, glio, cérébellum, thrombus, hémo, polio, chorée, taxie, scléro, pallidum, stéréo, métrie, épilepsie,
et de
pathie, ose, rragie, ome, algie, plégie, en, intra, hyper, mono, dé, bis, tri, tetra, para?

Tu observes le fait suivant:

Je ne te demande pas si tu as mémorisé les suffixes: tomie, ectomie, stomie, plastie...

Il va de soi que tu les sauras toujours!...

La psychiatrie

Objectif général

Associer à leur définition respective les termes relatifs aux maladies psychiques.
A) Névrose et psychose
B) Troubles de la personnalité
C) Maladies psycho-somatiques
D) Syndromes cérébraux organiques et déficience mentale

Objectifs spécifiques

6.1 Maladies psychiques
A) Névrose
B) Psychose
C) Troubles de la personnalité
D) Maladies psycho-somatiques
E) Syndromes cérébraux organiques et déficience mentale

Introduction

Psychiatrie   *PSYCHO:* Esprit

La psychiatrie est la partie de la médecine qui comporte l'étude et le traitement des maladies mentales.

Psychiatre   *PSYCHO:* Esprit

Le psychiatre est le médecin spécialisé en psychiatrie.

6.1
Maladies psychiques

A) NÉVROSE

Névropathie

NEVRO: Nerf
PATHIE: Maladie

Le terme névropathie désigne les maladies du système nerveux dans le domaine du psychisme (psychisme: esprit).

Névrose

NEVRO: Nerf
OSE: État

La névrose est une névropathie, c'est une maladie qui atteint le psychisme.
   La névrose est une maladie mentale dans laquelle le malade est conscient de son état.

Anxiété

ANGERE: Origine latine = serrer

L'anxiété est un état de trouble et d'agitation intellectuelle avec sensation de constriction (serrement) précordiale que l'on observe dans divers processus morbides.
   L'inquiétude, l'anxiété et l'angoisse sont trois degrés d'un même état.

Réaction neurodépressive

NEURO: Nerf
DÉPRESSION: Affaissement du système nerveux avec atteinte du moral

Dans la réaction dépressive névrotique, l'anxiété est remplacée par la dépression et la dépréciation de soi. Les sentiments de culpabilité sont fréquents.
   Les réactions surviennent souvent à la suite d'un deuil, d'une maladie, d'inquiétude d'ordre financier ou amoureux.

Hystérie

HYSTERO: Origine grecque = utérus, matrice
MATRICE: Origine latine = souche

L'hystérie est une névrose caractérisée par des troubles permanents, sensitifs, sensoriels, psychiques, auxquels s'ajoutent des troubles transitoires, passagers tels que des crises convulsives et certaines paralysies.

Pithiatisme

PEITHEIN: Origine grecque = persuader
LATIKOS: Qui guérit

Le pithiatisme est le terme créé pour désigner toute manifestation fonctionnelle qui peut être engendrée, reproduite et supprimée par la suggestion, la persuasion.

Phobie

PHOBOS: Origine grecque = action d'effaroucher

La phobie est une peur maladive, morbide de certains objets, de certaines actions, de certaines situations.
La phobie est un symptôme fréquent de la névrose.

Photophobie

PHOTO: Lumière
PHOBIE: Peur maladive

La photophobie est la peur morbide de la lumière.

Hydrophobie

HYDRO: Eau
PHOBIE: Peur maladive

L'hydrophobie est la peur morbide de l'eau.

Agoraphobie

AGORA: Place publique
PHOBIE: Peur maladive

L'agoraphobie est la peur morbide de la foule.

Claustrophobie

CLAUSTRO: Endroit clos
PHOBIE: Peur maladive

La claustrophobie est la peur maladive d'être dans un endroit clos. *Exemple:* église, ascenseur, etc.

Obsession

OBSESSION: Nom dérivé du verbe obséder

L'obsession est un trouble mental caractérisé par une angoisse due à une idée fixe, une impulsion, une crainte irrésistible.

Obsession et réaction compulsive

OBSESSION: Idée fixe

IMPULSION: Force qui pousse à faire une chose

La conscience de ces malades est occupée par une idée qu'ils ne peuvent chasser.

Ces malades névrotiques ruminent mentalement certaines idées, certaines impulsions répétées d'accomplir certains actes. Ils savent que leurs idées sont déraisonnables mais ils ne peuvent maîtriser leurs impulsions.

Pyromanie

PYRO: Feu

MANIE: Obsession impulsive

La pyromanie est l'obsession impulsive à l'incendie.

Mythomanie

MYTHO: Mensonge

MANIE: Obsession impulsive

Une mythomanie est une obsession impulsive à raconter des mensonges.

Kleptomanie

KLEPTO: Je vole

MANIE: Obsession impulsive

La kleptomanie est l'obsession impulsive à voler.

B) PSYCHOSE

Psychose

PSYCHO: Esprit

OSE: État

La psychose est une névropathie, une maladie mentale dans laquelle le malade n'a pas conscience de son état.

On a shématisé l'évolution de cette maladie en quatre phases.
- Interprétation délirante
- Idées de persécution et hallucination
- Idées ambitieuses
- Démence

Psychotique

PSYCHO: Esprit

Le psychotique est le sujet atteint de psychose.

Schizophrénie

SCHIZO: Origine grecque, *schizos* = séparation, rupture, incohérence

PHRENIE: État intellectuel

La schizophrénie est une psychose.

La schizophrénie est un état mental ayant comme caractéristique la dissociation et la discordance des fonctions psychiques, affectives, intellectuelles, psychomotrices.

On observe chez ces malades une perte de l'unité de la personnalité, une rupture du contact avec la réalité et une tendance à s'enfermer dans un monde intérieur. L'évolution plus ou moins rapide de cette maladie, souvent par poussée, aboutit parfois à la démence.

Démence

DE: Hors de

MENIS: Origine grecque = esprit

DEMENTIA: Origine latine = perte de la raison

La démence se définit ainsi: ensemble d'idées délirantes, chroniques, hallucinatoires, avec dissociation de la personnalité.

À noter: Démence est synonyme de psychose hallucinatoire chronique.

Hébéphrénie

HEBE: Origine grecque = puberté

PHRENIE: État intellectuel

L'hébéphrénie est une forme de schizophrénie apparaissant en général à la puberté et entraînant une détérioration mentale, avec perte d'initiative, troubles du cours de la pensée et anéantissement de la vie intérieure. Un sujet hébéphrénique parle comme un petit enfant et se comporte souvent comme tel.

Catatonie

KATA: Origine grecque = en bas

TONOS: Tension

La catatonie est une forme de schizophrénie caractérisée par un état de stupeur mentale, de négativisme et une perte de l'initiative des mouvements. La catatonie débute généralement entre 20 et 30 ans.

Paranoïde

PARANOÏA: Origine grecque = folie

IDE: Qui ressemble à

Le type de schizophrénie paranoïde se caractérise par l'illusion de persécution et de grandeur. Une réaction émotive d'agressivité constante est attribuable aux idées de persécution. Une réaction démonstrative de toute puissance, de génie, d'habileté spéciale est attribuable aux idées de grandeur.

Le malade paranoïde est le malade mental «classique» qui se comporte de manière incohérente et incompréhensible pour son entourage.

La psychose paranoïaque se manifeste par un *délire interprétatif* évoluant de façon progressive avec une *logique apparente parfaite*.

Psychose schizo-affective

PSYCHOSE: Maladie mentale dans laquelle le malade n'est pas conscient de son état

SCHIZOPHRÉNIE: Dissociation de la vie psychique et perte de l'unité de la personnalité

AFFECTIVE: Adjectif dérivé de affection

La psychose schizo-affective s'applique aux malades qui manifestent un mélange de réactions schizophréniques et affectives.

Psychose maniaco-dépressive

PSYCHOSE: Maladie mentale dans laquelle le malade n'est pas conscient de son état

MANIAQUE: Adjectif dérivé de manie

MANIE: Obsession impulsive

DÉPRESSION: Affaissement du système nerveux

La psychose maniaco-dépressive se caractérise par des changements marqués de l'humeur et par une tendance à la rémission et à la récurrence. (Nouvelle évolution.)

En phase dépressive, le malade doit presque toujours être interné en raison du risque de pulsion suicidaire.

Psychose artériosclérose cérébrale

PSYCHOSE: Maladie mentale dans laquelle le malade n'est pas conscient de son état

ARTÉRIOSCLÉROSE: Durcissement des artères

CÉRÉBRALE: Adjectif dérivé de cerveau

Il s'agit d'un état d'affaiblissement physiologique et mental semblable à la sénilité et où l'on retrouve des signes objectifs d'artériosclérose.

Psychose alcoolique

PSYCHOSE: Maladie mentale dans laquelle le malade n'a pas conscience de son état

Il s'agit d'un délire aigu, de confusion mentale et d'hallucinations dues à l'alcool.
Nous disons aussi *délirium tremens*, psychose de Korsakoff.

Psychose organique

PSYCHOSE: Maladie mentale dans laquelle le malade n'a pas conscience de son état
ORGANIQUE: Adjectif dérivé de organe

La psychose organique peut être causée par une tumeur cérébrale, la sclérose en plaque, la syphilis, l'épilepsie, un traumatisme suite à un accident.

Cyclothymie

CYCLO: Cercle
THYMIE: Humeur, état d'esprit

La cyclothymie ou folie circulaire est synonyme de psychose maniaco-dépressive.
La cyclothymie est une maladie psychique caractérisée par des alternances de périodes d'excitation, avec euphorie et instabilité motrice, et de périodes de dépression mélancolique.

Mélancolie involutive

MÉLANCOLIE: Tristesse
INVOLUTIF: Origine latine, *involuere* = rouler dans, évoluer dans

La mélancolie involutive est synonyme de mélancolie de la ménopause (cf. reproduction, p. 321).
La mélancolie involutive apparaît vers l'âge de 35 à 50 ans chez la femme; vers l'âge de 45 à 55 ans chez l'homme.
La mélancolie involutive se manifeste par l'inquiétude, l'insomnie, l'indocilité, le sentiment de culpabilité, l'anxiété, l'agitation.

C) TROUBLES DE LA PERSONNALITÉ

Personnalité schizoïde

SCHIZOPHRÉNIE: Dissociation de la vie psychique avec perte de l'unité de la personne
IDE: Qui ressemble à

Cette personnalité a tendance à la solitude, au repliement sur soi, à la rêverie et manifeste une difficulté d'adaptation aux réalités extérieures.

Personnalité paranoïaque

PARANOÏAQUE: Adjectif dérivé de paranoïa

Cette personnalité se caractérise par une surestimation maladive de soi, la méfiance, la fausseté du jugement, le délire de persécution. Cette psychose conduit souvent aux crimes.

Personnalité cyclothymique

CYCLO: Cercle
THYMIE: Humeur

La personnalité cyclothymique se caractérise par des phases de gaieté, de confiance en soi, d'excitation intellectuelle alternant avec des phases de doute, de maussaderie et de tristesse.

Personnalité inadaptée

IN: Contraire
ADAPTER: S'ajuster

Ces malades sont incapables de s'adapter à des situations précises comme le mariage, le travail, etc. Ces gens ne peuvent faire face aux exigences de la vie.

Personnalité antisociale

ANTI: Contre
SOCIAL: Adjectif dérivé de société

Chez les personnes affectées de ce trouble, les réactions impulsives sont fréquentes, les changements d'humeur sont également fréquents. Ces gens sont intelligents mais en marge de la société.

Nous disons aussi: personnalité psychopathique, psychopathie constitutionnelle.

Perversion sexuelle

PERVERTERE: Bouleverser
SEXUEL: Adjectif dérivé de sexe

La perversion sexuelle est un trouble de la personnalité qui se caractérise par une déviation sexuelle. En voici quelques-unes:

☐ *Exhibitionnisme*: exposition d'un acte sexuel en public.

☐ *Fétichisme:* le fait de conférer à un objet ou à une partie du corps le pouvoir exclusif de produire l'orgasme sexuel.

☐ *Homosexualité:* état des individus (hommes ou femmes) qui n'éprouvent d'affinité sexuelle que pour les personnes de leur propre sexe.

☐ *Inceste:* Union charnelle entre personnes parentes.

Dépendance passive

DÉPENDANCE: État d'une personne qui dépend d'une autre

PASSIF: Qui n'agit ou ne réagit pas

Les personnes qui ont ce trouble de la personnalité sont sans défense, indécises et ont toujours recours à une autre personne.

Alcoolisme

ALCOOL: Liquide obtenu par la distillation des boissons fermentées

L'alcoolisme est un symptôme de quelque trouble psychiatrique latent. L'alcoolisme est un ensemble de troubles dus à l'abus de boissons alcoolisées. L'alcool provoque la dégénérescence des tissus. L'intoxication aiguë peut aller jusqu'à la mort. Les accidents chroniques consistent en des troubles digestifs, hépatiques aboutissant à la cirrhose; nerveux et mentaux (polynévrite, *delirium tremens*). Il importe de noter que les cures de désintoxication peuvent donner de bons résultats.

Toxicomanie

TOXICO: Poison

MANIE: Obsession impulsive

La toxicomanie est un symptôme de quelque trouble psychiatrique latent. La toxicomanie est l'usage habituel de toxiques (morphine, cocaïne, héroïne) dont on ne peut plus se passer.

D) MALADIES PSYCHO-SOMATIQUES

Psycho-somatique

PSYCHO: Esprit

SOMA: Corps

Les maladies psycho-somatiques sont des psycho-névroses présentant des symptômes somatiques. Voici une liste de quelques symptômes *qui peuvent être* d'origine psychique: asthénie, hypertension, migraine, colite, gastrite, aérophagie, asthme, frigidité, prurit anal, obésité, dysménorrhée, paralysie.

À noter: Les symptômes précités peuvent être d'origine psychique, comme ils peuvent être liés à un problème physique.

Je te conseille de lire la définition de chacun de ces termes que tu retrouveras dans les différents objectifs du volume.

Sénilité

SENIS: Origine latine = vieillard

La sénilité est l'affaiblissement progressif des facultés corporelles et mentales chez le vieillard.

Pré-sénilité

PRE: Avant dans le temps

La pré-sénilité est une dégénérescence intellectuelle à un âge précoce, soit 40-50 ans.

Psychalgie

PSYCHO: Esprit
ALGIE: Douleur

La psychalgie est une variété exceptionnelle de névralgie dans laquelle prédomine l'élément psychopathique.

Cénestopathie

CINESIE: Mouvement
ESTHESIE: Sensibilité
PATHIE: Maladie

La cénestopathie est le terme qui désigne des altérations locales de la sensibilité commune.

Sinistrose

SINISTRE: Perte ou dommage
OSE: État

La sinistrose est un syndrome psychique observé chez les victimes d'accidents du travail et caractérisé par une inhibition de la bonne volonté, résultant d'une interprétation erronée de la loi; le blessé étant convaincu que toute blessure professionnelle doit lui valoir des dommages intérêts. Sans lésion somatique, ni trouble nerveux, il arrive à se persuader qu'il est malade et incapable de tout travail.

E) SYNDROMES CÉRÉBRAUX ORGANIQUES ET DÉFICIENCE MENTALE

Asymbolie

A: Manque, absence
SYMBOLIE: Symbole

L'asymbolie est un trouble de l'intelligence qui présente une difficulté dans l'utilisation des signes, soit pour les exprimer, soit pour comprendre les idées et les sentiments. L'asymbolie est due à une lésion du lobe pariétal gauche du cerveau.

Bradypsychie

BRADY: Lent
PSYCHO: Esprit, intelligence

La bradypsychie est le ralentissement du processus psychique avec appauvrissement de la parole et inaptitude au travail, se rencontrant dans certaines formes d'encéphalite.

Logorrhée

LOGO: Parole
ORRHEE: Écoulement

La logorrhée est un flux de paroles; besoin irrésistible de parler qu'éprouvent parfois certains aliénés.

Bégaiement

BÉGAIEMENT: Défaut qui consiste à répéter certaines syllabes, à en prononcer d'autres avec un effort qui produit une sorte d'explosion, à s'arrêter devant d'autres que l'on ne peut parvenir à articuler

Le bégaiement est une névrose des organes de la parole, qui débute dans la première enfance, s'accompagne de troubles respiratoires et parfois de phobies.

Aphasie

A: Manque, absence
PHASIE: Parole

L'aphasie est la perte de la parole; c'est-à-dire l'impossibilité d'exprimer les idées et les sentiments en se servant de la parole.
Il importe de noter que aphémie est synonyme de aphasie.
Il ne faut pas confondre aphasie qui signifie perte de la parole et aphonie qui signifie perte de la voix.

Amnésie

A: Manque, absence

MNESIE: Mémoire

L'amnésie est la perte totale ou partielle de la mémoire.

Onirisme

ONIRO: Rêve

L'onirisme est une activité mentale automatique, faite principalement d'hallucinations et d'illusions d'ordre visuel, et entraînant des réactions affectives et motrices.

Déficience mentale

DÉFICIENCE: Insuffisance

MENTAL: Origine latine, *mens* = esprit

La déficience mentale est un arrêt du développement intellectuel. La déficience mentale peut être héréditaire, congénitale. Voici les variétés de déficience mentale.

☐ *Idiotie:* déficience mentale sévère.

☐ *Imbécillité:* déficience mentale modérée.

☐ *Débilité mentale:* déficience mentale légère.

☐ *Intelligence limitée:* quotient intellectuel un peu plus bas que la normale.

☐ *Mongolisme:* caractérisé par des anomalies du crâne, des yeux et de la langue.

Exercice
de compréhension

(50 points)

I - Comment nomme-t-on:

1- Les maladies du système nerveux dans le domaine de l'esprit?
2- Une maladie mentale dans laquelle le malade est conscient de son état?
3- Une peur morbide?
4- Un trouble mental caractérisé par une angoisse due à une idée fixe?
5- Une force qui pousse à faire une chose?
6- La racine qui désigne le mensonge?
7- Une maladie mentale dans laquelle le malade n'est pas conscient de son état?
8- Le sujet atteint de psychose?
9- L'état mental pathologique caractérisé par la dissociation de la personnalité et une rupture avec la réalité.
10- Un ensemble d'idées délirantes, chroniques, hallucinatoires?
11- Un état de stupeur mentale, de négativisme, accompagné d'une perte de l'initiative des mouvements?
12- La racine grecque qui désigne la folie?
13- La psychose alcoolique?
14- La mélancolie de la ménopause?
15- La racine qui désigne l'humeur?
16- L'union charnelle entre personnes parentes?
17- Le fait de conférer à un objet ou à une partie du corps le pouvoir exclusif de produire l'orgasme sexuel?
18- L'exposition d'un acte sexuel en public?
19- La racine qui désigne le corps?
20- L'affaiblissement progressif des facultés corporelles et mentales chez le vieillard?
21- Un flux de paroles?
22- La perte totale ou partielle de la mémoire?
23- Une déficience mentale sévère?
24- Une déficience mentale modérée?
25- Une déficience mentale légère?

(50 points)

II - Orthographier correctement tous les termes relatifs à la psychia-trie.

Si tu réussis ce test avec une note de 95 %, tu peux passer à l'objectif suivant.

As-tu mémorisé la signification des racines suivantes:

psycho, ménis, mens, névro, angere, peithein, phobos, phobie, pyro, mytho, klepto, manie, schizo, phrénie, hébé, kata, cyclo, senis, logo, phasie, mnésie, oniro
et de
ide, in, anti, pre, orrhée?

Tu as vu:

Géronto: Racine grecque = vieillard
Sénis: Racine latine = vieillard
(*presbus* signifie aussi vieillard; voir presbytie, p. 395)

**Je recommande de faire de nombreuses associations
et différenciations afin d'assimiler davantage
les mots et les racines.**

Chapitre VII

Système endocrinien

Objectif général

Associer à leur définition respective les termes relatifs au système endocrinien.

A) Pathologie
- maladies de l'antéhypophyse
- maladies de la neurohypophyse
- maladies des surrénales
- maladies du pancréas
- maladies de la thyroïde

B) Chirurgie

Objectifs spécifiques

7.1 Notions d'anatomie et de physiologie
- A) Étude des glandes endocrines

7.2 Pathologie
- A) Maladies de l'hypophyse
- B) Maladies de la thyroïde
- C) Maladies des glandes surrénales et du pancréas

7.3 Chirurgie
- A) de l'hypophyse
- B) de la thyroïde
- C) des parathyroïdes et du thymus
- D) des surrénales

Les glandes à sécrétion interne chez la femme et chez l'homme

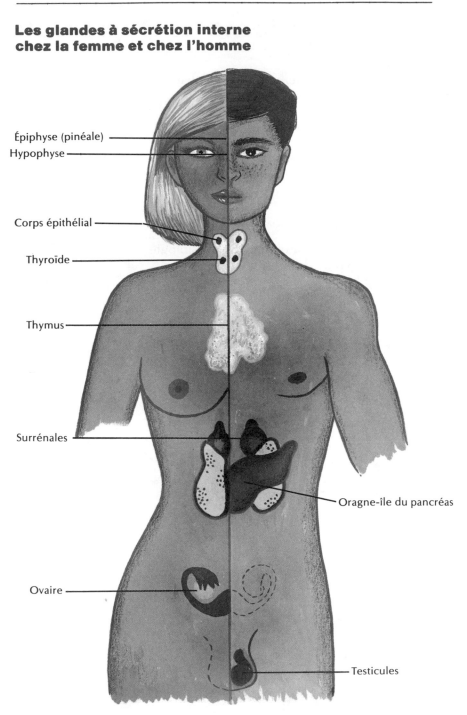

Épiphyse (pinéale)

Hypophyse

Corps épithélial

Thyroïde

Thymus

Surrénales

Oragne-île du pancréas

Ovaire

Testicules

Introduction

Endocrinologie

ENDOCRINO: Endocrine
ENDOCRINE: Une glande endocrine est une glande dont les
cellules déversent directement
leur sécrétion autour d'elles
dans le milieu intérieur
LOGIE: Étude de

L'endocrinologie est l'étude des glandes endocrines et de leurs
affections.

Endocrinologue

ENDOCRINO: Endocrine
LOGUE: Spécialiste de

Un endocrinologue est un médecin spécialiste en endocrinologie.

SYSTÈME ENDOCRINIEN

7.1
Notions d'anatomie et de physiologie

A)   Étude des glandes endocrines

Endocrine

ENDO: Intérieur
CRINE: Origine grecque, *krinein*
    = sécréter

Une glande endocrine est une glande qui déverse les produits de sa sécrétion directement dans le sang sans passer par des canaux.

Hormone

HORMÂN: Origine grecque =
    exciter

Les hormones sont les produits de la sécrétion des glandes endocrines. Les hormones accélèrent ou ralentissent l'activité des organes sur lesquels elles exercent leur action.

Exocrine

EX: En dehors de, hors de
CRINIE, CRINE: Sécréter

Une glande exocrine est une glande qui rejette le produit de sa sécrétion hors du milieu intérieur, soit par le tube digestif, soit par un canal excréteur ou par les pores de la peau.

Endocrine mixte

ENDO: Intérieur
CRINIE, CRINE: Sécréter
MIXTE: Origine latine, *miscere* =
    mêler

Les glandes endocrines mixtes élaborent à la fois un produit de sécrétion interne et externe. Les glandes endocrines mixtes sont le foie, le pancréas, les glandes intestinales, les glandes sexuelles (ovaires et testicules).

Hypophyse

HYPO: Au-dessous
PHYSE: Production, croissance

L'hypophyse est une glande endocrine située à la partie inférieure du cerveau. Elle possède 3 lobes et sécrète une douzaine d'hormones. Nous l'appelons aussi glande pituitaire. L'hypophyse est reliée au cerveau par une petite colonne appelée tige pituitaire.

Antéhypophyse ou Adéno-hypophyse

ANTE: Antérieur
HYPOPHYSE: Glande endocrine

L'antéhypophyse est le lobe antérieur de l'hypophyse. Cette partie de l'hypophyse sécrète des hormones importantes.

L'antéhypophyse sécrète l'hormone de croissance appelée aussi hormone somatrope ou (HS). *Soma* signifie: CORPS et *trope* signifie: QUI A DES AFFINITÉS; cette hormone agit donc sur l'organisme.

De plus, l'antéhypophyse sécrète des hormones appelées stimulines qui agissent sur les autres glandes.

Posthypophyse

POST: Après
HYPOPHYSE: Glande endocrine

Le lobe postérieur de l'hypophyse se nomme: posthypophyse ou neuro-hypophyse.

Le posthypophyse sécrète une hormone appelée pitressine ou antidiurétique-hormone (ADH). Le terme antidiurétique signifie qui empêche une excrétion abondante d'urine.

De plus, le posthypophyse sécrète une hormone appelée pitocine qui provoque la contraction des fibres musculaires, notamment celles de l'utérus.

Thyroïde

THYROEIDES: Origine grecque = en forme de bouclier long

La thyroïde est une glande endocrine logée à la base du cou, en avant de la trachée. La thyroïde sécrète une hormone appelée thyroxine. La thyroxine contient 65 % d'iode. Il faut noter que la présence d'iode est indispensable à l'activité de la thyroïde.

Parathyroïde

PARA: Auprès de
THYROÏDE: Glande endocrine

Les glandes parathyroïdes sont des glandes endocrines placées auprès de la thyroïde. Elles sont au nombre de 4 et sécrètent une hormone appelée parathormone. La parathormone contrôle l'utilisation des sels de chaux dans l'organisme et dirige la vie du squelette.

Surrénale

SUR: Préposition, marque la situation d'une chose par rapport à une autre qui est au-dessous d'elle
RÉNALE: Adjectif dérivé de rein

Les glandes surrénales sont deux glandes endocrines situées au-dessus des reins. Chaque glande surrénale comprend deux zones: une zone corticale, en périphérie, une zone médullaire, au centre.

Corticosurrénale

CORTICO: Origine latine, *cortex* = écorce
SURRÉNALE: Glande endocrine

La corticosurrénale est la zone périphérique de la glande surrénale. La corticosurrénale sécrète, en autre, la cortisone et la corticostérone. Ces hormones jouent un rôle anti-toxique et anti-inflammatoire pour l'organisme.

Médullo-surrénale

MEDULLO: Moelle
SURRÉNALE: Glande endocrine

La médullo-surrénale est le centre de la surrénale. Le centre ressemble à de la moelle; c'est pourquoi nous lui donnons ce nom.
La médullo-surrénale sécrète l'adrénaline et la noradrénaline. Ces hormones régularisent l'élévation de température et les oxydations.
À noter: L'adrénaline porte également le nom ACTH.

Thymus

THYMOS: Origine grecque = excroissance charnue

Le thymus est une glande endocrine temporaire qui disparaît après la puberté. Le thymus siège derrière le sternum, en avant des gros vaisseaux. Le thymus joue un rôle important dans la croissance. Quand le thymus cesse de fonctionner, les glandes génitales entrent en jeu. (Le thymus de veau est le ris de veau.)

Insuline

INSULA: Île, îlot

L'insuline est une hormone sécrétée par les îlots de Langherans du pancréas et déversée directement dans le sang. Cette hormone favorise l'utilisation du glucose (sucre naturel, simple) sanguin par les cellules. Le taux de sucre dans le sang (glycémie) règle la production de l'insuline.

À noter: Le pancréas est, à la fois, une glande digestive (cf. p. 107) qui sécrète des sucs digestifs, et une glande endocrine qui sécrète une hormone. Le pancréas est donc une glande endocrine mixte.

7.2
Pathologie du système endocrinien

A) MALADIES DE L'HYPOPHYSE

Gigantisme

GIGAS: Origine grecque = géant

Le gigantisme est une maladie due à l'*hypersécrétion* de l'hormone de croissance sécrétée par l'hypophyse. La taille est exagérée: 1,98 à 2,45 mètres.

Acromégalie

ACRO: Extrémité
MEGALO: Augmentation de volume

Une acromégalie est le développement excessif des os de la face et des extrémités des membres, qui se traduit par une augmentation du volume de la tête, des pieds et des mains. Cette maladie est causée par l'hypersécrétion de l'hormone de croissance sécrétée par l'hypophyse.

Nanisme

Du grec, *nannos:* petitesse excessive

Le nanisme est causé par une insuffisance de l'hormone de croissance sécrétée par l'hypophyse.

Diabète insipide

DIABETES: Qui passe à travers, sous-entendu «le rein»

Cette maladie est provoquée par l'insuffisance d'hormone antidiurétique, sécrétée par l'hypophyse. Cette maladie présente une excrétion abondante d'urine (5 à 8 litres par jour). Les urines ne contiennent pas de sucre. Ces malades sont tourmentés par une soif intense.

B) MALADIES DE LA THYROÏDE

Goitre simple

GOITRE: *guttur*, gorge

Le goitre est en général une tumeur bénigne, une tuméfaction de la glande thyroïde. Le goitre simple est une affection due à une insuffisance d'iode, donc de l'hormone sécrétée par la thyroïde.

Goitre nodulaire
(non toxique)

GOITRE: *guttur*, gorge
NODULE: *Nodulus:* petit noeud
NODULAIRE: Adjectif dérivé de nodule

Le goitre nodulaire non toxique consiste en une augmentation de la glande thyroïde par des nodules (petits kystes) sans manifestation générale toxique.

Goitre nodulaire
(toxique)

GOITRE: Tumeur bénigne de la glande thyroïde
NODULE: Petit noeud

Le goitre nodulaire toxique est une hypertrophie de la glande thyroïde par des nodules (petits kystes). Cette maladie est due au fait que la thyroïde sécrète trop de thyroxine.

Goitre exophtalmique

GOITRE: *guttur*, gorge
EX: Hors de
OPHTALMO: (grec) *ophtalmos* = oeil
EXOPHTALMIE: Les yeux sortent de leur orbite

Le goitre exophtalmique est un goitre toxique accompagné d'exophtalmie.

Cette maladie est causée par une hyperactivité et une hyper-sécrétion de la glande thyroïde associée habituellement à une hypertrophie de cette glande. Nous disons aussi maladie de Basedow ou de Graves.

Myxoedème

MYXOEDÈME: Mot d'origine grecque signifie gonflement

Le myxoedème est une affection causée par une sécrétion insuffisante de la glande thyroïde. Cette maladie peut être congénitale ou acquise. Le myxoedème est caractérisé cliniquement chez l'enfant par un arrêt du développement des troubles intellectuels plus ou moins marqués (idiotie - crétinisme).

C) MALADIES DES GLANDES SURRÉNALES ET DU PANCRÉAS

Syndrome de Cushing

SYNDROME: Signe avant-coureur d'une maladie

Le syndrome de Cushing est une affection causée par l'hyperfonctionnement des glandes surrénales. Cette maladie est caractérisée par une hypertension artérielle, une obésité spéciale, le diabète, des troubles osseux, cutanés et génitaux.

Maladie d'Addison

HYPOTENSION: Diminution de la tension artérielle
ASTHÉNIE: Manque de force

La maladie d'Addison est une maladie chronique causée par une insuffisance de la corticosurrénale. La maladie d'Addison est caractérisée par une hypotension artérielle, de l'asthénie, des troubles gastro-intestinaux et une coloration bronzée de la peau.

Diabète sucré

DIABETES: Origine grecque = qui passe à travers

Cette maladie souvent héréditaire consiste en un trouble du métabolisme des glucides (sucre) et des lipides dû à une perturbation de la production d'insuline par le pancréas.

Lorsque le sang ne contient pas d'insuline, les glucides (sucre) ne peuvent être absorbés par les cellules. L'insuffisance d'insuline affecte également le métabolisme (transformation) des graisses.

Les troubles pancréatiques entraînent, ordinairement, d'autres perturbations hormonales.

Les complications sont:

☐ le coma hypoglycémique laissant le patient troublé ou inconscient. (Hypoglycémie: faible taux de sucre dans le sang.)
☐ Le coma hyperglycémique caractérisé par une glycémie (taux de sucre dans le sang) dix fois trop élevée.

Il importe de noter que le diabète favorise l'apparition de l'artériosclérose (durcissement des artères).

7.3
Chirurgie

A) CHIRURGIE DE L'HYPOPHYSE

Hypophysectomie

HYPOPHYSE: Glande endocrine
ECTOMIE: Exérèse, ablation

Une hypophysectomie est l'ablation de l'hypophyse.

Section de la tige pituitaire

TIGE PITUITAIRE: Colonne grise qui relie l'hypophyse au cerveau

Destruction isotique de l'hypophyse (radio-actif).

B) CHIRURGIE DE LA THYROÏDE

Thyroïdectomie

THYROÏDE: Glande endocrine
ECTOMIE: Ablation, exérèse

Une thyroïdectomie est l'extirpation totale ou partielle de la glande thyroïde.

Hémithyroïdectomie

HEMI: Moitié
THYROÏDE: Glande endocrine
ECTOMIE: Ablation, exérèse

L'hémithyroïdectomie est l'ablation d'un seul lobe du corps de la thyroïde.

Lobectomie thyroïdienne

LOBE: Partie arrondie d'un corps
ECTOMIE: Ablation, exérèse
THYROÏDIENNE: Adjectif dérivé de thyroïde

Une lobectomie thyroïdienne est l'ablation d'un lobe de la thyroïde.

C) CHIRURGIE DES PARATHYROÏDES ET DU THYMUS

Parathyroïdectomie

PARATHYROÏDE: Glande endocrine
ECTOMIE: Ablation, exérèse, extirpation

La parathyroïdectomie est l'ablation des parathyroïdes.

Thymectomie

THYMUS: Glande endocrine
ECTOMIE: Exérèse, résection

Une thymectomie est l'extirpation partielle ou totale du thymus.

D) CHIRURGIE DES GLANDES SURRÉNALES

Surrénalectomie

SURRÉNAL: Glande endocrine située au-dessus des reins
ECTOMIE: Ablation, exérèse, extirpation

Une surrénalectomie est l'extirpation d'une glande surrénale.
À noter: Épinéphrectomie est synonyme de surrénalectomie. Nous disons aussi, opération d'Oppel.

Médullectomie surrénale

MEDULLO: Moelle
MÉDULLO-SURRÉNALE: Centre de la glande surrénale

La médullectomie surrénale est l'ablation de la médullo-surrénale.

Exercice
de compréhension

(50 points)

I - Comment nomme-t-on:

1- L'extirpation d'une glande surrénale?

2- L'ablation de la médullo-surrénale?

3- L'extirpation totale ou partielle de la glande thyroïde?

4- L'ablation d'un lobe de la glande thyroïde?

5- L'extirpation totale ou partielle du thymus?

6- L'ablation de l'hypophyse?

7- Une maladie chronique causée par une insuffisance de la corticosurrénale?

8- Une affection causée par l'hyperfonctionnement des glandes surrénales?

9- Une affection causée par une sécrétion insuffisante de la glande thyroïde?

10- Une tumeur, une tuméfaction de la glande thyroïde?

11- Une augmentation de la glande thyroïde par des petits kystes sans manifestation générale toxique?

12- Une maladie due à l'hypersécrétion de l'hormone de croissance sécrétée par l'hypophyse?

13- Le développement excessif des os de la face et des extrémités des membres?

14- L'hormone sécrétée par les îlots de Langherans du pancréas?

15- La glande endocrine temporaire qui disparaît après la puberté?

16- Les glandes thyroïdes placées de chaque côté de la thyroïde?

17- Les deux glandes endocrines situées au-dessus des reins?

18- L'hormone sécrétée par la glande surrénale, jouant un rôle anti-inflammatoire pour l'organisme?

19- Le centre de la glande surrénale?

20- L'hormone sécrétée par le centre de la glande surrénale?

21- La glande logée à la base du cou, en avant de la trachée?

22- La glande endocrine située à la base du cerveau?

23- Les produits de la sécrétion des glandes endocrines?

24- Une glande qui déverse le produit de sa sécrétion directement dans le sang?

25- L'étude des glandes endocrines et de leurs affections?

(50 points)

II – Écris correctement chaque mot étudié, concernant le système endocrinien.

Si tu as réussi ce test avec une note de 95 %, tu peux passer à l'objectif suivant.

As-tu mémorisé la signification des racines suivantes:

crine, hormôn, physe, cortico, médullo, acro, mégalo, nodulus, ophtalmo
et de
endo, en, ex, ante, hypo, post, hyper, para?

Nous ne pouvons nier la complexité et la beauté du corps humain!

Se maintenir en bonne santé et se soigner est une obligation que la nature nous impose.

Microbiologie

Objectif général

Associer à leur définition respective les termes relatifs à la microbiologie.

Objectifs spécifiques

7.1 Étude des micro-organismes

7.2 Moyens de défense de l'organisme

7.3 Pathologie

    A) Infections

    B) Maladies contagieuses

LES MICROBES

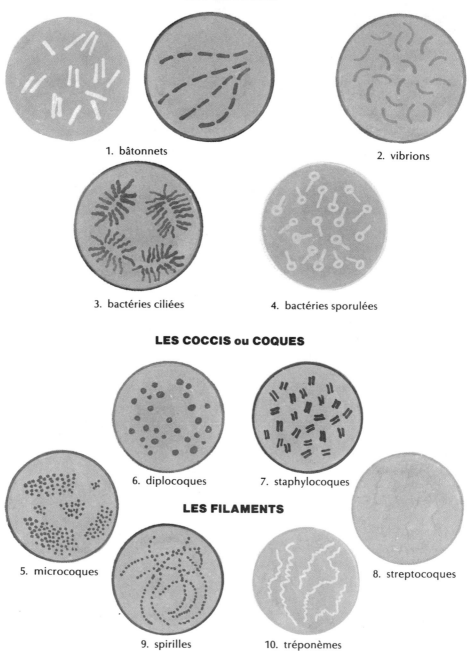

LES BACILLES

1. bâtonnets

2. vibrions

3. bactéries ciliées

4. bactéries sporulées

LES COCCIS ou COQUES

6. diplocoques

7. staphylocoques

LES FILAMENTS

5. microcoques

8. streptocoques

9. spirilles

10. tréponèmes

Introduction

Microbiologie

MICRO: Petit
BIO: Vie
LOGIE: Science, étude de

La microbiologie est la science qui étudie les micro-organismes.

Bactériologie

BACTÉRIE: Être unicellulaire
LOGIE: Science, étude de

La bactériologie est l'étude des bactéries, leurs propriétés et leur action sur l'homme et l'animal.

Virologie

VIRUS: Microbe invisible au microscope
LOGIE: Science, étude de

La virologie traite des virus et des ultra-virus.

Mycologie

MYCO: Champignon
LOGIE: Science, étude de

La mycologie est l'étude des champignons.

Immunologie

IMMUNITÉ: Résistance naturelle ou acquise de l'organisme face à un agent pathogène
LOGIE: Science

L'immunologie est la partie de la médecine qui étudie les phénomènes d'immunité, leurs conditions d'apparition, leurs mécanismes et les déductions prophylactiques (préventives) et thérapeutiques qu'on peut en tirer.

L'immunologiste est celui qui s'occupe d'immunologie.

7.1
Étude des micro-organismes

Microbe
MICRO: Petit

Un microbe ou bactérie est un être unicellulaire, c'est-à-dire constitué d'une seule cellule. Le microbe ou bactérie est donc de dimension si petite qu'il ne peut être vu qu'au microscope.

Ces micro-organismes fourmillent dans l'air, dans les eaux, dans la terre, à la surface et à l'intérieur des corps inorganiques et des êtres organisés.

Comme la cellule vivante, le microbe est composé d'un noyau, d'un protoplasme et d'une membrane qui l'enveloppe. Son unité de mesure est le *micron*. Certains microbes possèdent une capsule qui leur permet une plus grande résistance au phénomène de la phagocytose.

Les microbes sont composés de lipides, de glucides, de protides, de matières minérales et d'eau. Ils se nourrissent des éléments qui entrent dans leur constitution.

Les microbes sont mobiles. Seules les bactéries sont pourvues de flagelles (cils), ils sont donc très mobiles.

Saprophyte
SAPRO: Origine grecque, *sapros* = pourri
PHYTE: Origine grecque, *phyton* = rejeton, excroissance

Les microbes saprophytes vivent dans notre organisme sans causer la moindre maladie.

Pathogène
PATHO: Maladie
GENE: Qui produit, qui engendre

Les microbes pathogènes peuvent causer les maladies.

Pyogène
PYO: Pus
GENE: Qui produit, qui engendre

Un microbe pyogène est un microbe qui produit du pus.

Exsudat
EX: Hors de
SUDARE: Suer

L'exsudat est le liquide organique tantôt séreux, tantôt fibrineux ou muqueux, qui suinte au niveau d'une surface enflammée.

Aérobies

AÉRO: Air

Les aérobies sont des microbes qui ont un besoin absolu d'oxygène pour vivre.

Anaérobie

AN: Privé de, négation

Les anaérobies sont des microbes qui se développent seulement en l'absence d'oxygène.

Bacilles

BACTERIO: Petit bâton

Les bacilles sont des bactéries qui ont la forme de bâtonnets: le bacille de la tuberculose (bacille de Koch), le bacille diphtérique, etc.

Nous distinguons:

a) *Le vibrion*: bacille recourbé qui peut être l'agent de la gangrène.

b) *Les spirilles* qui sont des bâtonnets en spirales terminés par des cils.

c) *Les spirochètes* qui sont de longs filaments onduleux très mobiles. (Le tréponème de la syphilis.)

Coque ou Coccis

COQUE: Origine grecque, *kokkos* = grain

Les coques ou coccis sont des microbes qui ont la forme de grains arrondis. On les distingue d'après leur mode de regroupement.

a) Les *microcoques* sont des grains isolés répartis uniformément. *Exemple:* les microcoques du vinaigre, qui transforment le vin en vinaigre.

b) Les *diplocoques* sont accolés deux à deux. *Exemple:* les diplocoques de la méningite, le gonocoque de la gonorrhée.

c) Les *streptocoques* sont en chaînettes. Ce sont des microbes redoutables, qui peuvent déterminer une septicémie.

d) Les *staphylocoques* sont groupés en grains de raisin. Ces microbes sont pyogènes. Il y a au-delà de 70 variétés de staphylocoques.

Virus
VIRUS: Mot latin signifiant poison

Les virus sont des microbes visibles uniquement au microscope électrique, donc infiniment petits.

Exemple: la rougeole, la scarlatine, la grippe, la poliomyélite sont des maladies causées par un virus.

À noter: L'adjectif dérivé de virus est viral. Nous disons une *infection virale.*

7.2
Moyens de défense de l'organisme

Phagocytose

PHAGO: Manger
CYTE: Cellule
OSE: État, phénomène qui se produit

La phagocytose est le phénomène par lequel les leucocytes (globules blancs) dévorent les microbes.

Lorsqu'un microbe pénètre dans l'organisme, les globules blancs se multiplient très rapidement, traversent les vaisseaux et les tissus, se groupent autour des microbes, les absorbent, les digèrent.

Les leucocytes ne sont pas toujours vainqueurs dans la lutte. S'ils meurent de leur défaite, leurs cadavres contribuent à former le pus; s'ils gagnent la bataille, la maladie ne se déclare pas.

Diapédèse

DIA: À travers
PEDESE: Origine grecque, *pêdan* = sauter, s'élancer, franchir

La diapédèse est le phénomène par lequel les leucocytes peuvent traverser la paroi capillaire.

Antitoxine

ANTI: Contre
TOXINE: Poison

Une antitoxine est une substance produite par l'organisme pour lutter contre les toxines des microbes. Une antitoxine est donc une substance naturelle qui combat les effets d'une toxine.

Anatoxine

ANA: Contre
TOXINE: Poison

L'anatoxine est une toxine à laquelle, par traitement (médicament), on a enlevé sa virulence.

Antigène

ANTI: Contre
GENE: Qui produit, qui engendre

L'*antigène* est une substance sécrétée par les *microbes* pour se défendre des leucocytes.

Les *leucocytes* pour se défendre sécrètent une substance qui inhibe l'effet de l'antigène; il s'agit des *anticorps*.

Immunité

IMMUNIS: Mot latin qui signifie exempt

L'immunité est la résistance naturelle ou acquise de l'organisme face à un agent pathogène. L'immunité naturelle est obtenue par la maladie elle-même; *exemple:* les oreillons. L'immunité acquise est obtenue par vaccination. Il importe de noter que l'immunité peut être permanente ou temporaire (quelques mois, quelques années).

Le mécanisme de l'immunité est le suivant: le système de défense de l'organisme est centré sur les globules blancs phagocytaires ou lymphocytes, qui circulent librement dans le sang. Ils sont mobiles et peuvent absorber et digérer de petites particules et des cellules entières étrangères (phagocytose). Mais une fois le contact pris avec une cellule étrangère, un lymphocyte reste sensibilisé à toutes les autres cellules de cette espèce, si bien que s'il rencontre de nouveau une telle cellule ou même un fragment, il peut immédiatement sécréter (et provoquer la sécrétion d'autres lymphocytes) une substance chimique capable de neutraliser ou tuer l'envahisseur (anticorps).

C'est ce qui explique qu'on présente des symptômes désagréables (fièvre, vomissements, diarrhée, éruptions, etc.) la première fois qu'on attrape une maladie infectieuse, et que lorsqu'on est en contact de nouveau avec la même maladie, on ne risque rien. On attrape les maladies infectieuses chaque fois qu'on est en contact avec elles, mais après le premier affrontement, on est prêts à faire face de nouveau. Le fait d'être préparé s'appelle: immunité.

Inoculation

INOCULATIO: Élément latin = inoculation

L'inoculation est l'injection dans un organisme sain d'un virus existant chez les malades atteints d'une affection contagieuse; dans le but d'immuniser un individu.

Antisepsie

ANTI: Contre
SEPSIS: Putréfaction, décomposition, pourriture

L'antisepsie est un procédé qui détruit les microbes pathogènes

au moyen de substances chimiques. On l'appelle aussi la désin-
fection. Un désinfectant ou bactéricide est un agent chimique.

Asepsie

A: Manque, absence
SEPSIS: Putréfaction, décomposition, pourriture

L'asepsie est la destruction complète des microbes au moyen
d'agents physiques. L'asepsie s'obtient par la stérilisation, la chaleur, la pasteurisation.

7.3
Pathologie

A) LES INFECTIONS

Abcès

ABCÈS: Origine latine, *abcedere* = s'écarter

Un abcès est un amas de pus collecté dans une cavité formée aux dépens des tissus environnants. L'agent causal est ordinairement le staphylocoque doré. D'autres microbes pyogènes peuvent être aussi en cause.

Nous distinguons l'abcès chaud et l'abcès froid.

L'abcès froid est une collection de pus, évoluant lentement, sans phénomène inflammatoire.

L'abcès chaud est accompagné de phénomènes inflammatoires aigus.

Furoncles

FURONCLE: Origine latine, *fur* = petit larron

Les furoncles ou clous sont de minuscules abcès dont le siège est l'appareil pilo-sébacé (poils et glandes sébacées; voir p. 374). On observe une tuméfaction qui contient un bourbillon. Le bourbillon est une masse filamenteuse blanchâtre de tissu cellulaire de pus. L'agent causal est le staphylocoque pyogène doré.

Anthrax

ANTHRAX: Origine grecque = charbon

L'anthrax est une réunion de plusieurs furoncles.

Furonculose

FURONCLE: Abcès
OSE: État, phénomène qui se produit

La furonculose est le nom donné à l'éruption d'une série de furoncles. La cause est souvent obscure.

Plaies infectées

PLAIE: Section de la peau ou des muqueuses se produisant en général de dehors en dedans, mais aussi de dedans en dehors (fracture)

> INFECTION: Maladie développée sous l'influence des toxines produits par les microbes, bactéries, etc.

Ces plaies d'origine chirurgicale ou traumatique sont ordinairement infectées par des microbes pyogènes tels que le staphylocoque, le streptocoque, etc.

Les plaies traumatiques peuvent aussi être infectées par des microbes anaérobies comme clostridium tetani, agent du tétanos et perfringens oedematiens septicum, agent des gangrènes.

Lors d'une plaie traumatique, le microbe s'introduit dans cette plaie sous forme de spores qui se multiplient. La bactérie produit ensuite une exotoxine qui envahit tout l'organisme.

Le tétanos est caractérisé cliniquement par une contraction douloureuse au niveau des muscles.

Brûlure

> BRÛLURE: Lésion tissulaire provoquée par la chaleur sous toutes ses formes

Les brûlures sont classées parmi les infections parce qu'elles s'infectent facilement, surtout aux 2e et 3e degrés. Les microbes en cause sont ordinairement le staphylocoque et le pseudomonas.

B) MALADIES CONTAGIEUSES

Contagion

> *CUM:* Avec
> *TANGERE:* Toucher

La contagion est la transmission d'une maladie d'un individu à l'autre et d'un animal à un être humain.

Les principaux modes de transmission des maladies contagieuses sont les suivantes:

- Transmission par les produits de sécrétion, et par le sang infecté.
- Transmission par tout ce qui a pu être souillé par les produits de sécrétion.
- Transmission par les personnes.

Les maladies infectieuses sont dues à l'action de germes pathogènes qui se développent avec plus ou moins de facilité dans notre organisme.

Elles sont dites contagieuses lorsqu'elles se transmettent d'une personne à une autre; par le contact direct entre le sujet malade et le sujet sain; par contact indirect, c'est-à-dire par l'intermédiaire d'un porteur de germes; médecin, infirmière, objet, etc.

Incubation

IN: Dans
CUBARE: Dormir

L'incubation est la période ou la maladie est en sommeil.

Éruption

ERUMPERE: Mot latin = sortir

L'éruption est le terme général s'appliquant à toutes les manifestations cutanées.

La maladies contagieuses éruptives sont: la variole, la varicelle, la rougeole, la rubéole, la scarlatine, l'érysipèle.

Les maladies contagieuses non éruptives sont: la grippe, la coqueluche, les oreillons, la diphtérie, la typhoïde, la tuberculose, la poliomyélite, la syphilis, la blennorragie, l'hépatite à virus, la mononucléose infectieuse.

Variole

VARIOLE: Origine latine, *varius* = tacheté

La variole communément appelée: «grosse picotte» ou «petite vérole» a maintenant disparu dans nos régions, grâce au vaccin anti-variolique: *Jenner* qui donne une immunisation de trois ans environ. Il importe de noter que l'immunisation par la maladie est permanente.

L'éruption se manifeste sous la forme de macules qui se transforment en papules, vésicules, pustules laissant parfois des cicatrices. Cette maladie est due à un ultra-virus.

Varicelle

VARICELLE: Mot dérivé de variole

La varicelle est une maladie éruptive contagieuse fréquente chez les enfants due à un virus. Elle est connue sous le nom de «picotte volante» ou «petite picotte».

L'immunisation est permanente par la maladie; il n'existe pas de vaccin contre la varicelle.

Rougeole

ROUGEOLE: Mot dérivé de rouge

La rougeole est une maladie contagieuse, infectieuse éruptive due à un virus et caractérisée par un exanthème débutant par le visage et de taches bleuâtres à la face interne des joues (signe de Koplik).

L'immunisation est permanente par la maladie et par la vaccination.

Rubéole
RUBENS: Mot latin = rouge

La rubéole est communément appelée la petite rougeole. La rubéole est une maladie due à un virus et caractérisée par la présence de macules rouges sur tout le corps mais d'une rougeur moins intense que la rougeole.

L'immunisation est permanente par la maladie.

Scarlatine
SCARLATUM: Mot latin = écarlate

La scarlatine est une maladie contagieuse éruptive due au streptocoque hémolytique (qui détruit les globules du sang).

Les symptômes sont les suivants: fièvre, vomissements, exanthème, desquamations. La gorge est très rouge, des enduits purulents (pus) apparaissent.

L'immunisation par la maladie est permanente.

Érysipèle
ÉRYSIPÈLE: Origine grecque, *eruein* = attirer
PELAS: Mot grecque = proche

L'érysipèle est une maladie contagieuse éruptive due au streptocoque hémolytique. Les caractères généraux de cette maladie sont: température, frissons, vomissements, érythème, douleur, tension locale.

Il n'existe aucune immunisation; les récidives sont fréquentes.

Influenza
INFLUENZA: Nom italien de la grippe

L'influenza est la grippe; c'est une maladie contagieuse affectant les voies respiratoires supérieures.

L'influenza est causée par un virus. Cette maladie peut être de type épidémique ou endémique. L'immunisation par vaccin ou par la maladie est de courte durée.

Coqueluche
COQUELUCHE: Origine inconnue

La coqueluche est une maladie contagieuse non éruptive atteignant la trachée et les bronches. La cause de cette maladie est le bacille de Bordet-Gengou.

La maladie débute par une période de bronchite et de coryza (avec fièvre) qui dure de dix à quinze jours parfois plus, alors surviennent les quintes de toux caractérisées par une inspiration longue et chantante (chant du coq) suivie d'une expulsion brusque de l'air inspiré et d'expectoration de crachats filants.

L'immunisation est permanente par la maladie.

Diphtérie
DIPHTERA: Membrane

La diphtérie est une maladie infectieuse et contagieuse caractérisée par la présence de peaux ou de fausses membranes blanchâtres sur les muqueuses de la gorge et du larynx et parfois aussi sur les muqueuses de la bouche, des fosses nasales, des yeux, des organes génitaux externes ou sur une plaie cutanée.

L'agent infectieux est le bacille de Kebs Löffler. L'immunité par la maladie est passagère et le vaccin anti-diphtérique (anatoxine de Ramon) donne une immunité de cinq (5) ans.

Oreillons
OREILLON: Mot dérivé de oreille

Le terme «oreillons» désigne une maladie contagieuse de l'enfance affectant les glandes salivaires (parotides). Les parotides sont logées sous les oreilles.

La maladie est causée par un virus que l'on retrouve dans la salive, dans le sang, et dans le liquide céphalo-rachidien.

L'immunité est permanente par la maladie.

Typhoïde
TUPHOS: Racine grecque = stupeur
IDE: Qui a la forme de

La typhoïde ou fièvres typhoïdes est une maladie contagieuse affectant le tissu lymphoïde de l'intestin.

Cette maladie est causée par le bacille d'Eberth que l'on retrouve dans les aliments contaminés.

L'immunité est permanente par la maladie et de trois ans par le vaccin.

Tuberculose
TUBERCULUM: Mot latin = tubercule

La tuberculose est une maladie contagieuse aiguë et chronique, caractérisée par l'apparition de tubercules affectant surtout le parenchyme pulmonaire. La tuberculose est causée par un bacille nommé le bacille de Koch.

L'immunité est permanente par le vaccin B.C.G.

Poliomyélite

POLIO: Gris
MYELO: Moelle
ITE: Inflammation

La poliomyélite est une infection aiguë, contagieuse, qui atteint la moelle épinière.

La cause est un virus que l'on retrouve dans les sécrétions rhino-pharyngés, le sang et le liquide céphalo-rachidien.

L'immunité est permanente par le vaccin Salk ou Sabin.

Mononucléose

MONO: Un
NUCLEO: Noyau
MONONUCLÉAIRE: Globule blanc possédant un seul noyau

La mononucléose est une maladie infectieuse bénigne, rencontrée particulièrement chez les adolescents. Cette maladie est causée par un virus et caractérisée par une leucocytose élevée (mononucléaire).

Syphilis

SUS: Racine grecque = pourceau
PHILEIN: Racine grecque = amer

La syphilis est une maladie vénérienne infectieuse, contagieuse acquise ou héréditaire. L'étiologie est le tréponème pâle de Shaudinn.

La syphilis est très contagieuse; elle se communique par simple contact avec le chancre initial, avec les plaques muqueuses, les érosions cutanées, le sang et le liquide céphalo-rachidien.

La syphilis peut donc se transmettre par contact sexuel et par baiser dans 99,9 % des cas. *Exceptionnellement*, la contagion peut se faire indirectement par ustensiles, sièges de toilette, serviette, etc.

Gonorrhée

GONO: Appareil génital
RRHEE: Écoulement

La gonorrhée ou blennorragie est une maladie infectieuse causée par un gonocoque et caractérisée par un écoulement de mucus hors des voies génitales. Cette maladie est communément appelée: chaude-pisse.

Gonococcie

GONO: Appareil génital
COQUE: Origine grecque, *Kokkos* = grain

Le terme gonococcie désigne une infection de l'organisme causée par le gonocoque.

Mycose

MYCO: Champignon
OSE: État

Les mycoses sont des maladies produites par des champignons microscopiques variés. Ceux-ci peuvent envahir tous les organes: téguments, ongles, poils, conduit auditif externe, tube digestif, appareil urinaire et même muscles et tissu osseux.

Septicémie

SEPTIKOS: Origine grecque = putride (putréfaction)
EMIE: État du sang

La septicémie est l'empoisonnement du sang se caractérisant par une fièvre continue causée par la diffusion dans le sang de divers microbes ou de toxines sécrétées par ces microbes.

Paludisme

PALUS: Marais

Le paludisme est une maladie infectieuse qui provient d'un parasite appelé plasmodium, lequel parasite provient d'une piqûre de moustiques que l'on retrouve dans les régions marécageuses de l'Afrique.

Le paludisme est synonyme de malaria (*mala* = mauvais).

Le paludisme est dû à l'infection des globules rouges du sang par le micro-organisme appelé plasmodium. Cette maladie est encore très répandue dans les régions tropicales.

Exercice
de compréhension

(50 points)

I - Comment nomme-t-on:

1- La science qui étudie les microbes?

2- L'étude des champignons?

3- La science qui étudie les virus?

4- Les microbes qui vivent dans notre organisme sans causer la moindre maladie?

5- Les microbes qui causent des maladies?

6- Un microbe qui produit du pus?

7- Le liquide organique qui suinte au niveau d'une surface enflammée?

8- Les microbes qui ont besoin d'oxygène pour vivre?

9- Les bactéries qui ont la forme de bâtonnets?

10- Les microbes qui ont la forme de grains arrondis?

11- Les microbes infiniment petits?

12- Le phénomène par lequel les leucocytes dévorent les microbes?

13- Le phénomène par lequel les leucocytes traversent les parois capillaires?

14- La substance produite par l'organisme pour lutter contre les microbes?

15- La substance sécrétée par les microbes pour se défendre des leucocytes?

16- La résistance naturelle ou acquise de l'organisme face à un agent pathogène?

17- Le procédé qui détruit les microbes pathogènes au moyen de substance chimique?

18- Un amas de pus collecté dans une cavité?

19- La réunion de plusieurs furoncles?

20- La transmission d'une maladie d'un individu à l'autre?

21- La période où la maladie est en sommeil?

22- La picotte volante?

23- La petite rougeole?

24- La grippe?

25- La maladie contagieuse causée par le bacille d'Eberth?

(50 points)
II - Orthographier correctement les termes relatifs à la microbiologie.

Si tu réussis ce test avec une note de 95 %, tu peux passer à l'objectif suivant.

As-tu mémorisé la signification des racines suivantes:

micro, bio, myco, sapro, phyte, gène, pyo, aéro, coque, virus, toxine, phago, cyte, pédèse, cubare, palus, mala, érumpere
et de
ex, an, ose, dia, anti, ana, cum, in?

**Je m'en voudrais de terminer ce chapitre
sans te parler du créateur de la microbiologie:** *Louis Pasteur.*

Ce chimiste et biologiste français vécut de 1822 à 1895. Il est l'auteur de travaux qui ont marqué pour la médecine une ère nouvelle sur les fermentations, les maladies infectieuses, l'asepsie. Il découvrit les vaccins, en particulier celui pour prévenir la rage après une morsure.

Chapitre VIII

Appareil génital masculin

Objectif général

Associer à leur définition respective les termes relatifs à l'appareil génital masculin.

A) Malformations
B) Infections
C) Chirurgie

Objectifs spécifiques

8.1 Notions d'anatomie et de physiologie

    A) Organes reproducteurs de l'homme

    B) Vocabulaire relatif à l'accouplement

8.2 Pathologie de l'appareil génital mâle

    A) Malformations congénitales

    B) Affections des organes génitaux mâles

8.3 Chirurgie de l'appareil génital mâle

ORGANES GÉNITAUX MASCULINS

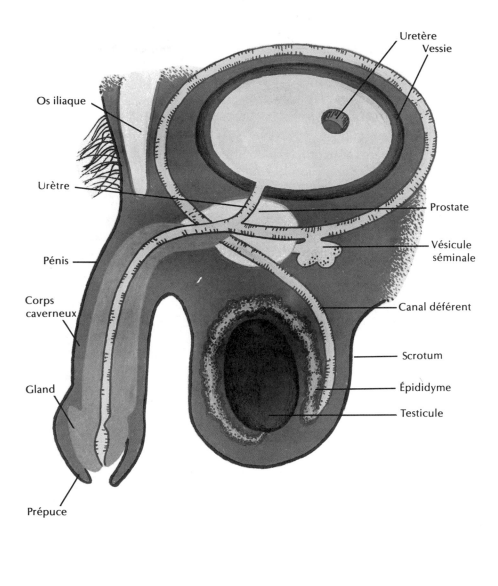

Uretère
Vessie
Os iliaque
Urètre
Prostate
Vésicule séminale
Pénis
Corps caverneux
Canal déférent
Scrotum
Épididyme
Gland
Testicule
Prépuce

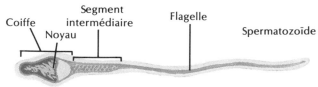

Segment intermédiaire
Coiffe
Noyau
Flagelle
Spermatozoïde

Introduction

Andrologie

ANDRO: Homme
LOGIE: Science, étude de

L'andrologie est l'étude de l'homme et plus particulièrement des maladies spécifiques à l'homme, par analogie avec la gynécologie.

8.1
Notions d'anatomie et de physiologie

A) ORGANES REPRODUCTEURS DE L'HOMME

Testicules

TESTICULUS: Mot latin = testicule
DIDUMOS: Mot grec = testicule

Les testicules sont des glandes dont la forme et les dimensions sont celles d'un oeuf de pigeon. Les testicules sont situés dans les bourses (scrotum).

Ces glandes sont recouvertes par un double feuillet séreux d'origine péritonéale (chez l'embryon) appelé: *la vaginale.*

À noter: Les testicules portent également le nom de: gonades masculines.

Scrotum

SCROTUM: Mot latin

Le scrotum est une sorte de sac à la peau brunâtre, détendue et plissée qui contient le testicule. C'est l'enveloppe externe du testicule.

Embryologie du testicule

EMBRYOLOGIE: Science qui étudie le mode de formation des êtres organisés à partir des cellules initiales et les formes successives de l'oeuf et de l'embryon

Chez l'embryon, le testicule est au voisinage du rein. Tandis que le foetus se développe, le testicule descend. En sortant du ventre, il entraîne avec lui une portion du péritoine dont il se coiffe. Cette portion du péritoine qui enveloppe le testicule se sépare complètement du péritoine et forme la vaginale.

À noter: La persistance de la communication avec le péritoine constitue une hernie inguinale congénitale.

Spermatozoïde

SPERMO, SPERMATO: Semence
ZOO: Animal
ÏDE: Qui ressemble à, qui a la forme de

Le spermatozoïde est la cellule sexuelle mâle élaborée et sécrétée par les testicules. Au niveau supérieur de chaque testicule se dessinent des canaux séminipares qui produisent des spermatozoïdes.

Le spermatozoïde est très mobile et se déplace grâce à un petit flagelle (queue).

Les spermatzoïdes baignent dans un liquide que nous appelons: le sperme.

À noter: Les spermatozoïdes sont également appelés: gamètes mâles.

Androgène

ANDRO: Homme
GENE: Qui produit, qui engendre

L'androgène est l'hormone qui provoque chez l'homme l'apparition des caractères sexuels secondaires, tels la barbe, les poils et la modification de la voix.

Ces hormones androgènes sont produites par les testicules. La principale hormone androgène est la *testostérone.*

Tout comme chez la femme, l'hypophyse (glande endocrine) agit sur les testicules. Chez l'homme, à partir de la puberté, l'hypophyse sécrète une hormone appelée: *gonadostimuline.* Cette hormone provoque la spermatogénèse (production de spermatozoïdes) et la production de *testostérone.* La fertilité et la virilité apparaissent chez le jeune garçon.

Épididyme

EPI: Sur
DIDUMOS: Testicule

Chaque testicule évacue ses spermatozoïdes dans un canal appelé: épididyme.

L'épididyme a la forme d'une anse; il comporte une tête, un corps et une queue; il s'étend du testicule au canal déférent.

Canal déférent

DÉFÉRENT: Origine latine; *deferre* = faire passer de haut en bas

Chaque testicule a son canal déférent qui fait suite à l'épididyme.

Chaque canal déférent traverse le canal inguinal (aine), aborde et contourne la vessie pour atteindre la prostate, où il se termine. Sur la fin de son parcours, le canal déférent se dilate et forme une ampoule appelée: vésicule séminale.

Vésicule séminale

VESICA: Ampoule

ULE: Diminutif qui signifie petit
SÉMINAL: Adjectif dérivé de
semence

Les vésicules séminales sont des réservoirs; ils sécrètent un liquide destiné à diluer la bouillie épaisse des spermatozoïdes. Ce liquide porte le nom de: liquide séminal.

Canaux éjaculateurs

ÉJACULER: Origine latine, *ejaculari* = lancer avec force

Chaque canal déférent devient le canal éjaculateur; les deux canaux éjaculateurs traversent la prostate et se rejoignent dans l'urètre.

Prostate

PROSTATE: Origine grecque, *prostatês* = qui se tient en avant

La prostate est une glande dont la forme rappelle celle d'une châtaigne. Elle siège sous la vessie et est traversée par l'urètre.
    Le rôle de la prostate est double:
    a)   Fournir un liquide de dilution pour le sperme.
    b)   Confectionner le sperme en mélangeant le liquide séminal et les spermatozoïdes, pendant l'exercice de la fonction génitale.

Urètre

OURETHRA: Mot grec = urètre

L'urètre est un canal qui s'étend de la vessie au méat urinaire. Chez l'homme, nous distinguons l'urètre prostatique (partie de l'urètre qui traverse la prostate) et l'urètre pénicien (partie de l'urètre qui traverse le pénis).

Cordon spermatique

SPERME: Liquide sécrété par l'appareil génital mâle, destiné à la fécondation et qui contient les spermatozoïdes
SPERMATIQUE: Adjectif relatif au sperme

Le cordon spermatique est constitué par des nerfs, des artères, des veines et le canal déférent, le tout enveloppé dans une gaine muqueuse.

Pénis

PÉNIS: Mot latin = membre viril

Le pénis est composé d'un corps spongieux et de deux corps caverneux qui entourent la vessie.

Le corps spongieux est un manchon de tissu érectile, qui se dilate et se durcit sous l'influence d'un afflux du sang.

Deux cylindres, érectiles eux aussi, les corps caverneux, sont couchés en canon de fusil sur le corps spongieux et se fixent par leur extrémité supérieure aux branches ischio-pubienne du bassin.

L'extrémité du pénis est couronnée d'un renflement nommé: *Gland*. Le gland est recouvert d'une peau (lorsqu'il est flasque) nommée le: prépuce.

B) VOCABULAIRE RELATIF À L'ACCOUPLEMENT

Érection

ERIGERER: Mot latin = relever

L'érection est la transformation d'un organe mou en organe dur et raide sous l'action de l'afflux du sang dans le tissu érectile.

L'érection du pénis est la condition essentielle au coït normal, rendu possible par l'action du système nerveux et circulatoire.

Éjaculation

ÉJACULER: Origine latine, *ejaculari* = lancer avec force

L'éjaculation est la projection saccadée du liquide spermatique par le méat urinaire.

Ce phénomène physiologique s'accompagne d'une sensation de bien-être physique et mental ou «*orgasme*» au point culminant des jouissances dans les relations sexuelles.

Copulation ou coït

COPULARE: Assembler

La copulation est l'union des sexes pour la reproduction. C'est l'introdution du pénis en érection dans le vagin qui permet la projection du sperme dans les voies génitales féminines en vue de la fécondation.

Pollution nocturne

NOCTURNE: Adjectif dérivé de nuit

La pollution nocturne est l'éjaculation involontaire durant le sommeil. C'est un phénomène normal lorsque les glandes génitales ne sont pas vidées par l'acte sexuel.

Ce phénomène peut se produire toutes les deux ou trois semaines.

8.2
Pathologie de l'appareil génital mâle

A) MALFORMATIONS CONGÉNITALES

Anorchidie

> *A:* Manque, absence
> *ORCHI, ORCHIDO:* Origine grecque, *orchis* = testicule

L'anorchidie est l'absence de testicule (simple ou double).

Cryptorchidie

> *CRYPTO:* Origine grecque, *Kryptos* = caché
> *ORCHIDO:* Testicule

La cryptorchidie est l'absence d'un ou des deux testicules dans les bourses par suite de leur arrêt dans l'abdomen. On dit aussi *ectopie testiculaire*. C'est la plus fréquente anomalie congénitale.

Ectopie testiculaire

> *EC:* En dehors
> *TOPOS:* Lieu
> *TESTICULAIRE:* Adjectif dérivé de testicule

Un testicule est en ectopie lorsqu'il s'est arrêté en un point quelconque de son parcours lors de sa descente de la région lombaire au scrotum (cf. embryologie du testicule, p. 304.)

Phimosis

> *PHIMOSIS:* Origine grecque, *phimoô* = je serre

Un phimosis est une étroitesse exagérée et anormale de l'anneau du prépuce.

Paraphimosis

> *PARA:* Autour de, au-delà de
> *PHIMOSIS:* je serre

Le paraphimosis est l'étranglement du gland par un prépuce dont l'ouverture est trop étroite.

B) AFFECTIONS DES ORGANES GÉNITAUX MÂLES

Orchite

ORCHI: Testicule
ITE: Inflammation

Une orchite est une inflammation des testicules. L'orchite bilatérale qui survient à la suite des oreillons peut être une cause de stérilité chez l'homme.

Prostatite

PROSTATE: Glande annexe à l'appareil reproducteur de l'homme
ITE: Inflammation

Le terme prostatite désigne l'inflammation de la prostate.

Funiculite

FUNICULUS: Mot latin = cordon
ITE: Inflammation

Une funiculite est une inflammation du cordon spermatique.

Posthite

POSTH: Origine grecque, *posthê* = prépuce
ITE: Inflammation

Une posthite est l'inflammation du prépuce.

Balanite

BALANO: Gland
ITE: Inflammation

Une balanite est une inflammation du gland.

Azoospermie

A: Manque, absence
ZOO: Animal
SPERME: Semence

L'azoospermie est l'absence de spermatozoïdes dans le sperme. C'est une anomalie du volume.

Oligospermie

OLIGO: Peu
SPERME: Semence

L'oligospermie est la faible quantité de spermatozoïdes dans le sperme. La quantité normale est de 20 à 60 millions.

Tératospermie

TERA, TERATO: Origine grecque,

teros = monstre
SPERME: Semence

La tératospermie est une anomalie de la forme des spermatozoïdes. Les spermatozoïdes ayant une forme anormale ne doi-
vent pas dépasser 20 % du total.

Asthénospermie

A: Manque
STHENIE: Force
SPERME: Semence

L'asthénospermie est la réduction de la force, de la vitalité du
spermatozoïde, un manque de mobilité du spermatozoïde.

Orchicèle

ORCHI: Testicule
CELE: Hernie

L'orchicèle est une hernie du testicule.

Adénome de la prostate

ADENO: Glande
OME: Tumeur, tuméfaction
PROSTATE: Glande annexe à l'ap-
pareil reproducteur de l'homme

L'adénome de la prostate est une hypertrophie de la prostate.
Normalement, les deux lobes latéraux de la prostate sont réunis
par une simple commissure. En s'hypertrophiant, ils créent un
lobe médian. À mesure que l'augmentation de volume pro-
gresse, le tissu prostatique normal est repoussé contre la capsule
anatomique de la glande.

La cause de cette affection n'est pas connue. Entre 60 et 70 ans,
65 % des hommes présentent une hypertrophie de la prostate et
après 80 ans, 80 % des hommes en sont atteints. Cette affection
entraîne des troubles de la miction.

8.3
Chirurgie de l'appareil génital mâle

Orchidectomie

ORCHIDO: Testicule
ECTOMIE: Ablation

L'orchidectomie est l'ablation d'un ou de deux testicules.

Orchidotomie

ORCHIDO: Testicule
TOMIE: Incision, ouverture

Une orchidotomie est une incision d'un testicule.

Orchidopexie

ORCHIDO: Testicule
PEXIE: Fixation

L'orchidopexie est la fixation en position normale d'un testicule ectopique.

Prostatectomie

PROSTATE: Glande annexe à l'appareil reproducteur de l'homme
ECTOMIE: Ablation

Une prostatectomie est une ablation de la prostate.

Circoncision

CIRCUM: Autour
CAEDERE: Couper

La circoncision est l'excision du prépuce en totalité ou en partie.

Posthéctomie ou Posthéotomie

POSTH: Prépuce
ECTOMIE: Ablation
TOMIE: Incision

Les termes posthectomie et posthéotomie sont synonymes de circoncision.

Castration

CASTRARE: Châtrer, rendre stérile

La castration est une opération ayant pour effet de priver un individu de la faculté de se reproduire en enlevant les testicules.

Vasectomie

VASO: Vaisseau
ECTOMIE: Ablation

La vasectomie chez l'homme consiste à couper et à ligaturer les canaux déférents. Les spermatozoïdes ne pourront plus aller se joindre au sperme.

Cet homme sera stérile, mais pourra demeurer puissant puisque l'érection du pénis et l'éjaculation du sperme ne seront pas modifiées.

La vasectomie s'effectue de la façon suivante:

a) Le chirurgien incise le scrotum sur environ 2,5 cm.

b) Il sectionne les canaux spermatiques.

c) Il attache les extrémités distales.[1]

d) Il effectue des points de suture de la peau scrotale.

[1] *Distal*: adjectif de distance; les extrémités distales ou extrémités éloignées sont les bouts du canal qui a été coupé.

Exercice
de compréhension

(50 points)

I - Comment nomme-t-on:

1- L'ablation des testicules?
2- L'excision du prépuce en totalité ou en partie?
3- La racine qui désigne le prépuce?
4- L'ablation de la prostate?
5- La fixation en position normale d'un testicule ectopique?
6- La racine qui désigne les testicules?
7- L'incision d'un testicule?
8- Une hernie du testicule?
9- L'hypertrophie de la prostate?
10- Le suffixe qui désigne la hernie?
11- L'inflammation de la prostate?
12- L'inflammation du cordon spermatique?
13- L'inflammation du prépuce?
14- L'inflammation du gland?
15- Une anomalie de la forme des spermatozoïdes?
16- Un manque de force du spermatozoïde?
17- Une étroitesse exagérée et anormale de l'anneau du prépuce?
18- Une inflammation des testicules?
19- L'absence de testicule?
20- Un testicule situé à l'intérieur de l'abdomen?
21- La projection saccadée du sperme dans le méat urinaire?
22- L'union des sexes pour la reproduction?
23- Les réservoirs qui sécrètent un liquide destiné à diluer les spermatozoïdes?
24- L'hormone qui provoque chez l'homme l'apparition des caractères sexuels secondaires?
25- La cellule sexuelle mâle?

(50 points)

II - Orthographier correctement les termes relatifs à l'appareil masculin.

Si tu réussis ce test avec une note de 95 %, passe à l'objectif suivant.

As-tu bien retenu la signification des racines suivantes:

andro, sperme, spermato, zoo, didumos, vésica, orchi,
orchido, crypto, topo, phimosis, funiculus, posth, balano,
sthénie, adéno, vaso
et de
ïde, gène, épi, ule, ex, para, oligo, cèle, ome, circum, pexie?

N'oublie pas!...

Pour bien maîtriser la terminologie médicale, tu dois étudier soigneusement tous les mots expliqués; ce serait une erreur de ta part de te contenter d'apprendre uniquement les réponses aux questions des exercices de compréhension.

Appareil génital féminin

Objectif général

Associer à leur définition respective les termes relatifs à l'appareil génital féminin.
- Troubles fonctionnels relatifs aux menstruations
- Gynécologie pathologique

Objectifs spécifiques

8.1 Notions d'anatomie et de physiologie
- A) Organes génitaux féminins
- B) Hormonologie du cycle menstruel

8.2 Gynécologie
- A) Troubles fonctionnels
- B) Troubles de la sexualité
- C) Déviations de l'utérus
- D) Infections spécifiques et non spécifiques
- E) Tumeurs bénignes
- F) Tumeurs malignes

8.3 Maladies des seins

8.4 Chirurgie de l'appareil génital de la femme
- A) Chirurgie du vagin et de la vulve
- B) Chirurgie de l'utérus
- C) Chirurgie des ovaires et des trompes
- D) Chirurgie des seins

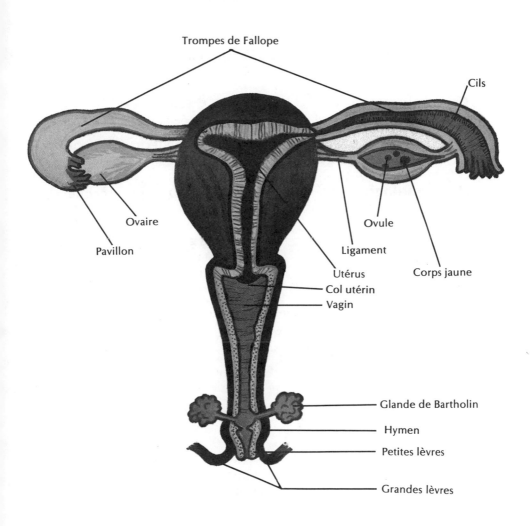

Trompes de Fallope

Cils

Ovaire

Pavillon

Ovule

Ligament

Utérus

Col utérin

Vagin

Corps jaune

Glande de Bartholin

Hymen

Petites lèvres

Grandes lèvres

Introduction

Gynécologie

GYNECO: Origine grecque = femme
LOGIE: Science, étude de

La gynécologie est l'étude de l'organisme de la femme et de son appareil génital, tant du point de vue morphologique et physiologique que pathologique.

Gynécologue

GYNECO: Femme
LOGUE: Spécialiste

Un gynécologue ou gynécologiste est un médecin qui s'occupe spécialement de gynécologie.

Hormonologie

HORMAN: Origine grecque = exciter
HORMONE: Substance sécrétée par une glande, déversée directement dans le sang et qui excite le fonctionnement d'une glande
LOGIE: Science, étude de

L'hormonologie est la science qui étudie les hormones.

8.1
Notions d'anatomie
et de physiologie

A) ORGANES GÉNITAUX FÉMININS

Ovaire

OVARIO: Ovaire
FOLLIS: Sac

Les ovaires, au nombre de deux, sont situés dans le bassin; ils sécrètent des hormones sexuelles et portent environ 300 000 follicules (sacs) contenant chacun un ovule. Chaque mois un ovule mûrit, sort du follicule, passe de l'ovaire dans la trompe qui le conduit dans l'utérus. Les trompes utérines ou trompes de Fallope sont deux tubes qui s'abouchent à l'utérus et qui s'ouvrent dans le péritoine, au voisinage des ovaires.

Utérus

HYSTERO: Utérus
METR(O): Utérus

L'utérus est un muscle creux qui occupe l'axe du bassin, derrière la vessie, devant le rectum. On lui distingue un corps et un col séparés par un isthme. Au fond du corps utérin et latéralement débouchent les trompes. Le col utérin percé d'un orifice fait saillie dans la cavité vaginale.

Endomètre

ENDO: Intérieur
METRO: Utérus

L'endomètre est la membrane interne de l'utérus, la muqueuse de l'utérus.

Vagin

ELYTRO: Vagin
COLPO: Vagin

Le vagin est un conduit aplati, au fond duquel débouche le col utérin. Il s'ouvre dans la vulve. La muqueuse vaginale est gaufrée; elle sécrète un mucus visqueux.

Vulve

VULVA: Origine latine = vulve

La vulve est le vestibule commun à l'appareil urinaire et à l'appareil génital de la femme. Dans la vulve débouche l'urètre en haut surmonté du clitoris, le vagin en bas et latéralement des glandes lubrifiantes appelées *glandes de Bartholin.*

La vulve est une fente verticale bordée par les grandes lèvres, et plus profondément par les petites lèvres. Chez la vierge l'ouverture vulvaire est occupée par une membrane perforée (pour l'écoulement menstruel): *l'hymen.*

Clitoris

KLEITORIS: Origine grecque, *kleio* = je ferme

Le clitoris est l'organe érectile de la femme, analogue au gland de l'homme, mais non percé pour le passage de l'urètre. Il est situé au-dessus de la vulve.

Glande mammaire

GLANDE: Ensemble de cellules spécialisées qui produisent un liquide rejeté soit à l'extérieur, soit à l'intérieur

MAMELLE: Glande qui sécrète le lait nécessaire à la nourriture des petits

MAMMAIRE: Adjectif dérivé de mamelle

Les glandes mammaires sont deux glandes chargées de la sécrétion du lait.

Le sein comprend trois parties:
☐ À la partie centrale on note une saillie plus ou moins cylindrique: le mamelon.
☐ À la partie moyenne la peau est pigmentée, c'est l'aréole.
☐ La zone périphérique est la plus étendue, la peau est lisse et fine.

Les seins sont divisés en 15 ou 20 lobes drainés par des canaux et recouverts de graisse et de fibres.

Pendant la grossesse, les glandes mammaires augmentent de volume et sécrètent du *colostrum* (liquide jaunâtre). Au cours des 2e et 3e jours qui suivent l'accouchement, la sécrétion du colostrum augmente pour faire place à la montée laiteuse (sécrétion lactée).

Menstruation

MEN(O): Origine grecque = mois
MENSIS: Origine latine = mois
METRO: Utérus

La menstruation est un écoulement sanguin, mensuel, chez la femme, provenant de la desquamation de la paroi utérine et des hémorragies qui en résultent. Nous disons également: «les règles».

Nous utilisons aussi le terme ménorrhée; *mens* = mois et *rrhée* = écoulement; donc un écoulement mensuel.

Ovulation   *OV(O):* Oeuf

L'ovulation est la phase qui correspond, dans le cycle menstruel, à la ponte d'un ovule par l'ovaire.

Ménopause   *MENO:* Mois
PAUSE: Arrêt

La ménopause est la cessation des règles, conséquence de l'arrêt de l'activité ovarienne chez la femme.

B) HORMONOLOGIE DU CYCLE MENSTRUEL

F.S.H.   *F* = folliculo
S = stimulante
H = hormone

La folliculo — stimulante hormone est une hormone sécrétée par l'hypophyse. Cette hormone assure le développement du follicule.

Nous l'appelons aussi: gonadotrophine A.

L.H.   *L* = lutéo - stimulante
H = hormone

La Lutéo-stimulante hormone amène le follicule à maturité et provoque la ponte de l'ovule. Cette hormone est sécrétée par l'hypophyse.

Nous l'appelons aussi: gonadotrophine B.

L.T.H.   *L.T.* = lutéotrophique
H. = hormone

La lutéotrophique hormone stimule le développement et la sécrétion du corps jaune. Cette hormone est sécrétée par l'hypophyse.

Corps jaune: Substance sécrétée par le follicule vidé de l'ovule qui prépare l'utérus à recevoir l'oeuf.

Folliculine ou Oestrogène

FOLLICULINE: Nom dérivé de follicule

OESTRO: Origine grecque, *oestrus* = ponte d'un ovule

La folliculine, ou hormones oestrogènes, assure la prolifération des cellules de l'endomètre. Les oestrogènes sont sécrétés par les ovaires, libérés en permanence dans le sang, ils assurent le développement des caractères sexuels féminins.

Lutéine ou Progestérone

PRO: En avant

La progestérone prépare la muqueuse de l'utérus pour l'implantation de l'oeuf et prépare la glande mammaire à la lactation. La progestérone est sécrétée par les ovaires.

Prolactine

PRO: En avant

LACTINE: Sécrétion lactée (lait)

La prolactine est une hormone sécrétée par l'hypophyse. La prolactine fait démarrer la sécrétion lactée des glandes mammaires.

Ocytocine

OKUS: Mot grec = rapide

TOKOS: Mot grec = accouchement

L'ocytocine est une hormone sécrétée par l'hypophyse. L'ocytocine entretient la sécrétion lactée des glandes mammaires.

8.2
Gynécologie

A) TROUBLES FONCTIONNELS

Métrorragie

METRO: Utérus
RRAGIE: Origine grecque, *regnumi* = je jaillis, idée d'écoulement

Une métrorragie est une hémorragie de l'utérus survenant en dehors des règles.

Dysménorrhée

DYS: Difficulté
MENS: Mois
RRHEE: Écoulement
MENORRHEE: Règles, menstruations

La dysménorrhée est le terme qui désigne des menstruations difficiles et douloureuses.

Aménorrhée

A: Manque, absence
MÉNORRHÉE: Règles, menstruations

L'aménorrhée est l'absence de règles.

Ménorragie

MENS: Mois
RRAGIE: Je jaillis, idée d'écoulement

La ménorragie est l'exagération de l'écoulement des règles soit en quantité, soit en durée.

Polyménorrhée

POLY: Beaucoup
MÉNORRHÉE: Menstruation, règle

Le terme polyménorrhée désigne une menstruation trop fréquente.

Oligoménorrhée

OLIGO: Peu
MÉNORRHÉE: Menstruation

L'oligoménorrhée est une menstruation peu abondante.

Leucorrhée

LEUCO: Blanc
RRHEE: Écoulement

La leucorrhée est l'écoulement pathologique d'un liquide blanc hors de l'appareil génital féminin. La leucorrhée est communément appelée: *perte blanche.* Il y a plusieurs variétés de leucorrhée.

☐ *Leucorrhée de la petite fille:* due à la négligence des soins hygiéniques.

☐ *Leucorrhée pubertoire:* pertes blanches qui apparaissent à la puberté, elles disparaissent lorsque le cycle est devenu rythmique.

☐ *Leucorrhée de la femme en âge d'activités sexuelles:* les pertes sont épaisses au début du cycle, translucides et filantes à l'ovulation, disparaissant ensuite jusqu'aux règles.

☐ *Leucorrhée de la femme ménopausée:* la leucorrhée se substitue aux règles et disparaît avec la sénilité.

B)   TROUBLES DE LA SEXUALITÉ

Dyspareunie

DYS: Difficulté
PAREUNIE: Accouplement

La dyspareunie est une douleur causée par le coït. Elle peut être causée par un hymen épais, une étroitesse de l'orifice vaginal, une infection vulvaire (vulve) ou des problèmes psychologiques.

Vaginisme ou
Vaginodynie

VAGIN: Organe sexuel chez la femme
ODYNIE: Douleur

Le vaginisme est une contraction spasmodique douloureuse, anormale du vagin lors de la copulation. Le vaginisme peut être dû à l'inflammation de la vulve, ou tout aussi bien d'ordre névrotique.

Frigidité

FRIGIDUS: Froid

La frigidité est un trouble du désir et du plaisir sexuel. La frigidité est due à des troubles hormonaux, ou psychiques.

À noter: L'éducation sexuelle déficiente peut être une cause de la frigidité.

C) DÉVIATIONS DE L'UTÉRUS

Rétroversion

RETRO: Retour, vers l'arrière

La rétroversion est le déplacement global de l'utérus vers l'arrière. Le corps utérin est basculé en arrière alors que le col remonte vers le haut.

Rétroflexion

RETRO: Retour, vers l'arrière

La rétroflexion est une déviation dans laquelle le corps utérin forme avec le col un angle vers l'arrière.

Antéflexion

ANTE: En avant

L'antéflexion est le déplacement du corps utérin vers l'avant, alors que le col garde sa position initiale.

Prolapsus

PRO: En avant, qui précède

Le prolapsus est la descente de l'utérus dans le vagin. L'utérus en descendant entraîne avec lui les parois vaginales, la vessie et parfois la paroi antérieure du rectum.

D) INFECTIONS SPÉCIFIQUES ET NON SPÉCIFIQUES

Métrite

METRO: Utérus
ITE: Inflammation

Une métrite est une inflammation de la muqueuse de l'utérus.

Endométrite

ENDOMÈTRE: Muqueuse de l'utérus
ITE: Inflammation

Une endométrite est l'inflammation de la muqueuse utérine.
    Une endométrite est une métrite chronique dans laquelle la surface de la muqueuse est parsemée de petits kystes.

Salpingite

SALPINX: Origine grecque = trompe
ITE: Inflammation

Une salpingite est l'inflammation de la trompe utérine.

Annexite

ANNEXE: Les annexes de l'utérus sont les trompes et les ovaires
ITE: Inflammation

Une annexite est l'inflammation de la trompe et de l'ovaire.

Ovarite

OVAIRE: Organe sexuel de la femme
ITE: Inflammation

L'ovarite est l'inflammation de l'ovaire accompagnant généralement la salpingite.

Cervicite

CERVICO: Col de l'utérus
ITE: Inflammation

Une cervicite est l'inflammation du col utérin; c'est une métrite localisée au col.

Cervico-vaginite

CERVICO: Col de l'utérus
VAGIN: Organe sexuel de la femme
ITE: Inflammation

Une cervico-vaginite est l'inflammation du col utérin et de la région voisine de la muqueuse vaginale.

Vaginite à trichomonas

VAGINITE: Infection du vagin
TRICHOMONAS: Organisme unicellulaire muni d'une membrane ondulante

Le trichomonas serait à l'origine de 90 % des vaginites. Ce microbe croît avec l'acidité du vagin. Cette infection se transmet lors des rapports sexuels.

Vaginite à monilia

VAGINITE: Infection du vagin
MONILIA: Champignon pathogène

Le monilia est un champignon pathogène qui s'accroît pendant la grossesse car le milieu vaginal lui est favorable. La vaginite à monilia est fréquente chez la femme enceinte.

Vulvite

VULVE: Fente verticale bordée par les lèvres
ITE: Inflammation

La vulvite est l'inflammation de l'une ou de plusieurs des parties anatomiques qui constituent la vulve.

Vulvo-vaginite

VULVO: Vulve
VAGIN: Organe sexuel chez la femme
ITE: Inflammation

La vulvo-vaginite est l'inflammation de la vulve et du vagin; s'accompagnant souvent d'urétrite et se manifestant surtout par l'hypersécrétion de la muqueuse.

Les vaginites de la petite fille sont dues à la contamination par les matières fécales.

Chez la femme ménopausée, les transformations de la ménopause favorisent la venue d'infections vaginales; la muqueuse atrophiée se défend mal contre l'infection.

Bartholinite

GLANDE DE BARTHOLIN: Glande qui lubrifie le vagin
ITE: Inflammation

Bartholinite est le terme qui désigne l'infection de la glande de Bartholin aiguë ou chronique. Cette infection se manifeste par une tuméfaction qui peut aller jusqu'à la grosseur d'un oeuf.

E) TUMEURS BÉNIGNES

Kyste de la glande de Bartholin

KYSTE: Cavité molle, contenant une substance liquide
GLANDE DE BARTHOLIN: Glande qui lubrifie le vagin

Le kyste de la glande de Bartholin est une tumeur secondaire à une infection.

Le kyste contient un liquide clair mucoïde et ne donne pratiquement aucun symptôme. Si sa grosseur gêne il peut être enlevé ou incisé.

Kyste sébacé des lèvres

KYSTE: Cavité molle contenant une substance liquide

LÈVRES: Les grandes et les petites lèvres bordent la vulve

Le kyste sébacé des grandes et des petites lèvres survient à la suite d'occlusion des canaux des glandes sébacées (cf. dermatologie, p. 374). Ces kystes sont fermes au toucher, mobiles et asymptomatiques s'ils ne sont pas affectés.

Condylome acuminé

CONDYLE: Origine grecque, *kondylos* = renflement articulaire
OME: Tumeur, tuméfaction
ACUMINE: Pointu

Les condylomes acuminés sont des végétations d'origine virale (virus) en chou-fleur ou en crête de coq.

Ces excroissances sont contagieuses et envahissent la vulve et le périnée.

Polype

POLYPE: Tumeur bénigne

Les polypes du col et de l'utérus sont des tumeurs pédiculées (pédicule = tige) formées aux dépens de la muqueuse utérine et endocervicale (intérieur du col).

Fibrome utérin

FIBROME: Tumeur constituée de fibres
UTÉRIN: Adjectif dérivé de utérus

Le fibrome utérin est une tumeur formée de tissus conjonctifs et de tissus musculaires lisses.

Endométriose

ENDOMÈTRE: Muqueuse de l'utérus
OSE: État, phénomène qui se produit

L'endométriose est une affection caractérisée par la présence de tumeur formée d'éléments identiques à ceux de la muqueuse utérine se retrouvant à l'ovaire, dans la trompe, sur le col, sur le vagin, sur les ligaments. (Chez la femme entre 20 et 30 ans.) Les îlots endométriotiques subissent les mêmes influences ovariennes que l'endomètre utérin; ils s'hypertrophient, sécrètent, desquament et saignent à chaque cycle menstruel. L'endométriose ovarienne peut se manifester par la présence de kystes, de

dimension assez considérable, parfois asymptomatiques. Ils peuvent causer des douleurs pelviennes. L'endométriose de la
trompe est cause de stérilité.

F) TUMEURS MALIGNES

Carcinome du col

CARCINO: Origine grecque,
karkinos = crabe, cancer
OME: Tumeur
COL: Col de l'utérus

Le carcinome du col est une tumeur maligne qui se présente
sous la forme de module, d'ulcération profonde.
Ce cancer est très fréquent chez les femmes de 35 à 45 ans.

Adénocarcinome

ADENO: Glande
CARCINO: Cancer
OME: Tumeur

L'adénocarcinome est le cancer du corps utérin, c'est un épithélioma (cf. histologie, p. 55) de l'endomètre.
Ce cancer survient après la ménopause, il est moins fréquent
que le cancer du col.

Hirsutisme

HIRSUTUS: Mot latin = velu

L'hirsutisme est une affection acquise causée par le développement d'une tumeur maligne de la corticosurrénale (cf. glande
endocrine, p. 272) chez la femme.
Cette maladie est caractérisée par l'embonpoint, le durcissement des traits, l'apparition de poils aux lèvres, au menton, sur
les membres.

8.3
Maladies des seins

Mastite

MASTOS: Origine grecque = mamelle
ITE: Inflammation

Une mastite est une inflammation des mamelles.

La mastite kystique est une maladie du sein caractérisée par la formation de nombreux kystes fibreux autour des conduits excréteurs. Cette maladie est souvent précancéreuse. Une biopsie est recommandée.

Maladie de Paget du mamelon

MAMELON: Saillie de la partie centrale de la mamelle

La maladie de Paget est une affection du mamelon observée chez les femmes de 40 ans et plus se caractérisant par des lésions de la peau à peu près identiques à l'eczéma puis par une infiltration cancéreuse progressive de la glande mammaire.

Fissure du mamelon

FISSURE: Fente ou crevasse pouvant siéger en divers points du corps
MAMELON: Saillie de la partie centrale de la glande mammaire

La fissure du mamelon est une inflammation qui survient surtout chez la nourrice. Elle est caractérisée par une ulcération douloureuse s'accompagnant de saignement au niveau du mamelon.

8.4
Chirurgie de l'appareil génital de la femme

A) CHIRURGIE DU VAGIN ET DE LA VULVE

Columnisation du vagin

COLUMNA: Colonne

La columnisation du vagin est le tamponnement complet du vagin employé pour combattre la congestion et l'inflammation de l'utérus et des tissus voisins.

Pessaire

PESSAIRE: Origine grecque = pièce d'un jeu

Le pessaire est un instrument que l'on introduit dans le vagin pour maintenir l'utérus à sa place normale lorsque cet organe est déplacé. (Dans les cas de déviation de l'utérus.)

Clitoridectomie

CLITORIS: Organe érectile de la femme
ECTOMIE: Ablation, résection

La clitoridectomie est l'ablation du clitoris.

Vulvectomie

VULVO: Vulve
ECTOMIE: Ablation, résection

La vulvectomie est la résection partielle ou totale de la vulve.

Épisiorraphie

EPISIO: Pubis
ORRAPHIE: Suture

Une épisiorraphie est une opération qui consiste à oblitérer le vagin en suturant les faces internes des grandes lèvres.

Colpectomie

COLPO: vagin
ECTOMIE: Ablation

La colpectomie est l'ablation du vagin, pratiquée pour remédier au prolapsus utérin. Cette opération consiste à suturer les parois vaginales entre elles après l'ablation préalable de leur muqueuse. La colpectomie peut être totale ou sub-totale.

331

Colpotomie ou
Élytrotomie

ELYTRO: Vagin
COLPO: Vagin
TOMIE: Incision, section

La colpotomie est l'incision du vagin, pratiquée le plus souvent pour évacuer une collection de pus.

Colporraphie ou
Élytrorraphie

ÉLYTRO: Vagin
COLPO: Vagin
RRAPHIE: Suture

Une colporraphie est une suture de la muqueuse vaginale.

Colpopexie

COLPO: Vagin
PEXIE: Fixation

Une colpexie est la fixation du vagin. Cette opération est pratiquée pour remédier à un prolapsus vaginal.

Colpoplastie ou
ÉLYTROPLASTIE

COLPO: Vagin
ELYTRO: Vagin
PLASTIE: Réparation, restauration

La colpoplastie est la reconstitution du vagin au moyen d'une greffe. C'est la création d'un vagin artificiel pour remédier à l'absence congénitale de ce conduit.

Colpo-périnéoplastie

COLPO: Vagin
PERINE(O): Périnée
PÉRINÉE: Région comprise entre l'anus et le vagin
PLASTIE: Réparation, restauration

Une colpo-périnéoplastie est une opération destinée à augmenter l'épaisseur du périnée en diminuant l'orifice vulvaire. Elle a pour but de remédier au prolapsus vaginal.

B) CHIRURGIE DE L'UTÉRUS

Électrocoagulation du col utérin

ELECTRO: Électricité
COAGULATION: Transformation d'un liquide en une masse solide

L'électrocoagulation est une méthode qui consiste à utiliser une chaleur excessive en faisant passer un courant de haute fréquence dans le but de modifier un tissu en passant par la carbonisation, à la coagulation du protoplasme cellulaire.

Hystérectomie

HYSTERO: Matrice, utérus
ECTOMIE: Ablation

L'hystérectomie est l'ablation totale ou partielle de l'utérus.

Hystérotomie ou Métrotomie

HYSTERO: Utérus, matrice
METRO: Utérus, matrice
TOMIE: Incision

Une hystérotomie est une incision de l'utérus. (Césarienne lors d'un accouchement difficile.)

Hystéropexie

HYSTERO: Utérus
PEXIE: Fixation

L'hystéropexie est la fixation de l'utérus à la paroi abdominale antérieure pour remédier à la rétroflexion ou au prolapsus.

Le chirurgien pratiquera une colpo-hystéropexie, qui consistera à fixer le col utérin à la paroi postérieure du vagin, dans certains cas de déviation de l'utérus.

Curettage ou Curetage utérin

CURAGE: Action de curer, de nettoyer

Le curetage est une opération qui consiste à dépouiller l'utérus de sa muqueuse malade ou de certains produits morbides (pus, caillot) à l'aide d'un instrument appelé curette.

C) CHIRURGIE DES OVAIRES ET DES TROMPES

Ovariectomie

OVAIRE: Organe reproducteur de la femme
ECTOMIE: Ablation

L'ovariectomie est l'ablation des ovaires. Ce terme est moins utilisé que: ovariotomie, bien qu'il soit plus exact.

Ovariotomie

OVARIUM: Ovaire
TOMIE: Incision, section

Une ovariotomie est une opération qui consiste à enlever les ovaires. Ce mot s'emploie surtout pour désigner l'ablation complète d'un kyste ovarien.

Salpingo-ovariopexie

SALPINX: Trompe de Fallope
OVARIO: Ovaire
PEXIE: Fixation

La salpingo-ovariopexie est la fixation de l'ovaire à la trompe.

Salpingectomie

SALPINX: Trompe de Fallope
ECTOMIE: Ablation

La salpingectomie est l'ablation de l'une ou des deux trompes utérines.

Salpingotomie

SALPINX: Trompe de Fallope
TOMIE: Incision

La salpingotomie est l'ouverture d'une trompe kystique.

Salpingoplastie

SALPINX: Trompe de Fallope
PLASTIE: Réparation, restauration

Une salpingoplastie est une opération réparatrice d'une trompe de Fallope, destinée en particulier à rétablir sa perméabilité.

Ligamentopexie

LIGAMENTUM: Bande
PEXIE: Fixation

La ligamentopexie est le nom donné aux diverses opérations qui consistent à raccourcir les ligaments ronds dans le but de corriger la rétrodéviation de l'utérus.

Ligature des trompes

LIGARE: Lier
TROMPES: Les trompes utérines ou trompes de Fallope sont deux tubes qui s'étendent de l'utérus à l'ovaire et qui captent l'ovule.

La ligature des trompes consiste à couper et à ligaturer les trompes de façon que l'ovule ne puisse plus être rejoint par le spermatozoïde.

La ligature des trompes s'effectue en 3 temps:
    a)   le chirurgien pratique une laparotomie;
    b)   il sectionne les trompes de Fallope;
    c)   il ligature les extrémités distales. (Distale de distance; extrémités distales ou extrémités éloignées.)

D) CHIRURGIE DES SEINS

Mastectomie   *MASTOS:* Mamelle
                        ECTOMIE: Ablation

La mastectomie est l'ablation de la glande mammaire.

La mastectomie radicale est l'ablation de la glande mammaire avec évidement de l'aisselle.

Exercice
de compréhension

(50 points)

I - Comment nomme-t-on:

1- L'ablation de la glande mammaire?
2- L'intervention chirurgicale qui consiste à raccourcir les ligaments de l'utérus dans le but de corriger une rétrodéviation?
3- L'ouverture d'une trompe utérine?
4- La fixation de l'ovaire à la trompe?
5- L'ablation d'un kyste ovarien?
6- L'ablation totale ou partielle de l'utérus?
7- Une suture de la muqueuse vaginale?
8- L'incision du vagin que l'on pratique pour évacuer une collection de pus?
9- Une inflammation des mamelles?
10- Le cancer du corps utérin?
11- Une affection caractérisée par la présence de tumeur formée d'éléments identiques à ceux de la muqueuse utérine?
12- Une inflammation de la vulve et du vagin?
13- Une inflammation du col de l'utérus?
14- Les deux racines qui désignent le vagin?
15- La racine qui désigne les trompes utérines?
16- Une inflammation de l'ovaire de la trompe utérine?
17- Une inflammation de la muqueuse utérine?
18- Le déplacement du corps utérin vers l'avant?
19- Le déplacement global de l'utérus vers l'arrière?
20- Des pertes blanches, chez la femme?
21- L'absence de règles?
22- Des menstruations douloureuses?
23- Une hémorragie de l'utérus survenant en dehors des règles?
24- L'hormone sécrétée par les ovaires, qui prépare l'implantation de l'oeuf?
25- L'hormone sécrétée par les ovaires qui assurent la prolifération des cellules de l'endomètre et le développement des caractères sexuels?

II - Écrire correctement, c'est-à-dire sans faute, chaque mot étudié concernant l'appareil génital féminin.

Si tu as réussi ce test avec une note de 95 %, tu peux passer à l'objectif suivant.

As-tu bien retenu la signification des racines suivantes:

gynéco, hystéro, métro, élytro, colpo, méno, mens, mensis, ov(o), pareunie, salpinx, cervico, acuminé, carcino, adéno, épisio
et de
endo, pause, pro, rragie, rhée, dys, poly, oligo, leuco, odynie, rétro, anté, ose?

Je te conseille de faire des regroupements de préfixes et de suffixes tels que:
temps et lieu, nombre et quantité, couleur, forme, etc.

Obstétrique

Objectif général

Associer à leur définition respective les termes relatifs
- à l'obstétrique
- à la chirurgie obstétricale

Objectifs spécifiques

8.1 Obstétrique

A) Conception

B) Pathologie de la grossesse

C) Pathologie de l'accouchement

D) Pathologie de suites de couches

E) Pathologie du nouveau-né

8.2 Chirurgie obstétricale

Introduction

Obstétrique

OBSTETRIX: Mot latin, = accoucheuse

L'obstétrique est la partie de la médecine qui s'occupe de la grossesse et de l'accouchement.

Obstétricien

OBSTETRIX: Mot latin = accoucheuse

L'obstétricien est le médecin qui pratique l'obstétrique.

Embryologie

EN: Dans
EMBRYO: Embryon
LOGIE: Science

L'embryologie est la science qui étudie le développement des organismes à partir de l'oeuf fécondé, jusqu'à la forme spécifique parfaite.

Embryologiste

EMBRYO: Embryon
LOGISTE: Spécialiste de

L'embryologiste ou embryologue est une personne qui s'occupe d'embryologie.

Génétique

GENE: Origine, génération, race, qui produit, qui engendre

La génétique est la science de l'hérédité, c'est-à-dire la science qui étudie la transmission des caractères des parents aux enfants.

LA FÉCONDATION

Division cellulaire

**Noyau du
spermatozoïde
et de l'ovule**

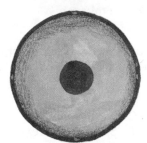

**Cellule primaire
ou cellule-souche
ou cellule unique**

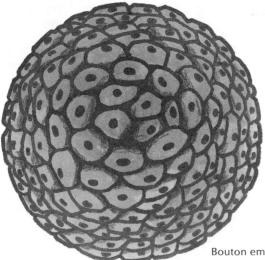

Bouton embryonnaire

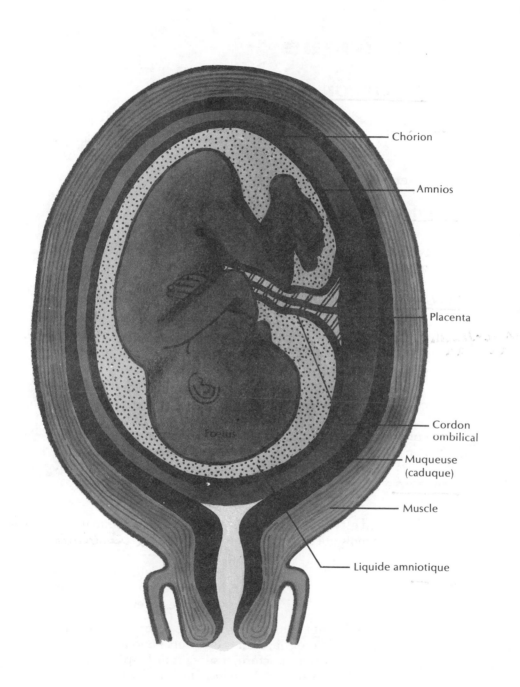

Chorion

Amnios

Placenta

Cordon ombilical

Muqueuse (caduque)

Muscle

Liquide amniotique

Foetus

fille = ♀ Mâle ♂   x + x = fille
x + Y = mâle

8.1
Obstétrique

A) CONCEPTION

Génital

GENE: Origine grecque = origine, race, génération, qui produit, qui engendre

Le terme génital désigne l'action d'engendrer.

Gonade *au ovaires*

GONO: Origine grecque, gonos = génération

Les gonades sont les glandes sexuelles. Les gonades masculines sont les testicules. Les gonades féminines sont les ovaires.

Fécondation

FÉCONDER: Origine latine, fecundare = rendre fertile, productif

Mâle + femelle
22   22
La cellule sexuelle mâle est le spermatozoïde; elle est produite par le testicule. La cellule sexuelle femelle est l'ovule; elle est produite par l'ovaire.

Les cellules sexuelles sont des demi-cellules; leur noyau ne contient que la moitié des chromosomes de l'espèce.

L'union de l'ovule et du spermatozoïde forme une cellule complète: l'oeuf. C'est la fécondation. L'oeuf effectue sa nidation dans l'utérus de la femelle. *3000 millions sperm.*

Embryon

EN: Dans
BRUEIN: Germer, croître

L'embryon est le nom donné à la masse cellulaire pendant les 2 *au 3* premiers mois qui suivent la conception. *= 12 semaines*

Foetus

FOETUS: Mot latin qui signifie: produit de la conception non encore arrivé à terme

Le foetus est le nom donné au produit de la conception à partir du 3e mois de vie utérine, c'est-à-dire vers l'époque où il commence à présenter les caractères distinctifs de l'espèce humaine.

À noter: Après 9 mois de gestation le bébé naît.

Gestation ou grossesse

GESTATION: Origine latine, *gestare* = porter

La grossesse est l'état de la femme enceinte qui débute avec la fécondation et se termine avec l'accouchement. *40 semaines 10 m.*

Accouchement

TOCIE: Origine grecque, *tohos* = accouchement

L'accouchement est l'acte par lequel une femme est délivrée du produit de la conception à une époque où le foetus est viable.

Puerpéralité ou
Post-partum *au*
suites de couches

PUERPÉRAL: Qui a rapport avec l'accouchement
POST: Après

La puerpéralité ou post-partum se définit comme la période d'une durée de six semaines (environ 40 jours), qui suit l'accouchement et se termine avec le retour des menstruations.

À noter: Nous disons également: les suites de couches.

Gravidopuerpéralité

GRAVIDO: Qui a rapport à la grossesse
PUERPÉRAL: Qui a rapport à l'accouchement

La gravidopuerpéralité comprend la grossesse, l'accouchement et le post-partum. *au suites*

Parturiente

PARTURIRE: Mot latin qui signifie accoucher
PARTURITION: Mot latin qui signifie accouchement naturel

Une parturiente est une femme qui accouche, femme en travail.

Primipare

PRIMI, PRIMO: Origine latine, *primus* = premier

Une primipare est une femme qui accouche pour la première fois.

Multipare

MULTI: Préfixe tiré du latin, *multus* = nombreux

Une multipare est une femme qui a eu deux ou plusieurs accouchements. *vue au col*

343

Eutocie

EU: Facile
TOCIE: Accouchement

Le terme eutocie désigne un accouchement facile.

Dystocie

DYS: Difficulté
TOCIE: Accouchement

Le terme dystocie désigne un accouchement difficile.

Lochies

LOKHOS: Origine grecque = femme en couches

Le terme lochies désigne un liquide plus ou moins épais et sanguinolent, qui s'écoule du vagin après l'accouchement.

Liquide amniotique *voir cahier*

AMNIO: Origine grecque, *amnion* = membrane du foetus

Le foetus est protégé par deux enveloppes: chorion et amnios. Le chorion est la membrane externe de l'oeuf qui adhère à la paroi utérine.

L'amnios est la membrane interne de l'oeuf, mince, transparente.

L'amnios forme une poche et sécrète le liquide amniotique.
Le foetus flotte dans le liquide amniotique.

Cordon ombilical

OMBILIC: Nombril

Le foetus est relié à l'organisme maternel par le cordon ombilical.

Placenta

PLACENTA: Mot latin signifiant gâteau
VILLOSITÉ: Petites saillies qui recouvrent certaines surfaces

Le placenta est formé de villosités, d'un lac sanguin et de vaisseaux sanguins.

Le placenta permet les échanges entre le sang du foetus et celui de la mère. Ce sont les échanges foeto-maternels.

Par l'intermédiaire du placenta, le foetus recevra les éléments nécessaires à la nutrition ainsi que l'oxygène dont il a besoin. Par son intermédiaire, le foetus se débarrassera du gaz carbonique et des déchets.

Le placenta sécrète des hormones telles: les gonadotrophines, les oestrogènes, la progestérone.

344

Enfant prématuré

PRÉMATURÉ: Qui mûrit avant le temps ordinaire

L'enfant prématuré est l'enfant né viable avant terme. *soit après 28 semaines, dont poids inférieur à 5 lbs*

Naissance vivante

Quand bébé vit, peu importe l'âge

NAÎTRE: Sortir du sein maternel et commencer une existence indépendante

VIVANTE: Adjectif dérivé du verbe vivre

La naissance vivante est l'expulsion ou l'extraction complète du corps de la mère, indépendamment de la durée de la gestation, d'un produit de la conception qui, après cette séparation, respire ou manifeste tout autre signe de vie, tel que battements du coeur, pulsation du cordon ombilical ou contraction effective d'un muscle soumis à la volonté.

Mort foetale[1] *ou*

Mort en naissance = après 20 semaines, bébé mort

FOETALE: Adjectif dérivé de foetus

La mort foetale est l'expulsion ou l'extraction complète du corps de la mère, après au moins *20 semaines de gestation*, d'un produit de conception qui, après cette séparation, ne respire ni ne manifeste des signes de vie, tels que battements du coeur, pulsation du cordon ombilical ou contraction effective d'un muscle soumis à la volonté.

À noter: Nous utilisons également le mot *mortinaissance* pour désigner la mort foetale.

Décès périnatal[1]

PERI: Autour

NATAL: Adjectif dérivé de naissance

Les décès périnataux englobent les morts foetales après 28 semaines de gestation ainsi que les décès qui surviennent au cours des 7 premiers jours de vie.

Période néonatale[1] *décès*

NEO: Nouveau

NATALE: Adjectif dérivé de naissance

La période néonatale débute dès la naissance et dure jusqu'au 28e jour de vie.

---

[1] Terminologie adoptée par le Conseil de la statistique de l'état civil du Canada.

Décès néonatal[1]

NEO: Nouveau

NATAL: Adjectif dérivé de naissance

Le décès néonatal est un décès survenant au cours des 28 premiers jours de vie.

Décès maternel[1]

MATERNEL: Adjectif dérivé du nom maternité

Le décès maternel est toute mort survenant chez la gestante ou s'échelonnant sur une période de 90 jours après l'accouchement.

B) PATHOLOGIE DE LA GROSSESSE

Hémorragie gravidique

HÉMORRAGIE: Écoulement, jaillissement de sang

GRAVIDIQUE: Qui a rapport à la grossesse

Les hémorragies gravidiques tirent leur origine de la cavité utérine et sont sous la dépendance directe du développement de l'oeuf.

Avortement

ABORTARE: Racine latine, *ortus* = né

AVORTEMENT: Fausse couche

L'avortement est l'expulsion du produit de la conception avant qu'il ne soit viable, c'est-à-dire avant 28 semaines ou 6 mois.

Les causes d'avortement sont multiples et plusieurs d'entre elles échappent encore à la science médicale.

À noter: Avortement est synonyme de fausse couche.

Avortement différé ou Grossesse interrompue

AVORTER: Expulser un oeuf non viable

Dans la grossesse interrompue, le foetus est mort dans l'utérus mais non expulsé; il y est retenu deux mois ou plus.

Les causes peuvent être les mêmes que l'avortement; dans un grand nombre de cas, aucune cause ne peut être mise en évidence.

Grossesse

~~Grosseur~~ extra-utérine ou Ectopique

EXTRA: En dehors
UTÉRIN: Adjectif dérivé de utérus
EC: En dehors
TOPO: Lieu

La grossesse extra-utérine ou ectopique est celle qui se développe en dehors de l'utérus.

Môle hydatiforme

MÔLE: Origine latine, *moles* = masse
HUDATIS: Cloque, cloche

La môle hydatiforme est une dégénérescence kystique au niveau des villosités du chorion (enveloppe qui protège le foetus), avec absence de vascularisation (vaisseaux sanguins). La môle hydatiforme se présente sous la forme d'un amas de petites vésicules.

Placenta praevia

PLACENTA: Lac et vaisseaux sanguins permettant les échanges foeto-maternels
PRAEVIA: Origine latine, *contractio* = contraction

Le placenta praevia ou implantation vicieuse du placenta est une anomalie du lieu d'implantation, qui fait que le placenta s'attache sur le segment inférieur de l'utérus.

Le placenta praevia peut être latéral, partiel, total ou marginal lorsque le placenta atteint l'orifice interne du col.

Éclampsie puerpérale

ECLAMPSIE: Faire explosion

L'éclampsie, communément appelée toxémie gravidique, est un désordre survenant surtout à partir du 7e mois de la grossesse, au moment de l'accouchement ou tôt en post-partum. L'éclampsie est due à une intoxication de la mère par les produits sécrétés par le foetus.

L'éclampsie est caractérisée par l'hypertension, l'oedème, albuminurie, et dans les cas sévères: convulsion et coma.

Hydramnios

HYDRO: Eau
AMNIO: Enveloppe du foetus

L'hydramnios est une complication de la grossesse qui consiste en un excès de liquide amniotique. Il peut être chronique et augmenter progressivement, ou aigu et augmenter très rapidement. *soe + utérus*

L'hydramnios peut conduire à la rupture prématurée des membranes et à l'accouchement avant terme.

Oligo-amnios

OLIGO: Peu

AMNIOS: Enveloppe du foetus

L'oligo-amnios est une complication qui consiste en une insuffisance du liquide amniotique, se traduisant par un moulage de la paroi utérine sur le foetus rendant les mouvements du foetus difficiles et empêchant son développement normal.

diminution

Maladies concomitantes

CON: Avec

CONCOMITANCE: Existence simultanée

CONCOMITANT: Qui accompagne

Certaines maladies contractées chez *de* la gestante, avant ou pendant la grossesse, peuvent nuire au déroulement normal de la grossesse.

Ces maladies sont: la syphilis, la rubéole, le diabète, la tuberculose, les maladies infectieuses aiguës, les cardiopathies, les infections des voies urinaires.

C) PATHOLOGIE DE L'ACCOUCHEMENT

Anomalie d'origine foetale

ANOMALIE: Ce qui n'est pas normal

FOETAL: Adjectif dérivé de foetus

Certaines malformations congénitales, la grosseur excessive de la tête ou des épaules, des anomalies de position et de présentations (présentation de front, de face, d'épaule, des fesses), amènent des difficultés à l'accouchement. *siège bras*

dystocie = acc. difficile

Bassin dystocique

BASSIN: Cf. p. 75

DYS: Difficulté

TOCIE: Accouchement

Le bassin de la parturiente est dystocique s'il est trop étroit. Selon le degré de déformation, cette anomalie peut entraver plus ou moins le passage du foetus.

Il est donc important que le médecin fasse une bonne évaluation du bassin au début de la grossesse.

Anomalie de la contraction utérine

rethme irregulier + éloigner sans effets sur col

CONTRACTION: Travail de l'utérus. L'utérus est un muscle creux qui en se contractant pousse sur son contenu
UTÉRIN: Adjectif dérivé de utérus

La contraction utérine est anormale lorsque son rythme est irrégulier et éloigné, sans beaucoup d'effet sur la dilatation (ouverture) du col. On exprime cette anomalie par le terme «inertie utérine».

La contraction est également anormale si elle est trop forte et sa fréquence trop grande.

Il y a anomalie lorsque le relâchement de l'utérus ne se fait pas complètement entre les contractions. On exprime cette anomalie par le terme: «hypertonie». (*Tonie:* tonus musculaire.)

Lacération et déchirure

LACERARE: Déchirer

Les complications accidentelles qui peuvent survenir lors de l'accouchement sont: les déchirures du périnée, du col, de la vulve et les ruptures utérines. Ces complications s'accompagnent d'hémorragie plus ou moins abondantes et sont traitées chirurgicalement.

Procidence du cordon

PRO: En avant
CORDON: Lien qui unit le foetus à la mère

Il y a procidence du cordon lorsque le cordon ombilical descend avant le foetus dans le col. Le cordon subit par le fait même une certaine compression qui empêche la circulation foeto-maternelle et provoque de l'anoxie et la mort du foetus. (*Anoxie:* manque d'oxygène.)

Décollement prématuré du placenta

PRÉMATURÉ: Avant le temps prévu
PLACENTA: Lac et vaisseaux sanguins permettant les échanges foeto-maternels

Le décollement prématuré du placenta est la séparation partielle ou totale du placenta avant la naissance (dernier mois de la grossesse).

Ce décollement prématuré va causer des hémorragies internes et externes.

Inversion utérine

INVERSER: Renverser. Changer le sens du courant
INVERSION: Action de mettre dans un sens opposé. Résultat de cette action

L'inversion est caractérisée par le retournement, en doigt de gant, de l'utérus qui s'envagine. Les causes de l'inversion peuvent être hors du contrôle de l'accoucheur comme elles peuvent dépendre directement de lui. *↓ ou infirmière*

D) PATHOLOGIE DES SUITES DE COUCHES

Utérus atone

A: Manque, absence
TONE: Effort, tension, tonus musculaire

L'utérus atone est un utérus paresseux qui refuse de se contracter après l'accouchement.

Hémorragie du post-partum immédiat

HÉMORRAGIE: Écoulement de sang
POST-PARTUM: Période qui suit l'accouchement

On désigne sous ce terme une perte sanguine considérable survenant dans les 24 heures qui suivent l'accouchement.

Hémorragie tardive

HÉMORRAGIE: Écoulement de sang
TARDIVE: Plus tard

On désigne sous ce terme une perte sanguine importante survenant dans la période du post-partum.

L'hémorragie se présente dans les 6 ou 10 jours qui suivent la période de délivrance et peut être accompagnée de symptômes infectieux.

Gerçure du mamelon

MAMELON: Parite centrale de la glande mammaire

GERÇURE: Crevasse

Les crevasses ou gerçures du mamelon sont des fissures au sommet du mamelon qui apparaissent aux premiers jours de l'allaitement.

Les gerçures du mamelon sont bénignes en elles-mêmes mais elles peuvent rendre l'allaitement impossible et entraîner une infection mammaire.

Agalactie ou Agalaxie

A: Manque, absence

GALACTO: Lait

L'agalactie est un manque de sécrétion lactée après l'accouchement.   ∨ de lait

Mastite

MAMELLE: Glande chargée de la sécrétion du lait

ITE: Inflammation

Une mastite est l'inflammation de la glande mammaire. Elle résulte souvent d'un manque d'hygiène au cours de l'allaitement. Le sein devient engorgé et douloureux.

L'abcès du sein peut survenir à la suite d'une mastite.

Lymphangite

LYMPHE: (Cf. système lymphatique, p. 174)

ANGIO: Vaisseau

ITE: Inflammation

Une lymphangite est l'inflammation des vaisseaux lymphatiques. Cette infection débute souvent vers le 4e ou le 5e jour après l'accouchement. Elle se manifeste par de la fièvre, des frissons, des céphalées, des sensations de cuisson dans le sein et dans la région axillaire correspondante. Une traînée rouge part du mamelon et se dirige vers l'aisselle. Cette région laisse voir des ganglions gros et douloureux.
œdémaciés +

Infection puerpérale

PUERPÉRAL: Qui concerne l'accouchement

L'infection puerpérale est une maladie fébrile caractérisée par une infection localisée ou généralisée, ayant pour point de départ la région pelvienne.

E) PATHOLOGIE DU NOUVEAU-NÉ

Anoxie

A: Manque, absence
OX(O): Oxygène

L'anoxie est le manque d'oxygène, l'absence de respiration du nouveau-né.

Lésion cérébrale

LÉSION: Altération d'un tissu ou d'un organe
CÉRÉBRAL: Adjectif dérivé de cerveau

Les lésions cérébrales apparaissent chez le nouveau-né à la suite d'extractions difficiles ou de manoeuvres traumatisantes (forceps).

Narcose

NARCOSE: Assoupissement, sommeil

Ce mot désigne surtout le sommeil artificiel. La narcose du nouveau-né est due à l'analgésie ou à l'anesthésie de la mère au cours du travail de l'accouchement. Les troubles respiratoires, à la naissance, sont souvent dus à la narcose.

Asphyxie du nouveau-né

ASPHYXIE: Difficulté, arrêt de la respiration

L'asphyxie du nouveau-né est un défaut d'oxygénation du sang foetal, causé soit par la compression du cordon, soit par la pauvreté en oxygène du sang maternel. C'est la cause la plus fréquente de l'état de mort apparente des nouveau-nés.
   On distingue:
   a) *l'asphyxie bleue*; au lieu de crier et de respirer, le bébé semble mort;
   b) *l'asphyxie blanche ou syncopale* qui entraîne la mort.

Céphalématome

CEPHALO: Tête
OME: Tuméfaction, tumeur

Le terme céphalématome désigne un épanchement sanguin sous entre le périoste et la surface externe d'un os du crâne; on peut le rencontrer sur le frontal, l'occipital, surtout sur les pariétaux.
   Le céphalématome est rarement constaté à la naissance; on le

remarque quelques jours plus tard, lorsqu'il forme une tumeur importante.

Le céphalématome se résorbe et disparaît vers la 6e semaine après la naissance.

Hémorragie intra-crânienne

HÉMORRAGIE: Écoulement de sang

INTRA: Intérieur

Les hémorragies intra-crâniennes sont consécutives à des traumatismes de l'accouchement par excès du volume du foetus, extraction de tête dernière, expulsion trop rapide, bassin étroit, etc.

Dystocique = →

Paralysie faciale

PARALYSIE: Absence de mouvements

FACIALE: Adjectif dérivé de face

Les paralysies faciales du nouveau-né sont le résultat de la compression du nerf facial lors de l'accouchement.

Paralysie brachiale

PARALYSIE: Absence de mouvements

BRACHIAL: Adjectif dérivé de bras

La paralysie brachiale se rencontre surtout au cours du dégagement des bras, dans les présentations du siège.

F_x = ## Fracture

multiples + diverses

FRACTURE: Voir appareil locomoteur, p. 86

Certaines fractures peuvent avoir lieu à la naissance.

Notons que l'enfoncement et la fracture du crâne sont des accidents exceptionnels; mais ils peuvent s'observer à la suite de compression ou d'application de forceps.

À la suite du dégagement des épaules d'un foetus excessivement gros ou lors de l'abaissement des bras dans l'accouchement par le siège, il peut se produire une fracture de la clavicule.

Les fractures chez le nouveau-né se cicatrisent très vite; un cal de qualité remarquable apparaît au bout d'une semaine.

8.2
Interventions obstétricales

Épisiotomie

EPISIO: Périnée
TOMIE: Incision
FOURCHETTE: Commissure postérieure située au-dessus du périnée

L'éposiotomie consiste en une incision faite dans le périnée au moment de l'accouchement pour faciliter la rapide sortie du foetus ou pour préserver les tissus de la parturiente.

Nous distinguons:

a) *l'épisiotomie médiane*, droite, de la fourchette vers l'anus;

b) *l'épisiotomie latérale,* horizontalement à travers la vulve;

c) *l'épisiotomie médio-latérale,* de la fourchette entre l'anus et l'ischion.

Forceps

FORCEPS: Mot latin qui signifie tenaille

Les forceps sont des instruments métalliques en forme de cuiller utilisés soit pour aider le foetus à se dégager au niveau de la vulve, soit pour diriger sa descente dans l'excavation.

Amniotomie

AMNIOS: Enveloppe de l'oeuf
TOMIE: Incision

L'amniotomie est un acte chirurgical par lequel le médecin perfore le sac membraneux qui entoure l'oeuf, pour laisser couler le liquide amniotique.

Version

Origine latine, *vertere* = tourner

La version est une manoeuvre qui consiste à substituer un pôle du foetus à l'autre lors de la présentation transversale.

Révision utérine

REVISER ou *RÉVISER:* Examiner de nouveau

La révision utérine est une manoeuvre par laquelle le médecin introduit une main dans l'utérus et retire les débris placentaires non expulsés.

Césarienne
CAEDERE: Couper

La césarienne réalise l'accouchement artificiel par l'ouverture chirurgicale de l'utérus.

La césarienne est dite *corporéale* lorsqu'elle est faite dans le corps de l'utérus; elle est dite *segmentaire* lorsqu'elle est faite dans le segment inférieur.

Exercice
de compréhension

(50 points)

I - Comment nomme-t-on:

1- L'acte chirurgical par lequel le médecin perfore l'enveloppe de l'oeuf?

2- La manoeuvre qui consiste à retirer manuellement les débris placentaires non expulsés?

3- La manoeuvre par laquelle le médecin déplace le foetus dans l'utérus?

4- Une incision faite dans le périnée au moment de l'accouchement?

5- Le manque d'oxygène chez le nouveau-né?

6- Le mot désignant la période qui suit l'accouchement?

7- Une complication de la grossesse consistant dans un excès de liquide amniotique?

8- Une anomalie d'implantation du placenta?

9- Une grossesse qui se développe en dehors de l'utérus?

10- Une grossesse anormale dans laquelle le foetus est mort dans l'utérus?

11- Une hémorragie survenant pendant le développement de l'oeuf? (grossesse)

12- Un décès survenant au cours des 28 premiers jours de vie?

13- Le nombril?

14- Le cordon qui relie la mère à l'enfant?

15- Un liquide qui s'écoule du vagin après l'accouchement?

16- La membrane externe de l'oeuf qui adhère à la paroi de l'utérus?

17- Un accouchement facile?

18- Un accouchement difficile?

19- Une femme qui a eu deux ou plusieurs accouchements?

20- Les deux racines qui ont rapport à l'accouchement?

21- Une femme qui accouche, une femme en travail?

22- Le nom donné à la masse cellulaire, pendant les deux premiers mois qui suivent la conception?

23- La science qui étudie le développement de l'embryon?

24- Le médecin, spécialiste qui accouche?

25- L'union de l'ovule et du spermatozoïde?

(50 points)

II - Orthographier correctement les termes relatifs à l'obstétrique.

Si tu as réussi ce test avec une note de 95 %, tu peux passer à l'objectif suivant.

As-tu mémorisé la signification des racines suivantes:

gène, gono, gestare, tocie, puerpéral, gravido, amnico,
hydro, narcose, céphalo
et de
en, ec, extra, intra, primi, primo, post, multi, eu, dys, péri,
néo, oligo, pro, ome?

Tu sais, la vie de l'homme ne commence pas à la naissance,
mais dans le ventre de sa mère.
Chaque nouveau citoyen du monde,
chaque nouvelle citoyenne de la terre
est une merveille!

Chapitre IX

ESTHÉSIOLOGIE

LA LANGUE

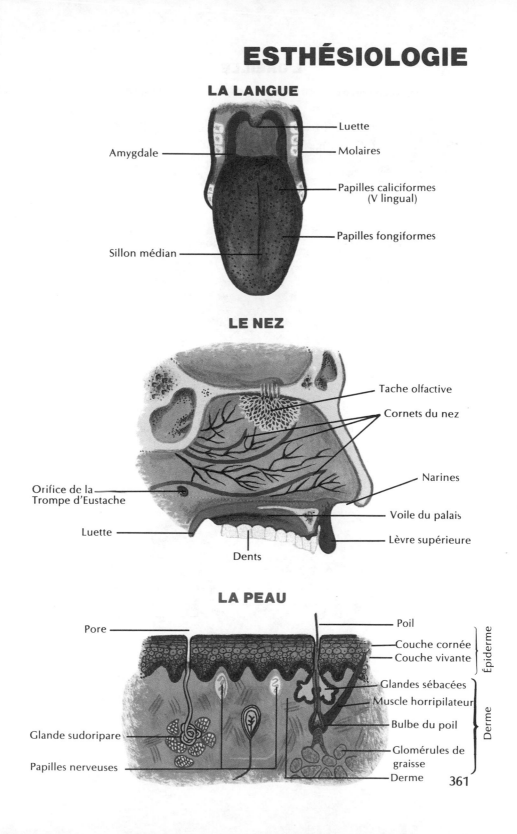

Amygdale

Luette

Molaires

Papilles caliciformes
(V lingual)

Papilles fongiformes

Sillon médian

LE NEZ

Tache olfactive

Cornets du nez

Orifice de la
Trompe d'Eustache

Narines

Voile du palais

Lèvre supérieure

Luette

Dents

LA PEAU

Pore

Poil

Couche cornée

Couche vivante

Épiderme

Glandes sébacées

Muscle horripilateur

Bulbe du poil

Glande sudoripare

Papilles nerveuses

Glomérules de
graisse

Derme

Derme

361

L'OREILLE

Oreille externe   **Oreille moyenne**   **Oreille interne**

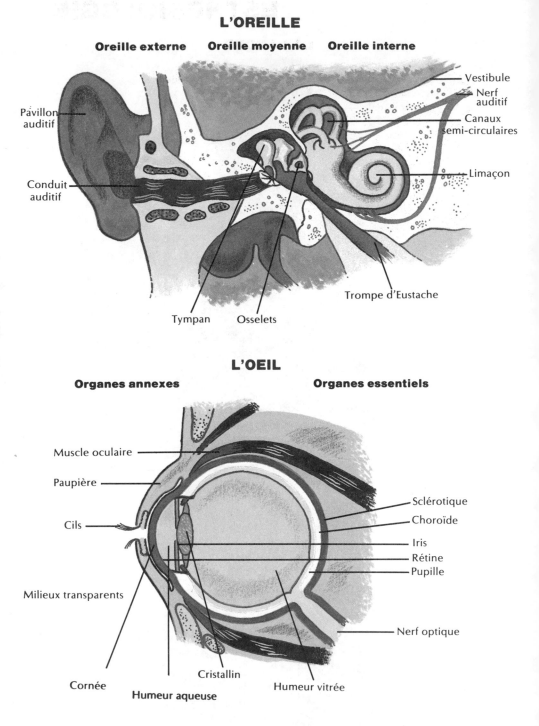

Pavillon auditif

Conduit auditif

Vestibule

Nerf auditif

Canaux semi-circulaires

Limaçon

Trompe d'Eustache

Tympan   Osselets

L'OEIL

Organes annexes   **Organes essentiels**

Muscle oculaire

Paupière

Cils

Milieux transparents

Cornée

Humeur aqueuse

Cristallin

Humeur vitrée

Sclérotique

Choroïde

Iris

Rétine

Pupille

Nerf optique

362

L'odorat et le goût

Objectif général

Associer à leur définition respective les termes relatifs à l'odorat et au goût.

Objectifs spécifiques

9.1 Notions d'anatomie et de physiologie

    A)   L'odorat

    B)   Le goût

9.2 Pathologie

    A)   De l'odorat

    B)   De la langue

Introduction

Esthésiologie

ESTHESIE: Origine grecque, *aisthêsis* = sensibilité, sensation, perception

SENSIBILITÉ: Faculté d'éprouver des sensations et d'y réagir immédiatement

LOGIE: Science, étude de

L'esthésiologie est l'étude des sens du corps humain.

Le sens est une faculté physiologique qui permet à l'aide d'organes spécialisés une sensibilité particulière.

La nomenclature des sens est la suivante: *le toucher; l'odorat; le goût; la vue; l'ouïe.*

9.1
Notions d'anatomie et de physiologie

A) L'ODORAT

Nez   *RHINO:* Racine qui désigne le nez

Le nez est l'organe de l'odorat.

Le nez est formé de 2 cavités qui communiquent à l'extérieur par les narines et à l'intérieur dans le pharynx (gorge).

Les deux cavités sont tapissées par une membrane appelée: *muqueuse pituitaire.* Cette muqueuse est très vascularisée, ce qui permet le réchauffement de l'air que l'on respire. Elle dispose en outre de cils vibratiles qui empêchent l'entrée des poussières et des microbes.

Les deux cavités comportent le nerf olfactif qui transmet les odeurs au cerveau. La fente se rétrécit et est appelée: *fente olfactive.*

À noter: Nous disons appareil olfactif; pour désigner l'odorat.

Olfaction   *OLFACERE:* Flairer

L'olfaction est l'exercice du sens de l'odorat.

Olfactométrie   *OLFACTION:* Sens de l'odorat
                                  METRIE: Mesure

L'olfactométrie est la mesure de la concentration minima d'une substance capable de provoquer une sensation olfactive (odeur).

B) LE GOÛT

Langue   *GLOSSO:* Racine qui désigne la langue

La langue est l'organe du goût.

La langue est un organe formé par un ensemble de muscles dont les contractions permettent la mastication des aliments et l'articulation du langage.

Le goût a pour siège les papilles de la langue: papilles gustatives. Ces papilles sont de petits amas de cellules spéciales.

Le nerf glosso-pharyngien qui est le nerf de la langue et de la gorge conduit l'impression au cerveau: saveur amère, sucrée, salée et acide.

À noter: L'odorat et le goût s'influencent mutuellement.

9.2
Pathologie

A) DE L'ODORAT

Ozène   OZÈNE: Sentir mauvais

L'ozène est une affection de la muqueuse nasale; une croûte brune tapisse les parois des fosses nasales. L'odeur est fétide.
À noter: Le nez sec ne perçoit pas d'odeur.

Anosmie   AN: Manque, absence
                                     OSMIE: Origine grecque, *ôsmos* = impulsion, odeur

L'anosmie est une diminution ou une perte complète de l'odorat.

B) DE LA LANGUE

Glossite   GLOSSO: Langue
                                     ITE: Inflammation

Une glossite est une inflammation de la langue.

Glossodynie   GLOSSO: Langue
                                     ODYNIE: Douleur, souffrance

On réserve souvent le nom de glossodynie à une névralgie spéciale de la langue, remarquable par la fixité du point douloureux et se rencontrant en particulier chez les arthritiques névropathes.
Nous disons aussi «topoalgie» *TOPO:* lieu; *ALGIE:* douleur.

Anorexie   A: Manque, absence
                                     OREXIE: Appétit

L'anorexie est la perte ou la diminution de l'appétit.

Agueusie   A: Manque, absence
                                     GUEUSIE: Origine grecque, *gueusis* = goût

L'agueusie est la diminution ou l'absence complète du sens du goût.

Aphasie ou Aphémie

A: Manque, absence
PHASIE: Parole, langage
PHEMIE: Parole, langage

L'aphasie est la perte du langage, de la parole. Aphémie est synonyme de aphasie.

À noter: Ne pas confondre avec aphonie: perte de la voix (cf. appareil respiratoire, p. 197).

Exercice de compréhension

(50 points)

I - Comment nomme-t-on:

1- La diminution ou l'absence complète du sens du goût?
2- La perte de la parole?
3- La racine qui désigne le goût?
4- L'affection de la muqueuse nasale caractérisée par une croûte brune et une odeur fétide?
5- Une diminution ou une perte complète de l'odorat?
6- Une inflammation de la langue?
7- La racine qui désigne la langue?
8- Une douleur, une névralgie de la langue?
9- La perte ou la diminution de l'appétit?
10- La racine qui désigne l'odeur?
11- Les racines qui désignent la douleur?
12- La racine qui désigne l'appétit?
13- Le nerf qui conduit les impressions des saveurs au cerveau?
14- Le siège du goût?
15- L'organe du goût?
16- L'exercice du sens de l'odorat?
17- L'organe de l'odorat?
18- Le nerf qui conduit les odeurs au cerveau?
19- La muqueuse qui tapisse les deux cavités du nez?
20- Le suffixe qui désigne la mesure?
21- La racine qui désigne le nez?
22- La racine qui désigne la sensation, la perception, la sensibilité?
23- La faculté d'éprouver des sensations et d'y réagir immédiatement?
24- L'étude des sens du corps humain?
25- Une faculté physiologique qui permet à l'aide d'organes spécialisés une sensibilité particulière?

II - Orthographier correctement les termes relatifs à l'odorat et au goût.

Si tu as réussi ce test avec une note de 95 %, tu peux passer à l'objectif suivant.

As-tu mémorisé la signification des racines suivantes:

esthésie, rhino, olfacere, glosso, ozène, osmie, orexie,
gueusie, phasie, phémie
et de
a, an, odynie, algie, ite?

Tu connais les trois racines
qui désignent la parole, c'est-à-dire le langage:

logo, phasie, phémie.

Le toucher

Objectif général

Associer à leur définition respective les termes relatifs aux maladies de la peau et des phanères.

A) Maladies de la peau
B) Chirurgie

Objectifs spécifiques

9.1 Notions d'anatomie et de physiologie
   A) La peau
   B) Les phanères
9.2 Pathologie
   A) Pathologie relative à la peau
   B) Pathologie relative aux phanères
9.3 Chirurgie de la peau et des phanères

Introduction

Dermatologie

DERMATO: Peau
LOGIE: Science, étude de

La dermatologie est l'étude de la peau et des muqueuses et de leur pathologie.

Dermatologue

DERMATO: Peau
LOGUE: Spécialiste
LOGISTE: Spécialiste

Le dermatologiste ou dermatologue est le médecin spécialiste des maladies de la peau.

9.1
Notions d'anatomie et de physiologie

A) LA PEAU

Toucher

TOUCHER: Sens du tact
TACTUS: Mot latin = action de toucher
TACTILE: Adjectif dérivé de tact

Le toucher est le sens qui permet de prendre conscience de la forme, de la consistance et des limites des objets. Le toucher s'exerce par la peau.

À noter: Le tact est le sens du toucher. Le tact est le premier sens qui se développe et le dernier qui s'éteint.

Muqueuse

MUCOSUS: Mucosité
MUCUS: Morve

La peau recouvre le corps humain. Elle est remplacée au niveau des orifices naturels par une membrane appelée muqueuse. Nous distinguons les muqueuses suivantes: muqueuse buccale (bouche), muqueuse nasale (nez), muqueuse palpébrale (paupières), muqueuse anale (anus), muqueuse génitale (organes génitaux).

Les muqueuses sécrètent une excrétion visqueuse appelée mucus.

Peau

DERMATO: Racine qui désigne la peau

La peau ou tégument est l'organe du toucher. C'est l'enveloppe recouvrant toute la surface du corps.

La peau est formée par la superposition de trois tissus: l'épiderme, le derme et l'hypoderme.

Épiderme

EPI: Au-dessus
DERME: Peau

L'épiderme est la surface de la peau. L'épiderme est constitué de cellules épithéliales et la couche la plus externe est la couche cornée, riche en kératine. (Substance durcie.)

Derme

DERME: Peau

Le derme est logé sous l'épiderme, formé de tissu conjonctif riche en vaisseaux sanguins.

Hypoderme

HYPO: Au-dessous
DERME: Peau

L'hypoderme est la partie la plus profonde de la peau; la partie la plus vascularisée.

L'hypoderme constitue la doublure du derme; il comprend le tissu adipeux (graisse) limité par une membrane fibreuse.

Nous disons également tissu sous-cutané.

Glande sudoripare

SUDARE: Suer

Les glandes sudoripares sont des petits tubes sécrétant la sueur. Elles sont situées dans l'épaisseur du derme qu'elles traversent par un canal excréteur, et viennent s'ouvrir à l'épiderme par une toute petite cavité appelée: pore sudoripare.

Ces glandes sont réparties à travers le corps au nombre de 2 à 3 millions. Elles sont cependant plus abondantes à la paume de la main, à la plante des pieds, aux aisselles. Ces glandes sécrètent la sueur; liquide comparable à de l'urine diluée.

Diaphorèse

DIAPHORÈSE: Origine grecque, *diaphorein* = faire transpirer

La diaphorèse est la transpiration: la fonction de la peau qui a pour résultat l'excrétion de la sueur.

Sudation

SUDARE: Suer

La sudation est la production de sueur dans un but thérapeutique.

Glande sébacée

SEBUM: Suif

Les glandes sébacées sont des glandes en grappes annexées aux poils par la base de ce dernier, sécrétant le *sébum*, liquide gras qui lubrifie l'épiderme et le poil. Ces glandes sont réparties par tout le corps sauf aux zones dépourvues de poils.

B) LES PHANÈRES

Phanère

PHANÈRE: Origine grecque, *phaneros* = apparent

Les phanères sont des formations cutanées ou épidermiques en saillie sur la peau qui s'enfoncent profondément dans le derme.

Les phanères sont: les cheveux, les poils et les ongles. (Cutané: adjectif signifie qui appartient à la peau.)

Cheveu

CHEVEU: Origine latine, *capillus* = poil de la tête

TRICHIE: Racine qui désigne le cheveu

Le cheveu est le poil de la tête dans l'espèce humaine.

Le cheveu a la même constitution anatomique que le poil.

Follicule pileux

FOLLIS: Sac
ULE: Petit

Le follicule pileux est un repli de l'épiderme sur lui-même formant un sac et contenant un poil.

Poil

PILUS: Mot latin signifie poil
TRICHIE: Racine qui désigne les cheveux et les poils

Les poils comportent une tige et une racine profondément implantées dans le derme.

Le poil occupe un puits dans lequel débouche une glande sébacée.

Les cellules sont imprégnées d'un pigment qui colore le poil.

Les poils s'insèrent obliquement dans la peau; la contraction d'un petit muscle les fait redresser sous l'influence du froid ou de la peur; c'est la chair de poule.

Il est à noter que le poil vieillit, tombe et est remplacé par un nouveau.

Ongle

ONICHO: Racine qui désigne les ongles

Un ongle est une plaque cornée, fixée à la phalangette des doigts et des orteils.

L'ongle est constitué de 3 parties:

a) *La racine*, placée sous la peau, lieu de formation de l'ongle.

b) *La lunule*, région plus pâle à la base de l'ongle.

c) *Le corps* qui recouvre la peau, son extrémité devient libre.

À noter: La pulpe est la peau normale du doigt sous l'ongle.

9.2
Pathologie

A) PATHOLOGIE RELATIVE À LA PEAU

Dermatose
DERMATO: Peau
OSE: État

Le terme dermatose est le nom générique de toutes les affections de la peau.
À noter: Dermopathie est synonyme de dermatose.

Dermatite
DERMATO: Peau
ITE: Inflammation

Une dermatite est une inflammation de la peau.
À noter: Dermite est synonyme de dermatite.

Acné
ACNÉ: Origine grecque, *akmê* = pointe

L'acné est une affection des follicules pileux et des glandes sébacées, provoquant une éruption cutanée de comédons, de papules, de pustules superficielles ou profondes.

Séborrhée
SEBUM: Substance huileuse sécrétée par les glandes sébacées
ORRHEE: Écoulement

Le terme séborrhée désigne une hypersécrétion de sébum produit par les glandes sébacées.

Comédon
COMEDERE: Origine latine = manger

Un comédon est une lésion des glandes sébacées, caractérisée par une petite saillie blanchâtre marquée au centre d'un point noir. Les comédons se retrouvent surtout à la face et spécialement sur le nez.

Papule
PAPULA: Bouton

Une papule est une lésion élémentaire de la peau, caractérisée par une élevure solide, de forme et de dimension variable. Les papules sont de couleurs rose, rouge ou plus rarement brune, qui disparaissent au bout d'un certain temps.

Pustule   *PUR(O):* Racine latine = pus

Une pustule est une petite élevure inflammatoire de l'épiderme qui contient du pus.

Vésicule   *VESICA:* Ampoule
                           ULE: Diminutif qui signifie petit

Une vésicule est une petite ampoule contenant du liquide. Une vésicule sur la peau est une petite élevure pleine de liquide.

Macule   *MACULA:* Tache

Une macule est une lésion élémentaire de la peau, consistant en une tache rouge de dimensions variables, qui disparaît momentanément par la pression du doigt.

Érythème   *ERYTHRO:* Rouge
                           ANTHEME: Floraison

Un érythème est une éruption de taches rouges sur la peau, disparaissant à la pression du doigt.

Exanthème   *EX:* Dehors
                           ANTHEME: Floraison

Un exanthème est une éruption de taches rouges sur la peau.

Eczéma   ECZÉMA: Origine grecque, *ekzema* = bouillonnement

L'eczéma est une affection aiguë ou chronique des couches superficielles de la peau. La peau devient rouge, ensuite de petites cloches se déclarent qui en gonflant provoquent de vives démangeaisons. Elles finissent par s'ouvrir, exsudant un liquide qui sèche sur la peau, formant une croûte qui s'écaille. Une nouvelle exsudation se produit et le processus recommence.

L'eczéma peut être causé par une hypersensibilité (allergie) ou résulter d'un empoisonnement, ou encore d'une sécrétion excessive des glandes sébacées. Il peut aussi être l'effet de troubles nerveux.

Urticaire

URTICA: Ortie

ORTIE: Plantes à poils produisant par le liquide qu'elles sécrètent une urtication de la peau qui les touche

L'urticaire est une éruption cutanée sous forme de petites cloches, provoquant de vives démangeaisons, produite par une réaction allergique à certains aliments. Ce trouble est tout à fait passager.

Phlyctène

PHLYCTÈNE: Mot d'origine grecque qui signifie bouillir

Le terme phlyctène désigne un soulèvement de l'épiderme, rempli de sérosité transparente.

Le terme sérosité désigne un liquide se coagulant, contenu dans la cavité des séreuses ainsi que dans les oedèmes (enflures).

Desquamation

SQUAMA: Écaille

Une desquamation est la destruction des couches superficielles de l'épiderme.

Les squames sont des lamelles épidermiques qui se détachent de la peau.

Kératodermie

KERATO: Corne

DERME: Peau

On réserve habituellement ce nom aux kératoses des mains. Le terme kératose désigne des lésions de la peau consistant en un épaississement de la couche cornée.

Il existe donc des kératodermies palmaires (paume de la main) et des kératodermies plantaires (plante du pied).

À noter: Le cor est l'épaississement de la couche cornée de l'épiderme, s'observant aux pieds, sur les points pressés par des chaussures trop étroites.

Naevus

NAEVUS: Tache

Le naevus forme une tache plus ou moins tuméfiée sur la peau. Le naevus pigmentaire contient de la mélanine et est brun; le naevus vasculaire est rougeâtre et dû à la prolifération des vaisseaux.

Herpès
HERPÈS: Origine grecque *herpein* = ramper, s'étendre de proche en proche

L'herpès se définit par un bouquet de vésicules sur un fond érythémateux siégeant le plus souvent aux orifices.

L'herpès simplex est communément appelé: «feu sauvage».

L'herpès accompagne souvent d'autres maladies, surtout les rhumes; certains facteurs hormonaux interviennent parfois, notamment lors des menstruations.

L'herpès zoster appelé «zona» est une maladie infectieuse éruptive, non contagieuse, affectant un trajet nerveux spécifique. (Papules disposées en plaques rosées ou rouge vif, séparées par des espaces de peau saine.)

La cause est un virus neurotrope, c'est-à-dire un virus qui a une affinité particulière avec le système nerveux.

Psoriasis
PSORA: Gale

Le psoriasis est souvent chronique et couvre de taches et de petites tuméfactions l'ensemble du corps ou plus particulièrement la peau de la tête, des coudes et des genoux. Les plaques sont couvertes de squames sèches. La cause est inconnue.

Ichtyose
ICHTYOSE: Origine grecque, *ikhthus* = poisson

L'ichtyose est une affection congénitale de la peau. La peau présente une kératinisation (corne) avancée, accompagnée d'une desquamation: son aspect rappelle les écailles des poissons. Très sèche, la peau ainsi atteinte offre un terrain propice à l'eczéma.

Pemphigus
PEMPHIGUS: Origine grecque, *pemphigx* = bulle

Le pemphigus est une dermatose caractérisée par la formation de vésicules remplies d'un liquide séreux. La cause est inconnue.

Lupus
LUPUS: Loup

Le lupus est une affection de la peau ayant une tendance envahissante et destructive. Ce terme désignait autrefois des lésions cancéreuses, syphilitiques, lépreuses, tuberculeuses.

Nous définissons actuellement le lupus comme une tuberculose cutanée.

À noter: Le terme lupus est une allusion à l'action rongeante de cette maladie.

Prurit

PRURIRE: Démanger
PRURIT: Démangeaison

Le prurit est un trouble fonctionnel des nerfs de la peau, produisant des démangeaisons et ne dépendant pas de lésions cutanées. Nous distinguons le prurit de l'anus, du scrotum, des narines, etc.

Prurigo

PRURIRE: Démanger
PRURIT: Démangeaison

Le prurigo est le nom générique donné à certaines affections de la peau, caractérisées par l'existence de papules assez volumineuses, recouvertes le plus souvent d'une petite croûte noirâtre produite par le grattage.

Verrue

VERRUCA: Tumeur bénigne de la peau

La verrue est une excroissance de l'épiderme qui se manifeste le plus fréquemment aux mains et au visage. Il est maintenant à peu près établi avec certitude que la verrue étant provoquée par un virus est contagieuse.

Hyperhidrose

HYPER: Excès, augmentation
HYDRO: Eau
OSE: État, phénomène qui se produit

L'hyperhidrose est caractérisé par une hypersécrétion des glandes sudoripares et sébacées.

Pieds d'athlète

Il s'agit de lésions siégeant aux plis des 4e et 5e orteils surtout et dans les plis de flexion. Elles se présentent sous forme d'une couche cornée avec parfois quelques vésicules qui confluent en une surface eczémateuse.

Chloasma

CHLOASMA: Origine grecque, *khloasma* = tache

Le chloasma se définit par des taches étalées, irrégulières, de teinte jaunâtre ou plus foncée. Ces taches siègent ordinairement à la figure.

Le chloasma est dû à une grossesse, à des troubles utéro-ovariens ou endocriniens.

Phlegmon

PHLEGMA: Buûler

Le phlegmon est une inflammation du tissu conjonctif due au streptocoque, aboutissant à l'abcès chaud.

B) PATHOLOGIE RELATIVE AUX PHANÈRES

Pelade

PELADE: Ce mot vient de «peler»

La pelade consiste en des taches de forme ovale ou ronde occupant le cuir chevelu et la barbe.

Trichose

TRICHIE: Poil, cheveu
OSE: État, phénomène qui se produit

Le terme trichose est le nom générique désignant les maladies et anomalies des poils et des cheveux.

Hypertrichose

HYPER: Plus, trop, surplus, exagéré
TRICHIE: Poil
OSE: État, phénomène qui se produit

L'hypertrichose est une difformité cutanée consistant en un développement excessif anormal du système pileux (des poils).

Hypertrichose est synonyme de polytrichie (beaucoup de poils) et de polytrichose.

Hypotrichose

HYPO: Peu, manque
TRICHIE: Poil, cheveu
OSE: État, phénomène qui se produit

L'hypotrichose est l'arrêt de développement des poils localisés à un endroit quelconque, ou s'étendant à toutes les régions pileuses.

Leucotrichie

LEUCO: Blanc
TRICHIE: Cheveu, poil

La leucotrichie est une décoloration congénitale des poils: blancheur des poils.

Oligotrichie

OLIGO: Peu
TRICHIE: Cheveu, poil

L'oligotrichie est le développement incomplet du système pileux (des poils).

Atrichie

A: Manque, absence
TRICHIE: Poil

L'atrichie est l'absence de poils.

Calvitie

CALVUS: Chauve

La calvitie est la chute des cheveux, l'absence plus ou moins complète et définitive des cheveux.
Une maladie infectieuse, un empoisonnement, la vieillesse, une pauvreté capillaire, l'hérédité peuvent causer la chute des cheveux.

Onychose

ONICHO: Ongle
OSE: État

Une onychose est le nom générique donné aux troubles concernant les ongles.

Onyxis

ONICHO: Ongle

L'onyxis est une inflammation du derme sous l'ongle, donnant lieu à une suppuration et une ulcération dans laquelle s'enfonce le bord de l'ongle.
Nous disons communément: ongle incarné.

Onychogryphose

ONICHO: Ongle
GRIFFE: Ongle crochu et tranchant
OSE: État, phénomène qui se produit

L'onychogryphose est une hypertrophie de l'ongle évoluant d'une façon irrégulière.

L'ongle devient très épaissi, prenant la forme d'une griffe. Les vieillards en sont surtout atteints.

Cyanose

CYANO: Bleu
OSE: État, phénomène qui se produit

Une cyanose est un état de la peau qui est bleu par suite d'un manque d'oxygène.

Acrocyanose

ACRO: Extrémité
CYANO: Bleu
OSE: État

Une acrocyanose est une cyanose permanente des extrémités, surtout des mains et des pieds.

9.3
Chirurgie de la peau et des phanères

Excision

EXCISION: Origine latine, *excideré* = couper

Une excision est l'enlèvement d'une partie peu volumineuse d'un tissu de la peau; bourgeon charnu, corps étranger.

Plastie

PLASTIE: Restauration, réparation

Le suffixe plastie désigne une réfection de tissu, c'est-à-dire une reconstruction à neuf.

Incision

INCISION: Origine latine, *incidere* = couper

Une incision est une ouverture de la peau avec un instrument tranchant.

Greffe

GREFFE: Origine latine, *graphium* = poinçon

Une greffe est l'implantation sur un individu d'une portion de tissu emprunté soit à lui-même soit à un autre individu.

Cautérisation

KAUTERION: Racine grecque = brûlure

La cautérisation est la destruction d'un tissu vivant à l'aide d'un caustique ou d'un cautère.
Un cautère est un instrument destiné à brûler les tissus.

Débridement

DÉBRIDEMENT: Action de débrider
DÉBRIDER: Ôter une bride

Le débridement est une opération consistant à ouvrir largement des foyers purulents ou à sectionner des filaments qui étranglent un organe. L'intestin par exemple, dans une hernie étranglée.

Onycectomie

ONICHO: Ongle
ECTOMIE: Ablation

L'onycectomie est l'ablation d'un ongle.

Exercice
de compréhension

(50 points)

I - Comment nomme-t-on:

1- L'enlèvement d'une partie d'un tissu?
2- Le suffixe qui désigne la reconstruction à neuf d'un tissu?
3- Une ouverture de la peau avec un instrument tranchant?
4- L'implantation d'une portion de tissu?
5- Un instrument destiné à brûler les tissus?
6- L'opération qui consiste à ouvrir des foyers purulents?
7- L'ablation d'un ongle?
8- La racine qui désigne l'ongle?
9- L'inflammation de la peau sous l'ongle?
10- L'absence de poil?
11- La maladie qui présente des taches de forme ovale ou ronde occupant le cuir chevelu et la barbe?
12- Le terme qui désigne des démangeaisons?
13- Le feu sauvage?
14- Une maladie infectieuse éruptive, non contagieuse, affectant un trajet nerveux?
15- Des lamelles épidermiques qui se détachent de la peau?
16- Un soulèvement de l'épiderme, rempli de sérosité transparente?
17- Une floraison, une éruption de taches rouges sur la peau?
18- Une éruption de taches rouges disparaissant à la pression du doigt?
19- Une petite élevure pleine de liquide?
20- Une hypersécrétion des glandes sébacées?
21- Une petite saillie blanchâtre marquée au centre d'un petit point noir?
22- Une petite élevure qui contient du pus?
23- La partie la plus profonde de la peau?
24- La partie la plus superficielle de la peau?
25- L'excrétion de la sueur?

(50 points)

II - Orthographier correctement les termes reliés à la peau.

Si tu as réussi ce test avec une note de 95 %, tu peux passer à l'objectif suivant.

As-tu mémorisé la signification des racines suivantes:

dermato, mucus, trichie, follis, pilus, onicho, vésica, macula, anthème, squama, kérato, naevus, chloasma, psora, prurit
et de
épi, hypo, ule, ose, orrhée, erythro, hyper, leuco, oligo?

Je te propose l'exercice suivant:
Relève tous les synonymes et contraires
rencontrés dans les chapitres précédents.

Système visuel

Objectif général

Associer à leur définition respective les termes relatifs au système visuel.

A) Maladies et affections
- oeil
- paupières

B) Chirurgie

Objectifs spécifiques

9.1 Notions d'anatomie et de physiologie

A) Organes annexes de l'oeil

B) Organes essentiels de l'oeil

C) Les milieux transparents

D) Vocabulaire relatif à la vision

9.2 Pathologie du système visuel

A) Troubles de la vision

B) Maladies de l'oeil

9.3 Chirurgie de l'oeil

Introduction

Ophtalmologie

OPHTALMO: Origine grecque, *ophtalmos* = oeil
LOGIE: Origine grecque, *logos* = science, étude

L'ophtalmologie est une partie de la médecine qui traite de l'oeil et de ses affections.

Ophtalmologiste

OPHTALMO: Origine grecque = oeil
OCULUS: Origine latine = oeil
LOGISTE: Spécialiste de

L'ophtalmologiste est un médecin spécialiste des maladies des yeux.

Nous disons aussi: un *ophtalmologue* ou un *oculiste*.

Optométrie

Opticien : marchand de Lunettes

OCULUS: Origine latine = oeil
OPIE, OPSIE: Origine grecque, *opsis* = vision
METRIE: Origine grecque; *metron* = mesure

L'optique est la partie de la physique qui étudie la lumière, ses propriétés, les lois de la vision.

L'optométrie est la partie de l'optique qui a trait à la vision.

Optométriste

OPSIE: Vision
METRIE: Mesure

L'optométriste est le spécialiste de la vue.

Opticien

OPSIE: Vision
OPTIQUE: Qui a rapport à la vision

Un opticien est un marchand d'instruments d'optique (lunettes, jumelles, etc.).

9.1
Notions d'anatomie et de physiologie

A) ORGANES ANNEXES DE L'OEIL

Globe oculaire

GLOBE: Corps sphérique (sphère)
OCULUS: Oeil
OCULAIRE: Qui a rapport à l'oeil

Le globe oculaire est logé dans une cavité osseuse appelée orbite. L'orbite est percée en arrière par des orifices pour les vaisseaux et les nerfs de l'oeil; et elle est ouverte en avant.

laisser passer

Paupières

BLEPHARO: Racine qui désigne les paupières

L'oeil est protégé par des replis de la peau appelés: paupières. Les paupières sont frangées de cils destinés à arrêter les poussières extérieures.

Conjonctive

CONJUNGERE: Réunir

La conjonctive est une membrane transparente qui prolonge les paupières et recouvre l'avant du globe oculaire. Les larmes sécrétées sont réparties sur la surface de la conjonctive par le mouvement des paupières.

Sourcil

SUPERCILIUM: Sourcil

Au-dessus des yeux se trouvent une rangée de poils dont le rôle est de faire dévier les gouttes de sueur du front afin qu'elles ne tombent pas dans l'oeil; ce sont les sourcils.

Glandes lacrymales

LACRYMA: Origine grecque = larme
DACRYO: Origine grecque, *da-kryon* = larme

La glande lacrymale est située dans l'orbite au-dessus et en dehors du globe oculaire. La glande lacrymale sécrète continuellement des larmes qui lubrifient l'oeil. Les larmes sont déversées par des canaux excréteurs; le surplus de larmes se déverse dans le nez par des conduits spéciaux (sac lacrymal, conduit lacrymal).

canaux excréteurs

389

Muscle oculaire

OCULUS: Oeil

OCULAIRE: Qui a rapport à l'oeil

Sur le globe oculaire s'attache latéralement les muscles moteurs oculaires. Ils sont au nombre de 6. *et sont attachés au globe*

Les muscles de l'oeil favorisent les mouvements de l'oeil; ils dirigent les deux (2) yeux sur un même point à la fois. Lorsque la coordination fait défaut, il y a strabisme (la personne louche).

B) ORGANES ESSENTIELS DE L'OEIL

Sclérotique

SCLERO: Dur, raide, fibreux

opaque • La sclérotique est une enveloppe du globe oculaire. C'est une membrane fibreuse, une couche opaque qui recouvre et protège l'oeil des chocs. *en avant*

La sclérotique fait place en avant à une membrane transparente appelée: *la cornée.* *(blanc de l'oeil)*

(Nous disons communément (le blanc de l'oeil.)

Choroïde

CHORION: Membrane

ÏDE: Qui ressemble

La choroïde est la 2e enveloppe de l'oeil; elle est riche en vaisseaux sanguins. *elle est noire*

La choroïde est noire et chargée d'absorber la lumière; elle empêche la lumière de traverser brusquement, elle filtre la lumière.

La choroïde forme l'*iris* en avant.

Iris

IRIDOS: Origine grecque = iris

se dilate L'iris entoure la pupille qui en s'ouvrant ou en se fermant
au se contrôle l'intensité de la lumière qui parvient à l'oeil.
contracte L'iris est pigmenté de différentes couleurs, selon les individus: brun, bleu, noir, gris, vert.

À noter: L'iris contient deux couches de muscles.

Pupille

CORIE: Origine grecque, *korê* = pupille

La pupille est un trou noir situé au centre de l'oeil; c'est l'ouverture centrale de l'iris.

La lumière pénètre dans l'oeil par la pupille.

Rétine

RÉTINE: Origine latine, *rete* = filet, réseau

La rétine est la 3e enveloppe de l'oeil; la plus en dedans de l'oeil. La rétine est une membrane nerveuse très sensible qui résulte de l'épanouissement du nerf optique.

La sensibilité n'est pas égale sur toute la surface de la rétine. La tache jaune, située sur l'axe optique de l'oeil, est le point hypersensible de cette membrane; les images qui se forment à son niveau sont particulièrement nettes. Plus on s'éloigne de ce point, plus les images sont floues.

En dedans et en dessous de la tache jaune se dessine un disque blanc et déprimé, la papille; elle correspond au point d'arrivée du nerf optique. La lumière n'impressionne pas cette zone; c'est la tache aveugle. L'image est très floue sur la tache aveugle.

C) LES MILIEUX TRANSPARENTS DE L'OEIL

Cornée

KERA, KERATO: Origine grecque, *kéras* = cornée; qui concerne l'oeil

La cornée est le prolongement transparent de la sclérotique. La cornée peut devenir opaque et développe une cécité appelée: cataracte.

Humeur aqueuse

HUMEUR: Substance liquide ou semi-liquide contenue dans un corps organisé
AQUEUX: Adjectif qui signifie qui contient de l'eau

L'humeur aqueuse est le liquide contenu entre la cornée et le cristallin dans un espace appelé: *chambre antérieure*: son excédent s'échappe par un canal nommé canal de Schlemm.

Cristallin

PHACO, PHAKO: Origine grecque, *phakos* = lentille, cristallin

Le cristallin divise l'oeil en deux parties; la chambre antérieure et la chambre postérieure. Il est baigné par l'humeur aqueuse de la chambre antérieure et par l'humeur vitrée de la chambre postérieure. *une lentille transparente derrière l'iris*

391

Le cristallin est une lentille transparente biconvexe logée derrière l'iris; il dirige le faisceau lumineux sur la rétine.

Le cristallin est maintenu en place par des ligaments dont l'ensemble forme la *ZONULA DE ZINN*.

Humeur vitrée

HUMEUR: Substance liquide ou semi-liquide contenu dans un corps organisé

VITRUM: Verre

L'humeur vitrée est une substance gélatineuse et noire contenue dans la chambre postérieure.

D) VOCABULAIRE RELATIF À LA VISION

Image

IMAGO: Image

Marche d'un rayon lumineux:
a) Le rayon traverse la cornée transparente;
b) Le rayon passe à travers l'humeur aqueuse et la pupille;
c) Le rayon atteint le cristallin;
d) Le rayon passe à travers l'humeur vitrée et reproduit l'image sur la rétine;
e) La rétine reçoit l'image et transmet l'impression au cerveau par le nerf optique.

Dioptrie

OPSIE: Vision

Une dioptrie est une unité de mesure employée dans la réfraction des lentilles et de l'oeil. *pour la vision*

Convergence

CONVERGER: Se diriger vers un même lieu

La convergence est le fait que les lignes ou rayons lumineux se dirigent en dioptrie (vers le même point).

Accommodation

ACCOMMODER: Faire qu'une chose convienne, s'accommoder

L'accommodation est la faculté que possède le cristallin de s'adap- *du* ter, de porter la vision à diverses distances, de permettre de voir distinctement au loin ou de très près, et ce, tant par un changement de la courbure de ses faces convexes que par la contraction musculaire.

au loin au au proche

Acuité visuelle

ACUITÉ: Origine latine, *acutus* = aigu

VISUEL: Adjectif dérivé de vue

L'acuité visuelle est la distance angulaire (angle) des deux points les plus rapprochés que l'oeil peut percevoir séparément.

tableau sur le mur avec gros E

9.2
Pathologie
du système visuel

A)   TROUBLES DE LA VISION

Anopsie

A: Manque, absence
OPSIE: Vision

L'anopsie est la perte de la vue.

Cécité

CÉCITÉ: Origine latine, *caecus* = aveugle

La cécité est la privation de la vue.

Amblyopie

AMBLUS: Obtus
OPIE: Vision

L'amblyopie est la diminution de l'acuité visuelle.

Amaurose

AMAUROSE: Origine grecque, . amauroô = j'obscurcis

diminution

L'amaurose est l'affaiblissement ou la perte complète de la vue sans altération des milieux transparents de l'oeil.

Myopie

MYO: Muscle
OPIE: Vision

La myopie provient d'une forte courbure du cristallin, projetant ainsi les images en avant de la rétine.   *voir mal de loin*
   L'oeil est trop long, trop convergent, le champ de vision est réduit aux objets tout proches; lorsque l'accommodation n'intervient pas. Le myope distingue mal les objets éloignés. La myopie peut être congénitale ou acquise.

Hypermétropie

voir mal de près

HYPER: Excès, augmentation
METRIE: Mesure
OPIE: Vision

L'hypermétropie est une anomalie dans laquelle l'image se fait en arrière de la rétine. L'oeil est trop court, pas assez convergent; lorsque l'accommodation n'intervient pas. L'hypermétrope distingue mal les objets rapprochés.

Astigmatisme

A: Manque, absence
STIGMA: Point (origine grecque)

L'astigmatisme est un défaut de courbure des milieux réfringents de l'oeil, rendant impossible la convergence en un seul point. L'oeil n'a pas la même convergence sur le plan vertical et horizontal.

L'astigmate ne voit pas bien ni de loin ni de près.

Strabisme

STRABOS: Louche

Le strabisme est une déficience musculaire liée à celle de l'accommodation.

Le strabisme est un défaut de convergence des deux axes visuels vers le point fixé, le sujet ne regardant qu'avec un seul oeil, toujours le même.

Le fait de loucher est un indice d'une malformation des muscles oculaires, souvent héréditaire.

Presbytie

PRESBUS: Vieillard

La presbytie qui est le contraire de la myopie, peut être congénitale ou acquise. C'est une incapacité croissante à voir nettement sans fatigue les objets rapprochés, à lire un texte. La presbytie se présente le plus souvent chez les personnes de plus de 45 ans par suite de la diminution de la faculté d'accommodation due au durcissement du cristallin. *diff. voir de près*

Nous disons communément que la vue baisse.

Daltonisme ou Dyschromatopsie

DYS: Difficulté
CHROMATO: Couleur
OPSIE: Vision

Le daltonisme ou dyschromatopsie est l'incapacité de distinguer certaines couleurs; notamment pour le rouge et le vert qui deviennent respectivement bleu et jaune. Cette anomalie est héréditaire et l'origine est inconnu.

Ce trouble de la vision peut être une déficience congénitale de la rétine, ou une déficience acquise par suite de certaines affections de la rétine et du nerf optique.

Cette anomalie fut découverte par le physicien et chimiste anglais F. Dalton (1766-1844) qui en était affligé lui-même. Cette

4 % hommes
0,2 % femmes

395

infirmité fut appelée daltonisme. D'après les statistiques, <u>47 %</u> <u>des hommes et 0,2 % des femmes</u> seraient affligés dès la naissance de ce trouble de la vision colorée.

B) MALADIES DE L'OEIL

Ophtalmite

OPHTALMO: Oeil
ITE: Inflammation

L'ophtalmite est <u>l'inflammation du globe oculaire.</u>

Conjonctivite

CONJONCTIVE: Membrane transparente qui prolonge les paupières et recouvre l'avant du globe oculaire.
ITE: Inflammation

Une conjonctivite est une <u>inflammation de la conjonctive</u> résultant de l'intrusion dans l'oeil de bactéries pathogènes ou de poussières. Elle peut également résulter de la surtension de l'oeil.

Xérosis

XEROS: Sec, rude, desséché

La xérosis ou <u>dessèchement de la conjonctive</u> a des causes locales, entre autres, une cicatrisation de la conjonctive par suite de la fermeture incomplète de l'oeil en cas d'ectropion (renversement de la paupière). Les personnes affaiblies et sous-alimentées sont parfois affligées de ce trouble.

Ectropion

EC: Hors de, en dehors, à l'extérieur
TROPEIN: Tourner

L'ectropion est le <u>renversement de la paupière en dehors.</u>

Entropion

EN: Dans
TROPEIN: Tourner

L'entropion est le <u>renversement de la paupière en dedans.</u>

Blépharoptose *ou*

ptosis

BLEPHARO: Paupière
PTOSE: Chute, descente

Une blépharoptose est une chute de la paupière supérieure.
Nous disons également *ptosis.*

Blépharite

BLEPHARO: Paupière
ITE: Inflammation

Le terme blépharite désigne l'inflammation des paupières.

Trichiasis

TRICHIE: Origine grecque, *trichos*
= cheveu, poil

*Le terme trichiasis désigne une déviation des cils des paupières;
les cils poussent vers le globe oculaire et l'irritent.*

Diachiasis

DIA: Deux
CHIASIS: Cheveu, poil

*Le terme diachiasis désigne une déviation des cils des paupières;
les cils poussent sur deux rangées.*

Cataracte

CATARACTE: Origine grecque,
katarraktés = chute

La cataracte est le mal classique qui frappe le cristallin; cette
affection aboutit à l'opacité du cristallin et réduit la capacité
visuelle par suite de plaques d'ombre. Selon l'endroit où l'opacité s'est déclarée (centre ou périphérie), elle peut aboutir à une
cécité partielle ou totale. Cette opacification progressive peut
revêtir plusieurs formes: la cataracte dure, la cataracte molle et
les fausses cataractes. La forme la plus fréquente, celle qui affecte
les gens d'un certain âge, après la quarantaine; peut aboutir à la
cécité si elle n'évolue pas favorablement. Une opération au
moment opportun a des chances d'arrêter cette évolution
extrême.

Kératite

KERATO: Cornée
ITE: Inflammation

La kératite, ou l'inflammation de la cornée, peut avoir des causes
étrangères à l'oeil: blessures, troubles alimentaires, ou ancienne
conjonctivite.

Gérontoxon

GERONTO: Vieillard
TOXON: Arc

Le gérontoxon, ou arc sénile, est un trouble de la cornée qui se manifeste sous la forme d'un cercle blanc bleuâtre autour de la cornée. Il affecte surtout les vieillards, mais on l'observe également chez les alcooliques et les gens atteints de syphilis.

Kératomalacie

KERATO: Cornée
MALACIE: Mollesse, mou

La kératomalacie est le ramollissement de la cornée.

Scléromalacie

SCLERO: Sclérotique
MALACIE: Mollesse, mou

La scléromalacie est le ramollissement de la sclérotique.

Phacomalacie

PHACO: Cristallin
MALACIE: Mollesse, mou

La phacomalacie est le ramollissement du cristallin.

Aphakie

PHAKO: Lentille, cristallin
A: Manque, absence

Le terme aphakie désigne l'absence de cristallin d'origine traumatique ou opératoire.

Iritis

IRIS: Partie de l'oeil qui entoure la pupille

L'iritis est l'inflammation de l'iris.

Sclérite

SCLÉROTIQUE: Enveloppe de l'oeil
ITE: Inflammation

La sclérite est l'inflammation de la sclérotique.

Rétinite

RÉTINE: Enveloppe la plus interne de l'oeil
ITE: Inflammation

La rétinite est l'inflammation de la rétine.

Dacryadénite

DACRYO: Larme
ADENO: Glande
ITE: Inflammation

Une dacryadénite est une inflammation de la glande lacrymale.

Dacryocystite

DACRYO: Larme
CYSTO: Sac
ITE: Inflammation

Une dacryocystite est une inflammation du sac lacrymal.

Choroïdite

CHOROÏDE: Enveloppe de l'oeil,
riche en vaisseaux sanguins
ITE: Inflammation

La choroïdite ou inflammation de la choroïde est peu apparente, sauf dans sa forme exsudative qui se manifeste par des taches jaunâtres parfois entourées de pigmentation, éparpillées dans le fond de l'oeil — taches produites par un liquide exsudé par les vaisseaux capillaires et qui finissent par se résorber, toutefois en laissant des cicatrices. L'endroit de ces cicatrices est déterminant pour la capacité visuelle.

Mydriase

AMUDROS: Obscur

Le terme mydriase désigne une dilatation de la pupille.

Myosis

MYOSIS: Origine grecque, *muein*
= cligner de l'oeil

Le terme myosis désigne un rétrécissement de la pupille. contracte

Acorie

A: Manque, absence
CORIE: Pupille

L'acorie est l'absence congénitale de la pupille.

Glaucome

GLAUQUE: Adjectif qui signifie de
couleur vert bleuâtre

Le glaucome est une affection oculaire caractérisée par l'augmentation lente ou rapide de la pression intra-oculaire, l'atrophie des membranes de l'oeil et l'excavation du nerf optique.

À la jonction de la cornée et de la sclérotique, il y a un petit canal appelé: canal de Schlemm. Les liquides de l'oeil s'échappent dans ce canal lorsqu'ils sont trop abondants. Le mauvais fonctionnement de ce canal provoque une augmentation de la pression intra-oculaire.

Colobome

KOLOBOME: Mutilation

Le terme colobome signifie une malformation congénitale à type de fissure ou encoche.

Exemple: Le colobome de l'iris.

Scotome

SKOTOMA: Ténèbre

Le scotome est une tache immobile qui masque une partie du champ visuel.

Chalazion

KHALAZA: Grêle

argelet Le chalazion est une tumeur palpébrale (des paupières) d'origine inflammatoire, adhérente au cartilage et sans connexion avec la peau.

Ophtalmie

OPHTALMO: Oeil

Le terme ophtalmie est le nom générique de toutes les affections inflammatoires de l'oeil. Ces inflammations débutent souvent par la conjonctive et peuvent rester limitées à cette membrane.

Ophtalmoplégie

OPHTALMO: Oeil
PLÉGIE: Paralysie

L'ophtalmoplégie est une paralysie des muscles de l'oeil.

Exophtalmie

EXO: À l'extérieur, en dehors
OPHTALMO: Oeil

Une exophtalmie est le fait que les yeux semblent sortir de leurs orbites.

9.3
Chirurgie de l'oeil

Blépharorraphie

BLEPHARO: Paupière
ORRAPHIE: Suture

Une blépharorraphie est une suture des paupières.

Blépharoplastie

BLEPHARO: Paupière
PLASTIE: Restauration, réparation

Une blépharoplastie est une opération qui a pour but de réparer une paupière détruite ou déformée par une cicatrice.

Scléroticotomie

SCLÉROTIQUE: Membrane fibreuse qui enveloppe le globe oculaire
TOMIE: Incision

Une scléroticotomie est une incision de la sclérotique.

Sclérectomie

SCLERO: Sclérotique
ECTOMIE: Résection, ablation, excision

ablation = petite surface

Une sclérectomie est l'excision de la sclérotique pour diminuer la tension oculaire dans les cas de glaucome.

Iridotomie

IRIDOS: Iris
TOMIE: Incision

L'iridotomie est une intervention qui consiste à sectionner l'iris.

Iridectomie

IRIDOS: Iris
ECTOMIE: Ablation, excision

ablation partiel

L'iridectomie est l'excision d'une partie de l'iris dans le but de créer une pupille artificielle.

Kératectomie

KERATO: Cornée
ECTOMIE: Ablation

ablation partielle

Une kératectomie est l'excision d'une portion de la cornée.

Kératoplastie

KERATO: Cornée

PLASTIE: Restauration

La kératoplastie est une greffe cornéenne.

Strabotomie

STRABOS: Louche
TOMIE: Section

Une strabotomie est le déplacement de l'insertion de la scléroti-que de l'un des muscles de l'oeil pour remédier au strabisme.

Éviscération du globe oculaire

ÉVISCÉRER: Enlever les entrailles

L'éviscération du globe oculaire est l'évidement de l'orbite (cavité) ou du globe oculaire.

Exercice
de compréhension

(50 points)

I - Comment nomme-t-on:

1- L'intervention qui consiste à sectionner l'iris?
2- L'excision de la sclérotique?
3- L'excision d'une partie de l'iris?
4- L'excision d'une portion de la cornée?
5- Une tache immobile qui masque une partie du champ visuel?
6- Une tumeur des paupières d'origine inflammatoire?
7- Une dilatation de la pupille?
8- Un rétrécissement de la pupille?
9- Une affection oculaire caractérisée par l'augmentation de la pression oculaire?
10- L'inflammation de la rétine?
11- L'inflammation de la glande lacrymale?
12- L'absence de cristallin?
13- Le ramollissement de la sclérotique?
14- Le ramollissement de la cornée?
15- L'inflammation de la cornée?
16- L'inflammation des paupières?
17- L'inflammation de la conjonctive de l'oeil?
18- L'inflammation du globe oculaire?
19- Le renversement des paupières en dehors?
20- Celui qui ne voit pas bien de près?
21- Celui qui ne voit pas bien de loin?
22- Le prolongement transparent de la sclérotique?
23- Le point hypersensible de la rétine?
24- Le trou noir situé au centre de l'oeil?
25- La cavité dans laquelle est logé le globe oculaire?

(50 points)

II - Orthographier correctement tous les termes relatifs au système visuel.

Si tu réussis ce test avec une note de 95 %, tu peux passer à l'objectif suivant.

As-tu mémorisé les racines suivantes:

> *ophtalmo, oculus, opie, opsie, métrie, blépharo, lacryma,*
> *dacryo, cysto, scléro, chorion, iridos, corie, kéra, kérato,*
> *phabo, phaco, presbus, géronto, strabos*
> **et de**
> *ïde, ec, en, malacie?*

L'usage de la machine à transcription est très répandu de nos jours;
il serait avantageux d'enregistrer sur une cassette
tous les mots étudiés et de les écrire ensuite
sous la forme d'une dictée.

Appareil auditif

Objectif général

Associer à leur définition respective les termes relatifs à l'appareil auditif.

A) Maladies et affections

B) Chirurgie

Objectifs spécifiques

9.1 Notions d'anatomie et de physiologie

   A)   Oreille externe

   B)   Oreille moyenne

   C)   Oreille interne

9.2 Pathologie de l'appareil auditif

   A)   Symptômes des maladies

   B)   Troubles de l'audition

   C)   Maladies de l'oreille

9.3 Chirurgie de l'oreille

Introduction

Otologie

OTO: Oreille
LOGIE: Science, étude de

L'otologie est l'étude de l'oreille et de ses affections.

Oto-rhino-laryngologie

laryngologiste

O.R.L.
OTO: Oreille
RHINO: Nez
LARYNX: Gorge
PHARYNX: Gorge
LOGIE: Étude de

L'oto-rhino-laryngologie comprend l'étude de l'oreille (audition et appareil labyrinthique), des voies respiratoires supérieures (nez, sinus, rhino, pharynx, larynx), des voies digestives supérieures (oropharynx).

Oto-rhino-laryngologiste

OTO: Oreille
RHINO: Nez
LARYNX: Gorge

L'oto-rhino-laryngologiste est un médecin spécialisé dans l'oto-rhino-laryngologie.

9.1
Notions d'anatomie
et de physiologie

A) OREILLE EXTERNE

Pavillon

PAVILLON: Origine latine *papilio*

Le pavillon de l'oreille est un cartilage enroulé sur lui-même (immobile chez les humains) situé à la partie latérale du crâne.

Conduit auditif externe

AUDITION: Action d'entendre
AUDITIF: Adjectif dérivé de audition

Le conduit auditif externe fait suite au pavillon. Il est constitué par un simple tube ou canal (portion osseuse et portion cartilagineuse).

Tympan

MYRINGO: Origine latine, *miringa* = tympan

Le tympan est une fine membrane élastique, très mince, circulaire qui sépare l'oreille externe de l'oreille moyenne.

B) OREILLE MOYENNE

Caisse du tympan

TYMPAN: Origine grecque, *tympanon* = cylindre, tambour

La caisse du tympan est constituée par un long tube creux qui s'ouvre dans le rhino-pharynx.
La caisse renferme quatre petits os: le marteau, l'enclume, l'étrier, et l'os lenticulaire. Elle assure la transmission des sons recueillis par l'oreille externe. *transmission des son*
À noter: La caisse du tympan amplifie ou assourdit les sons.

Trompe d'Eustache

TROMPE: Mot d'origine allemande, *trumpa*

La trompe d'Eustache est un tube qui s'ouvre dans le rhino-pharynx (fosses nasales) en avant, et dans la caisse du tympan derrière. (Portion osseuse et portion cartilagineuse.)

La trompe d'Eustache permet à l'air de pénétrer dans la caisse du tympan et de le faire vibrer.

Cavité mastoïdienne

MASTOÏDIENNE: Adjectif dérivé de mastoïde

MASTOÏDE: Partie de l'os temporal (tempe)

Les cavités mastoïdiennes sont des cavités dans l'épaisseur de l'os temporal à la partie appelée: mastoïde. La plus grande de ces cavités porte le nom d'*antre mastoïdien*. Les cellules mastoïdiennes communiquent toutes entre elles.

C) OREILLE INTERNE

Labyrinthe

LABURINTHOS: Mot grec = labyrinthe

LABYRINTHE: Vaste édifice conçu de telle sorte qu'on a du mal à trouver la sortie

Le labyrinthe est un sac membraneux contourné et rempli de liquide endolymphatique. Ce sac membraneux est logé dans un labyrinthe osseux.

Vestibule

VESTIBULUM: Mot latin = être debout

Le vestibule est la 1re partie de l'oreille interne; il communique avec l'oreille moyenne et le limaçon. Le vestibule est divisé en deux cavités: l'utricule et le saccule.

Canal semi-circulaire

CIRCULAIRE: Adjectif dérivé de cercle

SEMI: Demi, à moitié

Les canaux semi-circulaires sont au nombre de trois et contiennent un liquide visqueux. Ils servent au maintien de l'équilibre et au contrôle des mouvements de la marche.

Limaçon

LIMAX: Mot latin = limaçon

Le limaçon est l'organe essentiel de l'appareil auditif. Il est chargé de la perception des sons.

Le limaçon est un tube en forme de coquille d'escargot, rempli de liquide.

À noter: On exprime l'intensité des sons en décibels (dB).

9.2
Pathologie
de l'appareil auditif

A) SYMPTÔMES DES MALADIES

Otalgie

OTO: Oreille
ALGIE: Douleur

au Une otalgie est une douleur à l'oreille.

Otodynie

OTO: Oreille
DYNIE: Douleur

Le terme otodynie est synonyme de otalgie et signifie: douleur à l'oreille.

Otorrhée

OTO: Oreille
RRHEE: Écoulement

Le terme otorrhée est le nom donné aux écoulements qui se font par l'oreille, quels qu'en soient la nature et le point de départ.

Otorragie

OTO: Oreille
RRAGIE: Écoulement, je jaillis

Une otorragie est une hémorragie par le conduit auditif externe.

B) TROUBLES DE L'AUDITION

Acouphène

ACOU: Origine grecque, *akoucin* = entendre
PHENE: Origine grecque, *phanein* = sembler

L'acouphène est une sensation auditive ne résultant pas d'une excitation extérieure de l'oreille (bourdonnement, sifflement, tintement, etc.).

Hyperacousie

HYPER: En quantité, excessive
A: Absence, manque
COUSIE: Entendre

410

L'hyperacousie est l'audition douloureuse de certains sons, surtout de tonalité élevée.

Nous utilisons également les termes: hyperacusie et hypercousie.

Cophose

COPHOSE: Origine grecque, kôphos = sourd

COPHOSE: Surdité complète ou incomplète

La surdité est l'affaiblissement ou l'abolition complète du sens de l'ouïe. Elle peut être congénitale ou acquise.

Il y a deux types de surdité:

a) *La surdité de transmission* qui est provoquée par la formation de bouchons graisseux dans l'oreille, la présence de corps étrangers, des inflammations, des tumeurs bénignes ou malignes dans le conduit auditif.

b) *La surdité de perception* qui est consécutive à une maladie ou une atteinte de l'oreille interne, pouvant amener une perte totale de la fonction en touchant les nerfs auditifs ou *de* les centres de l'audition.

La surdité totale est congénitale, parce que la mère a souffert de toxoplasmose ou de syphilis pendant la grossesse, ou due à une incompatibilité des groupes sanguins entre la mère et l'enfant; la surdité totale peut être acquise très tôt.

La surdité empêche l'apprentissage de la parole, elle peut entraîner la perte de la parole. (Toxoplasme: parasite pouvant infecter l'homme.)

C) MALADIES DE L'OREILLE

Otopathie

en général

OTO: Oreille
PATHIE: Maladie, affection

Le terme otopathie est le nom générique de toutes les affections de l'appareil auditif.

Otite

OTO: Oreille
ITE: Inflammation

L'otite est le nom donné à toutes les inflammations aiguës ou chroniques de l'oreille. Les microbes gagnent l'oreille par la trompe d'Eustache; l'otite survient après un rhume ou une infec-tion des voies respiratoires.

Nous distinguons 3 variétés d'otite:

a) *L'otite externe* qui est une inflammation du conduit auditif externe et du tympan.

b) *L'otite moyenne* qui est une inflammation de la caisse du tympan.

c) *L'otite interne* est une inflammation primitive ou secondaire de l'oreille interne.

Labyrinthite

LABYRINTHE: Oreille interne
ITE: Inflammation

Une labyrinthite est une otite interne frappant spécialement le labyrinthe. Nous utilisons le terme: *syndrome de Ménière* pour désigner cette affection. (Syndrome: signe avant-coureur d'une maladie.)

La maladie présente une surdité, des vertiges, des bourdon-nements. Les troubles de l'équilibre sont fréquents. Lorsque les crises se multiplient, la surdité s'accroît jusqu'à devenir totale. Les crises peuvent être provoquées par une surcharge psychique.

crises - stress

Mastoïdite

MASTOÏDE: Partie de l'os tempo-ral (tempe)
ITE: Inflammation

La mastoïdite est l'inflammation de l'apophyse mastoïde consé-cutive à une otite moyenne.

Otosclérose

OTO: Oreille
SCLERO: Dur, durcissement
OSE: État

L'otosclérose est l'inflammation de l'os de la caisse du tympan et du labyrinthe.

La cause est inconnue; un caractère héréditaire dominant est possible. L'otosclérose est sans doute associée à une perturba-tion de l'irrigation sanguine des tissus osseux du labyrinthe.

Myringite

MYRINGO: Tympan
ITE: Inflammation

Une myringite est une inflammation du tympan.

Othématome

OTO: Oreille
HÉMATO: Sang
OME: Tumeur, tuméfaction

L'othématome est un hématome du pavillon de l'oreille.
L'hématome est une tuméfaction formée d'un amas de sang sorti des capillaires.

9.3
Chirurgie
de l'appareil auditif

Myringotomie   *MYRINGO:* Tympan
                              TOMIE: Incision

Une myringotomie est une ouverture du tympan dans le but
d'évacuer un liquide ou du pus.

Mastoïdectomie   MASTOÏDE: Partie de l'os tempo-
                              ral (tempe)
                              ECTOMIE: Ablation

La mastoïdectomie est la trépanation et l'évidement de l'apophyse mastoïde.

Stapédectomie   *STAPES:* Mot latin = étrier
                              ECTOMIE: Ablation, excision

La stapédectomie est l'excision de l'étrier (osselet de l'oreille). Il
s'agit d'enlever, de corriger la surdité par une prothèse.

Tympanoplastie   TYMPAN: Fine membrane qui sé-
                              pare l'oreille externe de l'oreille
                              moyenne
                              PLASTIE: Restauration

La tympanoplastie est une opération destinée à remédier aux
lésions cicatricielles de la caisse et de la membrane du tympan
consécutives à une otite chronique. Il s'agit de pratiquer une
greffe cutanée sur la perforation du tympan.

Fenestration   FENESTRATION: Mot dérivé de
                              fenêtre

La fenestration est une intervention chirurgicale destinée à rendre l'audition aux sujets atteints d'otosclérose en ouvrant sur le
canal semi-circulaire externe une fenêtre que l'on recouvre
d'une mince greffe cutanée en continuité avec la membrane du
tympan.

414

Exercice de compréhension

(50 points)

I - Comment nomme-t-on:

1- L'étude de l'oreille et de ses affections?

2- L'étude de l'oreille, du nez et du larynx?

3- La fine membrane qui sépare l'oreille externe de l'oreille moyenne?

4- Le tube de l'oreille qui s'ouvre à la fois dans les fosses nasales et dans la caisse du tympan?

5- L'organe essentiel de l'appareil auditif?

6- Une douleur à l'oreille?

7- Les écoulements de l'oreille?

8- Une hémorragie par le conduit auditif de l'oreille?

9- Les bourdonnements, sifflements, tintements de l'intérieur de l'oreille?

10- La surdité complète ou incomplète?

11- Toutes les affections de l'oreille?

12- Une inflammation de l'oreille?

13- L'inflammation de l'apophyse mastoïde?

14- L'inflammation de l'os de la caisse du tympan et du labyrinthe?

15- Une inflammation du tympan?

16- La racine qui désigne le tympan?

17- La racine qui désigne l'oreille?

18- Un hématome du pavillon de l'oreille?

19- Une ouverture du tympan?

20- La trépanation et l'évidement de l'apophyse mastoïde?

21- L'excision de l'étrier?

22- L'intervention chirurgicale destinée à rendre l'audition aux sujets atteints d'otosclérose?

23- Les cavités de l'os temporal, à la partie appelée mastoïde?

24- L'audition douloureuse des sons de tonalité élevée?

25- Le suffixe qui désigne les maladies?

(50 points)

II - Orthographier correctement les termes relatifs à l'appareil auditif.

Tu dois réussir ce test avec une note de 95 %.

As-tu bien retenu la signification des racines suivantes:

oto, rhino, larynx, pharynx, myringo, acou, cousie
et de
semi, dynie, algie, rragie, rrhée, phène?

Voilà le tour est joué!...

**Il s'agit maintenant de passer à la pratique
par le biais du volume II.**

Liste des termes étudiés dans le volume

A

B

C

D

E

F

G

H

I

J

K

L

M

N

O

P

R

S

T

U

Ulcère: 32-114
Urémie, 179
Uretère, 210
Urétérocèle, 217
Urétérectomie, 221
Urétéro-colostomie, 222
Urétéro-entérostomie, 222
Urétérolithiase, 217
Urétérolithotomie, 222
Urétéropyélostomie, 222
Urétérorraphie, 222
Urétérostomie, 221
Urétérotomie, 221
Urètre, 210-306

Urétrectomie, 223
Urétrite, 216
Urétroplastie, 223
Urétrorraphie, 223
Urétrostomie, 223
Urétrotomie, 222
Uricémie, 179
Urologie, 209
Urologue, 209
Uronéphrose, 214
Urticaire, 378
Utérus, 319
Utérus atone, 350

V

Vagin, 319
Vaginisme, 324
Vaginite, 326
Vagotomie, 246
Vaisseau sanguin, 154
Valvules du coeur, 151-152
Valvule artificielle, 163
Valvulo-plastie, 163
Varice, 162
Varice oesophagienne, 113
Varicelle, 292
Variole, 292
Vasectomie, 312
Vaso-constriction, 155
Vaso-dilatation, 155
Vaso-motricité, 155
Végétations adénoïdes, 182
Veinule, 155
Ventricule, 151
Ventriculotomie, 244

Ventriculostomie, 244
Verrue, 380
Version, 354
Vertèbre: 71-72
Vésicule, 377
  Vésicule biliaire, 106
  Vésicule séminale, 305
Vessie, 210
Vestibule, 408
Vie, 25
Virologie, 283
Virus, 285
Voie respiratoire, 194
Volvulus, 118
Vomer, 70
Vulve, 319
Vulvectomie, 331
Vulvite, 327
Vulvo-vaginite, 327

X

Xérosis, 396

Références

Anatomie et physiologie, Denise Léger-Boucher, Éditions du Renouveau Pédagogique 1966.

Cahier de Terminologie Médicale, Marie-Claire Drainville, Éditions du Renouveau Pédagogique, 1976.

Classification Internationale des maladies, volume I et II, Organisation mondiale de la santé, Génève, 1978.

Dictionnaire des termes techniques de médecine, Garnier et Delamarre, Librairie Maloine, S.A. Éditeur, Paris, 1970.

Dictionnaire français de médecine et de biologie, A. Manuila, L. Manuila, M. Nicole, H. Lambert. Tomes 1-2-3-4, Masson et Cie, France, 1970.

Dictionnaire Larousse médical illustré, Librairie Larousse, 1974.

Dictionnaire usuel, Quillet, Flamarion, Éditeurs Quillet-Flamarion, 1963

Encyclopédie Alpha de la médecine, volume 1-2-3-4-5-6-7-8, Éditions Atlas, Paris; Éditions Transalpines, S.A. Lugano; Éditions Érasme, Bruxelles, Anvers.

Encyclopédie en couleurs de la médecine familiale, Éditions Elsevier Séquoia, Paris/Bruxelles.

Grande encyclopédie médicale, tomes 1-2-3-4-5-6, Éditions Sedes.

Grand Larousse encyclopédique, tome de 1 à 10, Librairie Larousse, 1960.

Guide de la médecine famillale. Rédaction: Hervé Douxchamps. Traduction française: Luce Wilquin, 1971, 1974.

Guide médical, par mon médecin de famille, docteur Maurice Lauzon, Les Éditions de l'homme, 1972.

Gynécologie et soins infirmiers en gynécologie, Françoise Piquette, Éditions du Renouveau Pédagogique, 1969.

La pathologie médicale: Notions élémentaires, Éditions du Renouveau Pédagogique, 1966.

Larousse de la médecine: Santé-hygiène, professeur A. Domart, faculté de médecine de Paris, docteur F. Bopurneuf, hôpitaux de Paris, tomes 1-2-3, Librairie Larousse.

Le corps humain, Claude Parrot, Éditions Guérin, 1981.

Le savoir médical, Guide illustré complet de médecine moderne pour tous. Tomes 1-2. S.ODEM, 22, rue du Chalet, Asnières (Seine).

Le vocabulaire médical de base, Étude par l'étymologie, Marie Bonvalot, France, 1974.

Maladies contagieuses, Jean-Claude Fortier, Éditions du Renouveau Pédagogique.

Nouveau traité de technique chirurgicale, Jean Patel et Lucien Léger, Masson et Cie Éditeurs, Paris, 1975.

Nursing en Obstétrique, Françoise Paquette, Éditions du Renouveau Pédagogique, 1969.

Petite chirurgie, Soins, thérapeutiques urgentes et investigations en chirurgie. P.H. Détrie, chirurgien des hôpitaux de Paris, Masson et Cie Éditeurs, 1972.

Orthopédie, Jean Claude Fortier, Éditions du Renouveau Pédagogique, 1966.

Passe-Partout. Petit lexique des racines grecques et latines, Bernard Lespérance, faculté de médecine, Université de Montréal.

Précis de terminologie médicale, F. Chevalier, Librairie Maloine, S.A. Éditeur, Paris, 1977.

Résumé de Pathologie chirurgicale, Bibiane G. breton, Éditions du Renouveau Pédagogique.

S.O.S. docteur: Le médical moderne, docteur Herman Claus Ritter, Walter Beckers Éditeur, Kalmthout, Anvers.

Traité des soins infirmiers en médecine-chirurgie, Brunner, Suddarth, Éditions du Renouveau Pédagogique, 1979.

Urologie, Jean-Claude Fortier, Éditions du Renouveau Pédagogique, 1970.

Les régions de l'abdomen et les principales incisions

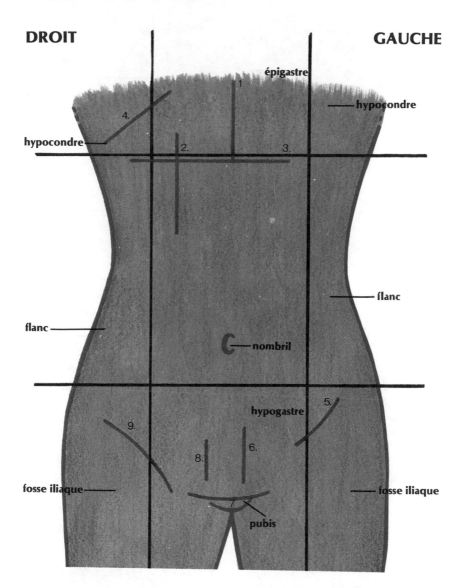

DROIT

GAUCHE

épigastre

hypocondre

hypocondre

flanc

flanc

nombril

hypogastre

fosse iliaque

fosse iliaque

pubis

1. paramédiane
2. cruciale
3. transverse
4. subcostale
5. gridirion iliaque gauche
6. suprapubienne
7. pfannenstiel
8. inférieur du muscle droit
9. Mc Burney

La cellule

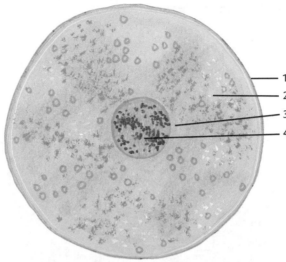

1. membrane cytoplasmique
2. cytoplasme
3. membrane nucléaire
4. noyau

VARIÉTÉS DE CELLULES

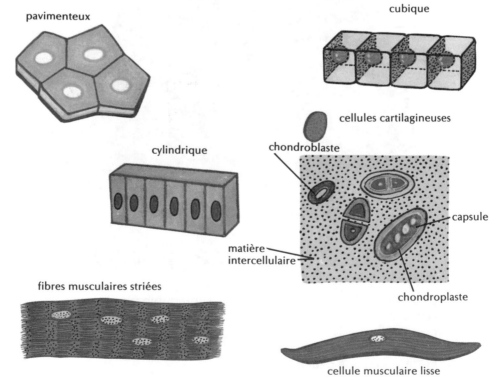

pavimenteux

cubique

cellules cartilagineuses

cylindrique

chondroblaste

capsule

matière
intercellulaire

chondroplaste

fibres musculaires striées

cellule musculaire lisse

Le squelette

1. os frontal
2. les pariétaux
3. les maxillaires
4. occipital
5. clavicule
6. humérus
7. radius
8. cubitus
9. fémur
10. rotule
11. tibia
12. tarse
13. phalanges
14. métatarse
15. péroné
16. os iliaque
17. pubis
18. métacarpe
19. vertèbres lombaires
20. sternum
21. côtes
22. sphénoïde
23. ethmoïde
24. nasal
25. vomer

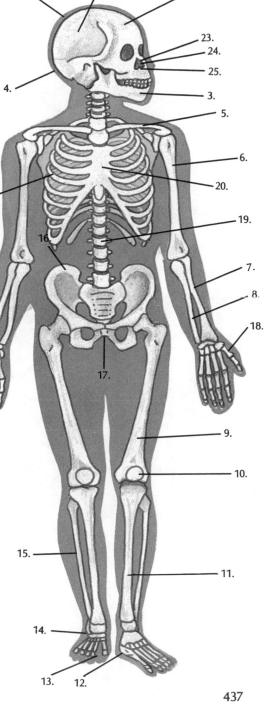

Structure d'une articulation mobile

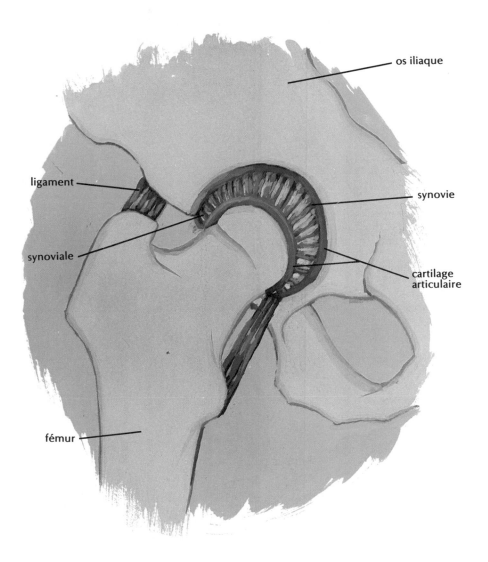

os iliaque

ligament

synovie

synoviale

cartilage
articulaire

fémur

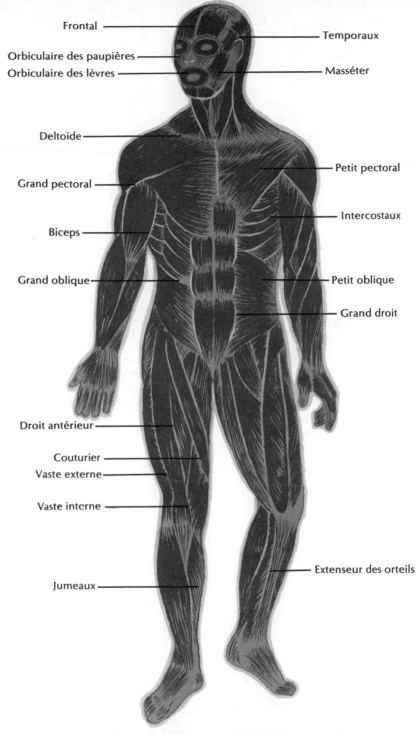

Frontal

Temporaux

Orbiculaire des paupières

Orbiculaire des lèvres

Masséter

Deltoïde

Petit pectoral

Grand pectoral

Intercostaux

Biceps

Grand oblique

Petit oblique

Grand droit

Droit antérieur

Couturier

Vaste externe

Vaste interne

Extenseur des orteils

Jumeaux

LES MUSCLES SQUELETTIQUES (face antérieure)

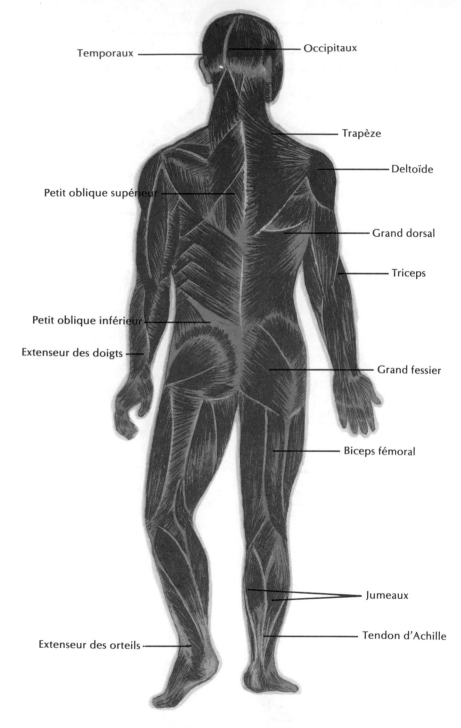

Temporaux

Occipitaux

Trapèze

Deltoïde

Petit oblique supérieur

Grand dorsal

Triceps

Petit oblique inférieur

Extenseur des doigts

Grand fessier

Biceps fémoral

Jumeaux

Tendon d'Achille

Extenseur des orteils

LES MUSCLES SQUELETTIQUES (face postérieure)

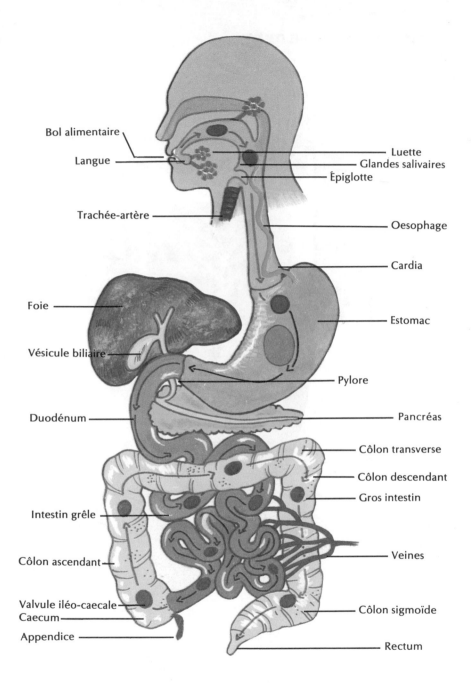

Bol alimentaire

Langue

Trachée-artère

Foie

Vésicule biliaire

Duodénum

Intestin grêle

Côlon ascendant

Valvule iléo-caecale
Caecum
Appendice

Luette

Glandes salivaires

Épiglotte

Oesophage

Cardia

Estomac

Pylore

Pancréas

Côlon transverse

Côlon descendant

Gros intestin

Veines

Côlon sigmoïde

Rectum

SCHÉMA DU SYSTÈME DIGESTIF

441

STRUCTURE D'UNE DENT

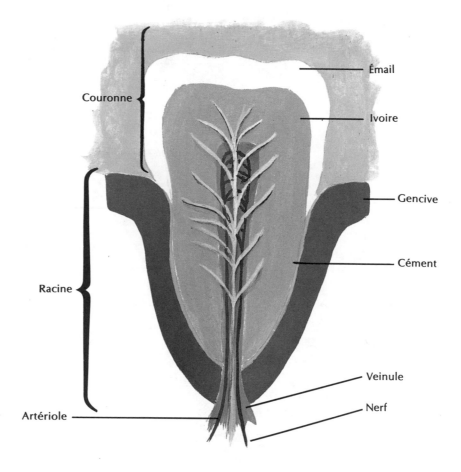

Couronne

Émail

Ivoire

Gencive

Cément

Racine

Veinule

Artériole

Nerf

LE COEUR

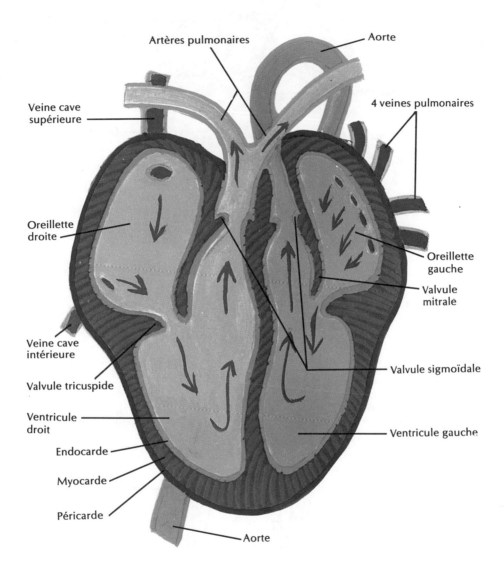

Artères pulmonaires

Aorte

Veine cave
supérieure

4 veines pulmonaires

Oreillette
droite

Oreillette
gauche

Valvule
mitrale

Veine cave
intérieure

Valvule tricuspide

Valvule sigmoïdale

Ventricule
droit

Ventricule gauche

Endocarde

Myocarde

Péricarde

Aorte

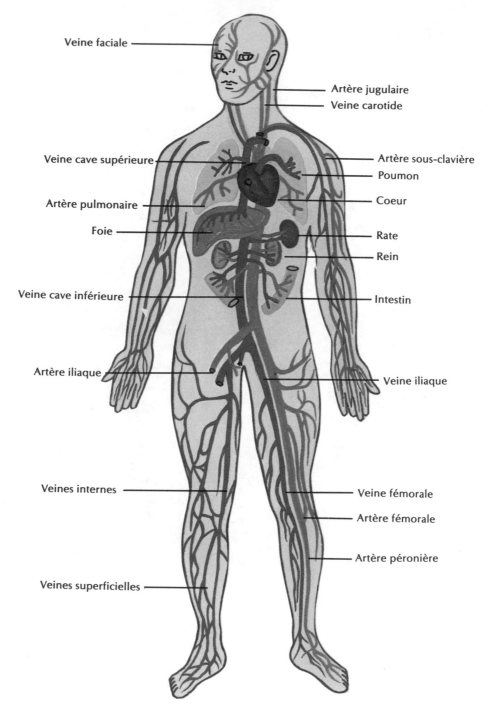

Veine faciale

Artère jugulaire

Veine carotide

Veine cave supérieure

Artère sous-clavière

Poumon

Artère pulmonaire

Coeur

Foie

Rate

Rein

Veine cave inférieure

Intestin

Artère iliaque

Veine iliaque

Veines internes

Veine fémorale

Artère fémorale

Artère péronière

Veines superficielles

LA CIRCULATION SANGUINE

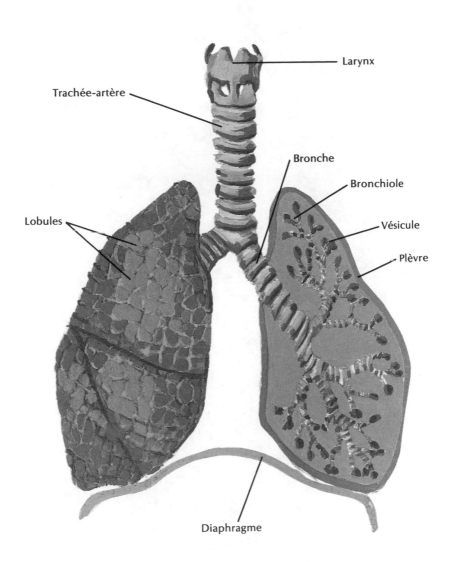

Larynx

Trachée-artère

Bronche

Bronchiole

Lobules

Vésicule

Plèvre

Diaphragme

LOBULE PULMONAIRE

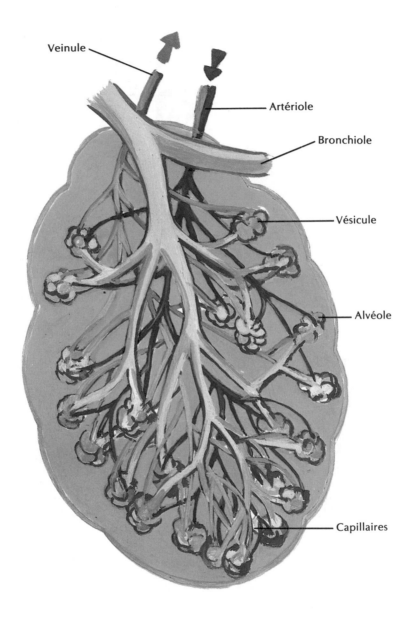

Veinule

Artériole

Bronchiole

Vésicule

Alvéole

Capillaires

APPAREIL URINAIRE

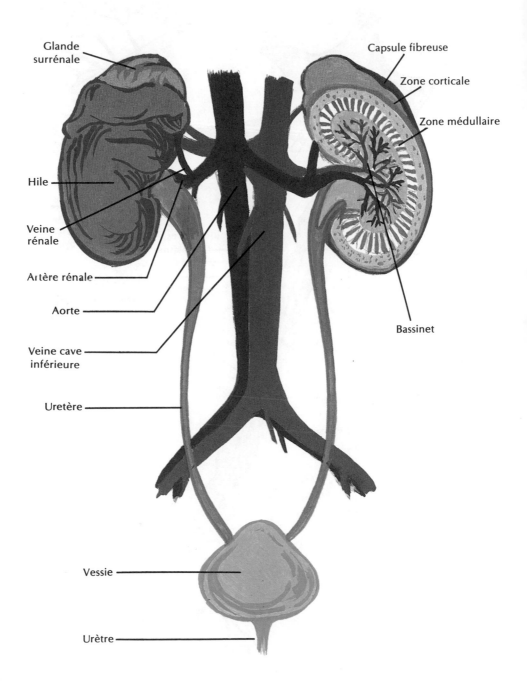

Glande surrénale

Capsule fibreuse

Zone corticale

Zone médullaire

Hile

Veine rénale

Artère rénale

Aorte

Veine cave inférieure

Bassinet

Uretère

Vessie

Urètre

LE NEURONE

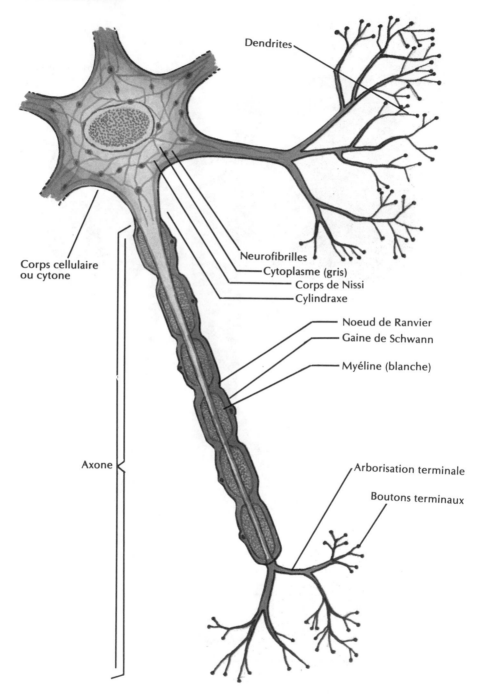

Dendrites

Corps cellulaire
ou cytone

Neurofibrilles
Cytoplasme (gris)
Corps de Nissi
Cylindraxe

Noeud de Ranvier
Gaine de Schwann

Myéline (blanche)

Axone

Arborisation terminale

Boutons terminaux

Les glandes à sécrétion interne chez la femme et chez l'homme

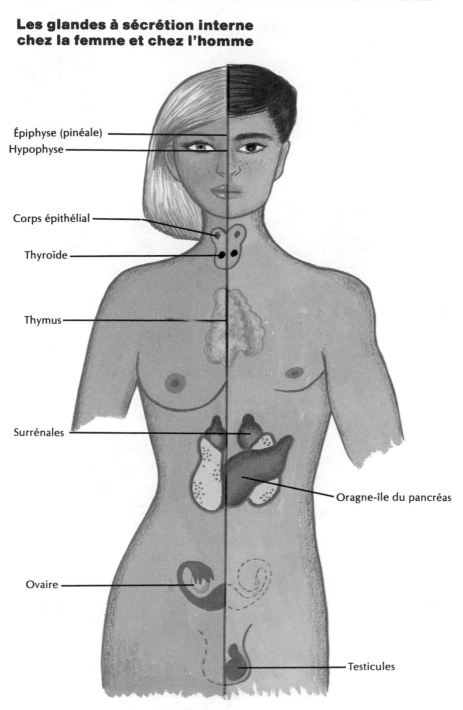

Épiphyse (pinéale)

Hypophyse

Corps épithélial

Thyroïde

Thymus

Surrénales

Oragne-île du pancréas

Ovaire

Testicules

LES MICROBES

LES BACILLES

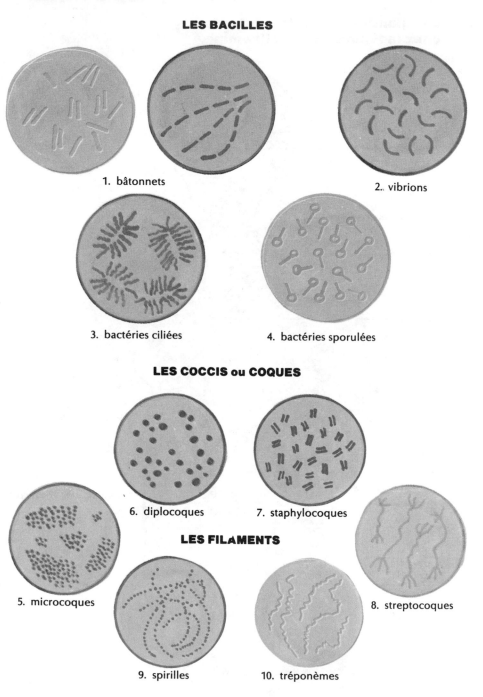

1. bâtonnets

2. vibrions

3. bactéries ciliées

4. bactéries sporulées

LES COCCIS ou COQUES

6. diplocoques

7. staphylocoques

5. microcoques

LES FILAMENTS

8. streptocoques

9. spirilles

10. tréponèmes

ORGANES GÉNITAUX MASCULINS

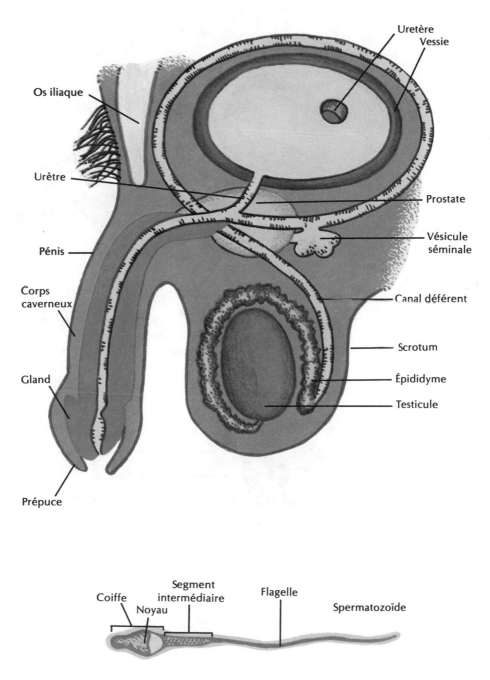

Uretère
Vessie
Os iliaque
Urètre
Prostate
Pénis
Vésicule séminale
Corps caverneux
Canal déférent
Scrotum
Gland
Épididyme
Testicule
Prépuce

Coiffe
Noyau
Segment intermédiaire
Flagelle
Spermatozoïde

ORGANES GÉNITAUX FÉMININS

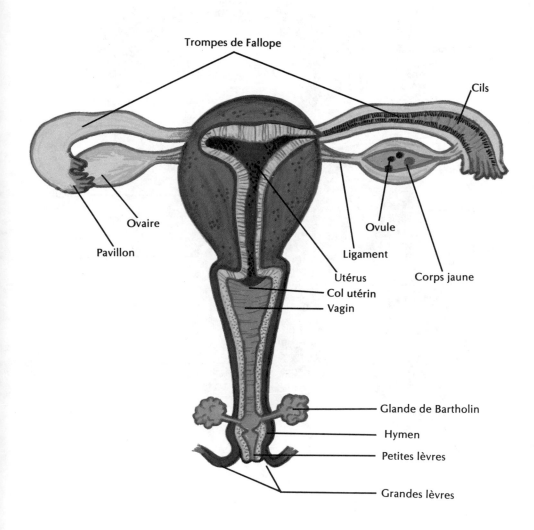

Trompes de Fallope

Cils

Ovaire

Pavillon

Ovule

Ligament

Corps jaune

Utérus

Col utérin

Vagin

Glande de Bartholin

Hymen

Petites lèvres

Grandes lèvres

LA FÉCONDATION

Division cellulaire

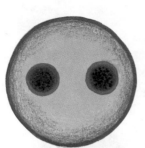

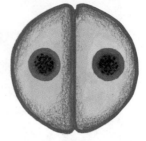

**Noyau du
spermatozoïde
et de l'ovule**

**Cellule primaire
ou cellule-souche
ou cellule unique**

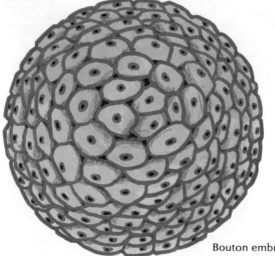

Bouton embryonnaire

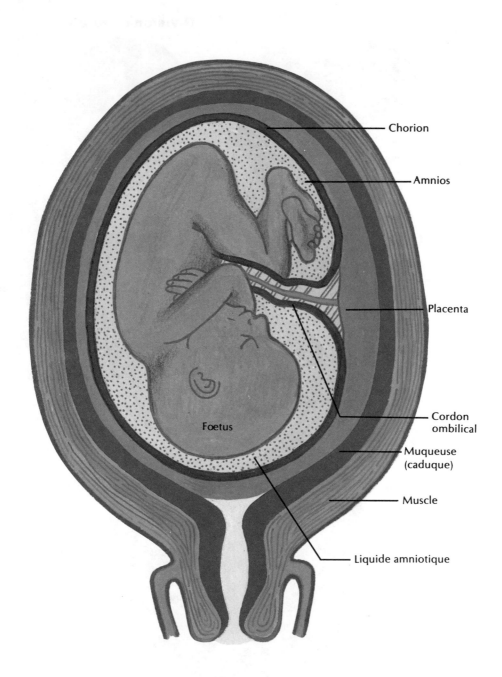

Chorion

Amnios

Placenta

Cordon
ombilical

Foetus

Muqueuse
(caduque)

Muscle

Liquide amniotique

ESTHÉSIOLOGIE

LA LANGUE

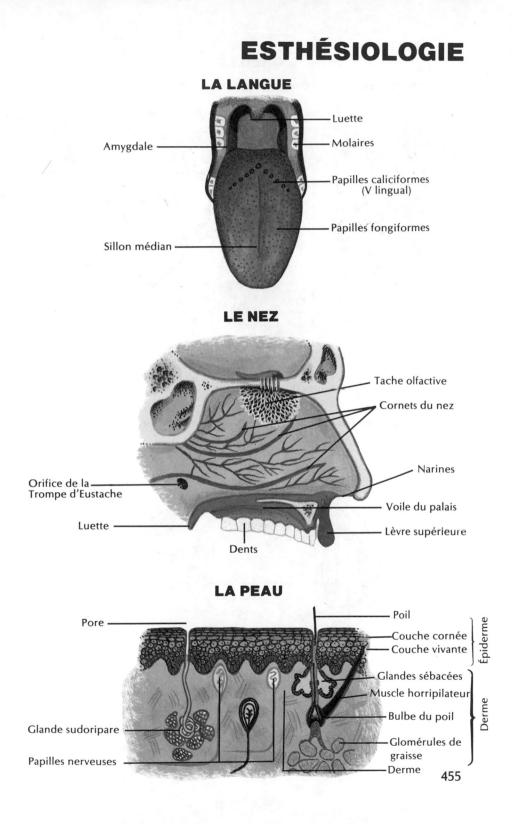

Luette

Molaires

Amygdale

Papilles caliciformes
(V lingual)

Papilles fongiformes

Sillon médian

LE NEZ

Tache olfactive

Cornets du nez

Narines

Orifice de la
Trompe d'Eustache

Voile du palais

Luette

Lèvre supérieure

Dents

LA PEAU

Pore

Poil

Couche cornée

Couche vivante

Épiderme

Glandes sébacées

Muscle horripilateur

Bulbe du poil

Glande sudoripare

Glomérules de
graisse

Papilles nerveuses

Derme

Derme

455

L'OREILLE

Oreille externe   **Oreille moyenne**   **Oreille interne**

Vestibule

Nerf auditif

Pavillon auditif

Canaux semi-circulaires

Conduit auditif

Limaçon

Trompe d'Eustache

Tympan   Osselets

L'OEIL

Organes annexes   **Organes essentiels**

Muscle oculaire

Paupière

Sclérotique

Choroïde

Cils

Iris

Rétine

Pupille

Milieux transparents

Nerf optique

Cornée   Cristallin

Humeur vitrée

Humeur aqueuse

Achevé d'imprimer
en l'an mil neuf cent quatre-vingt-cinq
sur les presses des ateliers Guérin,
Montréal, Canada.